中国中药资源大典

资源大典

广东卷

⑧

黄璐琦／总主编

晁 志 严寒静／主 编

北京科学技术出版社

图书在版编目（CIP）数据

中国中药资源大典. 广东卷. 8 / 晁志, 严寒静主编.
北京：北京科学技术出版社, 2024. 6. -- ISBN 978-7
-5714-4010-7

Ⅰ. R281.4

中国国家版本馆CIP数据核字第2024DE4545号

责任编辑：侍　伟　李兆弟　王治华　庞璐璐　吕　慧
责任校对：贾　荣
图文制作：樊润琴
责任印制：李　茗
出 版 人：曾庆宇
出版发行：北京科学技术出版社
社　　址：北京西直门南大街16号
邮政编码：100035
电　　话：0086-10-66135495（总编室）　　0086-10-66113227（发行部）
网　　址：www.bkydw.cn
印　　刷：北京博海升彩色印刷有限公司
开　　本：889 mm×1 194 mm　　1/16
字　　数：870千字
印　　张：39.25
版　　次：2024年6月第1版
印　　次：2024年6月第1次印刷
审 图 号：GS京（2023）1758号
ISBN 978-7-5714-4010-7

定　　价：490.00元

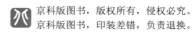

《中国中药资源大典·广东卷》
总编写委员会

总 主 编 黄璐琦（中国中医科学院）

主　　编 潘超美（广州中医药大学）

叶华谷（中国科学院华南植物园）

廖文波（中山大学）

夏念和（中国科学院华南植物园）

晁　志（南方医科大学）

黄海波（广州中医药大学）

严寒静（广东药科大学）

童毅华（中国科学院华南植物园）

童　毅（广州中医药大学）

赵万义（中山大学）

凡　强（中山大学）

编　　委（按姓氏笔画排序）

凡　强（中山大学）

王亚荣（中山大学）

王英强（华南师范大学）

邓旺秋（广东省科学院微生物研究所）

叶华谷（中国科学院华南植物园）

叶幸儿（广东药科大学）

付　琳（中国科学院华南植物园）

白　琳（中国科学院华南植物园）

刘基柱（广东药科大学）

严寒静（广东药科大学）

李泰辉 （广东省科学院微生物研究所）

肖凤霞 （广州中医药大学）

何春梅 （广东省林业科学研究院）

张宏伟 （南方医科大学）

陈　娟 （中国科学院华南植物园）

陈秋梅 （广州中医药大学）

林哲丽 （韶关学院）

赵万义 （中山大学）

秦新生 （华南农业大学）

夏　静 （广州白云山和记黄埔中药有限公司）

夏念和 （中国科学院华南植物园）

晁　志 （南方医科大学）

黄海波 （广州中医药大学）

梅全喜 （深圳市宝安区中医院）

彭泽通 （广州中医药大学）

童　毅 （广州中医药大学）

童家赟 （广州中医药大学）

童毅华 （中国科学院华南植物园）

曾飞燕 （中国科学院华南植物园）

楼步青 （广东省中医院）

廖文波 （中山大学）

潘超美 （广州中医药大学）

《中国中药资源大典·广东卷8》

编写委员会

主　　编　晃　志　严寒静

副 主 编　王英强　秦新生　张宏伟　刘基柱

编　　委　（按姓氏笔画排序）

王英强　叶华谷　申聪春　田恩伟　匡艳辉　成夏岚　朱　慧　刘基柱

阳　君　严寒静　李　放　吴清韩　何梦玲　张宏伟　张宏意　张春荣

张荣京　林正眉　罗　碧　罗景斌　周先叶　周良云　周欣欣　施　诗

姜春宁　秦新生　夏　静　晃　志　黄　荣　黄久香　曾云保　路国辉

廖沛然　潘超美

黄 序

中药资源是中医药事业传承和发展的物质基础，是关系国计民生的战略性资源。为促进中药资源保护、开发和合理利用，国家中医药管理局组织开展了第四次全国中药资源普查。广东省得天独厚的地理环境，孕育了丰富多样、具有岭南特色的中药资源。《中国中药资源大典·广东卷》对广东省中药资源现状的总结，也是广东省中药资源普查成果的集中体现。

本书分上、中、下篇，上篇介绍了广东省中药资源概况、中药资源普查工作及中药资源产业现状等，中篇介绍了广东省23种道地、大宗中药资源的栽培面积、分布区域、资源利用等，下篇为广东省3514种中药资源的基本信息。本书充分反映了广东省中药资源的最新研究成果，内容丰富，体例新颖，图文并茂，为一部具有较高学术价值和实用价值的工具书。

相信本书的出版可为进一步开展中药品质研究与评价、推动中药产业的健康和可持续发展、为地方制定中药产业政策提供支撑，为推动区域经济社会高质量发展贡献力量。

欣闻本书即将付梓，乐之为序。

中国工程院院士

中国中医科学院院长

第四次全国中药资源普查技术指导专家组组长

2024 年 4 月

序 言

　　中药资源是中医药事业发展的物质基础，国家高度重视中药资源保护及其可持续利用。我国已开展了4次全国范围的中药资源普查，其中第四次全国中药资源普查工作起止时间为2011—2021年。第四次全国中药资源普查确认了我国共有18 817种药用资源，与第三次普查相比增加了6 000多种，其中，3 151种为我国特有的药用植物，464种为需要保护的物种；还发现196个新物种，其中约100种具有潜在药用价值。

　　广东省第四次中药资源普查工作于2014年开始、2021年11月结束，历时近8年，普查区域实现了对全省全部县级行政区域的覆盖。为推广中药资源普查成果，更好地服务于广东省中药产业发展，广东省第四次全国中药资源普查（试点）工作办公室（以下简称广东省普查办）、广东省中药资源普查（试点）工作技术专家指导委员会组织相关专家、学者和技术人员，从广东省中药资源概况、重点中药资源情况、中药资源监测体系建设、中药材种植生产区划、传统医药知识收集、种质资源圃建设等方面入手，进行了数据统计和细致的整理研究工作，汇总了广东省在中药资源保护、科研和产业等领域取得的一系列成果。一是基本摸清了广东省中药资源家底，为编制《中国中药资源大典·广东卷》提供了翔实的数据。本次普查共发现药用植物3 443种，其中涵盖栽培药用植物185种；发现新种8种，新分布记录属和新分布记录种共11种；对区域内水生和耐盐药用资源、菌类药用资源、瑶药资源等进行了专项调研，构建了广东省岭南中药资源信息管理系统。二是建立了广东省中药资源动态监测信息和技术服务体系，形成了区域内中药资源动态监测网络，与国家中药资源动态监测信息和技术服务体系实现了数据共享，形成了长效机制，可实时掌握广东省中药材的产量、流通量、价格和质量等的变化趋势，促进中药产业的健康发展。广东省中药资源普查过程中开展了区域内重点道地药材品种的标准化建设，开展了中药材产业扶贫行动，使中药材生产成为推进乡村振兴的重要抓手，为加快区域中药材产业的发展贡献了力量。三是建立了省级中药材种子种苗繁育基地、省中药药用植物重点物种保存圃和种质资源圃，保存广东省活体中药药用植物种质资源2 639份，从源头上保证了中药材的质量，促进了珍稀、濒危、道地药材的繁育和保护，凸显了中药资源保护和可持续利用工作的重要性。四是在汇总广东省中药资源相关传统知识调查成果的基础上，梳理了广东省岭南地区独特地理气候条件下的人群体质特点，形成了具有地域特色的岭南中医药学体系亮点，如广东凉茶、罗浮山百草油、沙溪凉茶、冯了性风湿跌打药酒、跌打万花油、乌鸡白凤丸等具有岭南特色的中药配伍应用；整理出岭南民间特色治疗验方554首，挖掘、传承、保护与中药资源相关的传统知识。五是汇编出版了《广东省中药资源志要》《梅州中草药图鉴》《乳源瑶医瑶药志要》《岭南采药录考释》等专著。

《中国中药资源大典·广东卷》是对广东省第四次中药资源普查工作成果的全面汇总，是全体普查人员经过多年努力，获得的广东省中药资源现状的第一手资料。《中国中药资源大典·广东卷》由广州中医药大学、中国科学院华南植物园、中山大学、南方医科大学、广东药科大学、华南农业大学等17个普查技术单位的200多位普查技术人员共同编撰完成。全书分为上篇、中篇、下篇，共12册。上篇全面介绍了广东省中药资源生态环境、分布概况，梳理了广东省中药资源和产业现状，对比广东省第三次中药资源普查结果，对广东省野生药用资源分布、人工种植（养殖）中药资源物种的变化、中药材市场流通情况、岭南民间用药特点等进行了分析，并提出了广东省中药资源区划和发展建议；中篇详细地介绍了广东省23种道地、大宗中药资源的资源情况、分布情况、栽培情况、采收应用等内容，为中药材产业的高质量发展提供了技术服务，为中药材生产布局提供了参考；下篇对广东省境内3 514种中药资源物种（药用植物、药用动物、药用矿物）做了图文并茂的介绍，展现了广东省中药资源领域的最新数据信息成果。《中国中药资源大典·广东卷》的出版客观真实地反映了广东省中药资源的整体情况，对广东省乃至全国中药资源的保护、合理利用、开发、科研、教学以及产业规划等将发挥重要的指导作用。

《中国中药资源大典·广东卷》编写委员会

2024 年 3 月

前　言

　　广东省位于我国大陆最南端，北回归线横穿其中部。全省地势北高南低，山脉大多呈东北—西南走向。气候从北向南分别为中亚热带、南亚热带和热带气候，受海洋上的湿润气流影响，夏季高温多雨、多台风，冬季多干旱且有冷空气侵袭。广东省年平均气温为18.9～23.8 ℃，气温呈南高北低的特点，南端雷州半岛年平均气温最高，为23.8 ℃，粤北山区年平均气温最低，为18.9 ℃；历史极端最高气温为42.0 ℃，极端最低气温为−7.3 ℃。

　　广东省光、热、水资源丰富，得天独厚的地理环境和气候为生物的生长创造了优越的条件，动植物种类繁多，药用植物资源非常丰富。广东省的植被类型有纬度地带性分布的北亚热带季雨林、南亚热带季风常绿阔叶林、中亚热带典型常绿阔叶林和沿海的热带红树林，还有非纬度地带性分布的常绿落叶阔叶混交林、常绿针阔叶混交林、常绿针叶林、竹林、灌丛和草坡，以及水稻、甘蔗和茶树等栽培植被。

　　2014 年，广东省启动了第四次中药资源普查工作，到 2021 年 11 月普查结束。广东省本次中药资源普查共记录调查信息 445 240 条、中药资源 4 692 种（已确认的药用植物 3 443 种），调查中药材栽培面积 14.3 万 hm²，涵盖药用植物栽培品种 185 种；记录病虫害种类 351 种，调查市场主流药材品种 852 种，记录传统医药知识信息 629 条。通过统计分析现有典籍专著和文献记载的广东省药用资源种类信息，结合广东省本次中药资源普查结果，确定广东省现有中药资源种类为 3 587 种。广东省本次中药资源普查调查代表区域 368 个，调查样地 4 056 个，调查样方套 20 273 个，记录有蕴藏量的中药资源 330 种，收集药材标本 4 977 份、中药材种质资源 2 639 份。此外，本次普查还对广东省菌类和水生、耐盐等药用植物资源进行了专项调研，收载大型药用真菌 217 种，隶属 26 科 46 属；记录水生药用植物资源 160 种、耐盐药用植物资源 269 种。

广东省是我国南药的主产区，与第三次中药资源普查相比，其道地药材和岭南特色药材的生产现状发生了很大的变化。广东省目前生产的道地药材品种主要有春砂仁、何首乌、广藿香、巴戟天、白木香、檀香、穿心莲、肉桂、广陈皮、芡实、山奈、益智等，珍稀野生药材品种有金毛狗、桫椤、青天葵、华南龙胆、蛇足石杉、金线兰等，岭南特色药材品种有莪术、红豆蔻、草豆蔻、甘葛、广山药、猴耳环、溪黄草、凉粉草、九节茶、鸡骨草、广金钱草、牛大力、千斤拔、黑老虎、铁皮石斛等。

广东省是中成药、中药配方颗粒、凉茶的生产大省，每年消耗的中药原料达数千吨，而许多中药原料主要来源于野生资源，导致野生药用资源品种数和蕴藏量均急剧减少。为了保证国家基本药物所需中药原料的可持续利用，广东省大部分制药企业建立了配套的中成药原料基地，还建立了野生中药资源转家种的药材原料基地，主要种植品种有黑老虎、吴茱萸、猴耳环、九里香、白花蛇舌草、溪黄草、紫茉莉、岗梅、毛冬青、两面针、三桠苦、草珊瑚、南板蓝根、山银花、鸡血藤、虎杖、龙脷叶、金樱子、金毛狗、钩藤、土牛膝、佩兰、千年健、山豆根、桃金娘、五指毛桃、无花果、地胆草、紫花杜鹃、裸花紫珠等稀缺原料药材，这些药材种植基地的建立对广东省中药资源的保护和可持续利用具有重要意义。

广东省第四次中药资源普查为广东省中药材产业提供了准确的资源信息，已有的成果数据信息可以更好地服务于产业发展，同时也为区域内主管部门制定相关法规政策提供了数据支撑。我们对广东省近 8 年来的普查数据进行了系统、严谨的梳理和统计，这对促进区域内中药资源的保护和可持续利用、促进地方中药资源产业和国民经济的发展具有重要意义。

《中国中药资源大典·广东卷》编写委员会

2024 年 3 月

凡例

（1）本书分为上篇、中篇、下篇，共12册。上篇内容包括广东省自然地理概况、广东省第四次中药资源普查实施情况、广东省第四次中药资源普查成果、广东省中药资源发展存在的问题与建议；中篇重点介绍广东省23种道地、大宗中药资源；下篇是各论，共收载植物、动物、矿物等药用资源3 514种，以药用资源物种为单元进行介绍。本书主要参考《中国药典》《中国药材学》《中华本草》《中国植物志》《全国中草药汇编》等，以及历代本草文献等权威著作。为检索方便，本书在第1册正文前收录1 ～ 12册总目录，在页码前均标注了其所在册数（如"[1]"）。同时，还在第12册正文后附有1 ～ 12册所录中药资源的中文笔画索引、拉丁学名索引。

（2）植物分类系统。蕨类植物采用秦仁昌1978年分类系统。裸子植物采用郑万钧1975年分类系统。被子植物采用哈钦松分类系统。少数类群根据最新研究成果稍作调整；属、种按拉丁学名的字母顺序排列。

（3）本书下篇各品种按照其科名及属名、物种名、药材名、形态特征、生境分布、资源情况、采收加工、药材性状、功能主治、用法用量、凭证标本号、附注依次著述，资料不全者项目从略。

1）科名及属名。该项包括科、属的中文名和拉丁学名。

2）物种名。该项包括中文名和拉丁学名。

3）药材名。该项介绍药用部位及药材的别名。未查到药材别名的则内容从略。

4）形态特征。该项简要介绍物种的形态。

5）生境分布。该项介绍物种的生存环境及其在广东省的分布区域，栽培品种则介绍其主产地及道地产区。分布中的地级市专指其城区范围，不涵盖其管辖的县域范围，正文中采用"地级市（市区）"的形式表示，如"茂名（市区）"。

6）资源情况。该项介绍物种的蕴藏量情况，野生资源以丰富、较丰富、一般、较少、稀少表示，并说明药材来源于栽培资源还是野生资源。

7）采收加工。该项简要介绍药材的采收时间、采收方式及加工方法。

8）药材性状。该项主要介绍药材的性状特征。对于民间习用的鲜草药或冷背药材，则此项内容从略。

9）功能主治。该项介绍药材的味、性、毒性、归经、功能和主治。

10）用法用量。该项介绍药材的使用方法及用量范围。

11）凭证标本号。该项为第四次全国中药资源普查收载的物种标本号或补充收录物种的馆藏标本号。依据文献记载补充的经确认广东省已有、普查未收录的物种同时附上中国科学院华南植物园标本馆（IBSC）、深圳市中国科学院仙湖植物园植物标本馆（SZG）、广东省韩山师范学院植物标本室（CZH）等的标本号。补充收录的动物和矿物药用资源的标本号引用《广东中药志》《广东省中药材标准》《中国药用动物志》等文献的记录；菌类药用资源的标本号引用广东省科学院微生物研究所标本馆（GDGM）的标本号。

12）附注。该项简述物种的品种情况、民间使用情况、资源利用情况等内容。

被子植物

山茱萸科 | Cornaceae | 桃叶珊瑚属 | *Aucuba*

桃叶珊瑚 *Aucuba chinensis* Benth.

| **药 材 名** | 天脚板（药用部位：叶。别名：峨眉桃叶珊瑚、桃叶珊瑚、青木）。

| **形态特征** | 常绿灌木或小乔木。枝叶对生。叶痕大，显著；叶片革质，椭圆形或阔椭圆形，常具 5 ～ 8 对锯齿或腺状齿。圆锥花序顶生，雄花序长 5 cm 以上，雌花序较雄花序短；雄花绿色，花萼、花瓣、雄蕊各4；雌花子房圆柱形；花盘肉质；花下具关节。核果成熟时呈鲜红色，圆柱状或卵状；萼片、花柱及柱头宿存。花期 1 ～ 2 月，果熟期翌年 2 月。

| **生境分布** | 生于海拔 200 ～ 1 200 m 的山地、水旁阴处疏林中。分布于广东增城、从化、乳源、广宁、封开、博罗、惠东、梅县、丰顺、阳春、江门、饶平、郁南、信宜及深圳（市区）、茂名（市区）、潮州（市区）等。

| **资源情况** | 野生资源较丰富。药材来源于野生。

| **采收加工** | 全年均可采收，晒干或鲜用。

| **功能主治** | 苦，凉。清热解毒，消肿镇痛。用于痈疮肿毒，痔疮，烫火伤，跌打损伤。

| **用法用量** | 内服煎汤，9～15 g。外用鲜品适量，捣敷；或绞汁搽；或研末调涂。

| **凭证标本号** | 441421190323691LY、440307210109024LY、440232151105010LY。

山茱萸科 Cornaceae 灯台树属 *Bothrocaryum*

灯台树
Bothrocaryum controversum (Hemsl.) Pojark.

| 药 材 名 | 灯台树（药用部位：果实、根皮、叶。别名：瑞木、六角树、女儿木）。

| 形态特征 | 落叶乔木，高 6 ~ 20 m。幼枝有半月形叶痕和圆形皮孔。叶互生；叶片纸质，阔卵形至椭圆状披针形，长 6 ~ 13 cm，宽 3.5 ~ 9 cm，基部圆形，全缘；叶柄紫红绿色。伞房状聚伞花序顶生，总花梗淡黄绿色；花小，白色；花萼、花瓣和雄蕊各 4；雄蕊与花瓣互生，着生于垫状花盘外侧；子房下位。核果小，球形，成熟时呈紫红色至蓝黑色。花果期 5 ~ 8 月。

| 生境分布 | 生于海拔 250 ~ 800 m 的常绿阔叶林或针阔混交林中。分布于广东乳源、乐昌、英德及肇庆（市区）等。

资源情况	野生资源一般。药材来源于野生。
采收加工	果实，夏、秋季果实成熟时采收，鲜用。根皮，5～6月剥取，晒干。叶，全年均可采收，晒干或鲜用。
功能主治	果实，苦，凉，清热解毒，润肠通便，驱蛔。用于肝炎，肠燥便秘，蛔虫病。根皮、叶，清热平肝，止痛，活血消肿。用于肝阳上亢之头痛、眩晕，咽痛，筋骨酸痛，跌打损伤。
用法用量	果实，内服煎汤，3～10 g。外用适量，捣敷。根皮、叶，内服煎汤，9～15 g。外用适量，捣敷。
凭证标本号	440233141224041LY。

山茱萸科 | Cornaceae 山茱萸属 | Cornus

山茱萸
Cornus officinalis Siebold et Zucc.

| 药 材 名 | 山茱萸（药用部位：果肉。别名：山萸肉、枣皮）。

| 形态特征 | 落叶灌木或小乔木。小枝黑褐色，近圆柱形。叶对生；叶片厚纸质，卵形至卵状椭圆形，长 5 ~ 12 cm，宽 2.5 ~ 5.5 cm，脉腋密生淡褐色簇毛。伞形花序腋生，有呈卵形的小型苞片 4；花小，两性，先叶开放；花萼裂片 4，阔三角形；花瓣 4，卵形；雄蕊 4；花盘肉质；子房下位。核果椭圆形，长 1.2 ~ 1.7 cm，宽 5 ~ 7 mm，成熟时呈红色。花果期 3 ~ 10 月。

| 生境分布 | 广东乐昌、乳源等地有栽培。

| 资源情况 | 栽培资源较少。药材来源于栽培。

| **采收加工** | 秋末冬初采收成熟果实，文火烘焙至膨胀，去核，或置沸水中略烫，去果核，取果肉，晒干或烘干。 |

| **药材性状** | 本品呈不规则片状或扁囊状，表面紫红色至紫黑色，常皱缩或破裂，有光泽，有宿萼痕迹或残存果梗。质柔软，不易破碎。气微或无，味酸、涩、微苦。 |

| **功能主治** | 酸，微温。补益肝肾，收敛固脱。用于眩晕耳鸣，腰膝酸痛，阳痿遗精，遗尿尿频，崩漏带下，大汗虚脱，内热消渴。 |

| **用法用量** | 内服煎汤，5 ~ 10 g。 |

山茱萸科 Cornaceae 四照花属 Dendrobenthamia

尖叶四照花 *Dendrobenthamia angustata* (Chun) W. P. Fang

| 药 材 名 | 野荔枝（药用部位：花、叶。别名：山荔枝、武夷四照花、绒毛尖叶四照花）、野荔枝果（药用部位：果肉）。

| 形态特征 | 常绿小乔木或灌木。幼枝被白色短柔毛。单叶对生；叶片革质，长椭圆形或卵状椭圆形，长7～12 cm，宽2.5～4 cm，先端尾状渐尖，基部楔形，全缘。头状花序近球形，总苞片4，白色，卵形，花瓣状，长2.5～4.5 cm，宽1～2.2 cm；花萼管状，4裂，内侧密被白色短柔毛；花瓣和雄蕊各4，子房下位。聚合核果肉质。球形，成熟时呈红色。花果期6～11月。

| 生境分布 | 生于海拔300～1 300 m的密林或混交林中。分布于广东始兴、乳源、乐昌、南雄、怀集、封开、大埔、平远、连平、和平、阳山、连州等。

| 资源情况 | 野生资源丰富。药材来源于野生。

| 采收加工 | **野荔枝**：6 ~ 7 月采摘花，干燥；叶全年均可采收，晒干或鲜用。
野荔枝果：秋季果实成熟时采收，除去种子，取果肉，干燥或鲜用。

| 功能主治 | **野荔枝**：涩、苦，平。清热解毒，收敛止血。用于外伤出血，痢疾，骨折。
野荔枝果：苦，凉。清热利湿，止血，驱蛔。用于湿热黄疸，蛔虫病，外伤出血。

| 用法用量 | **野荔枝**：内服煎汤，9 ~ 15 g。外用鲜品适量，捣敷；或研末调敷。
野荔枝果：内服煎汤，30 ~ 60 g。外用适量，捣敷。

山茱萸科 Cornaceae 四照花属 Dendrobenthamia

头状四照花 *Dendrobenthamia capitata* (Wall.) Hutch.

| 药 材 名 | 鸡嗉子果（药用部位：果实。别名：山荔枝、鸡嗉子、峨眉四照花）、鸡嗉子根（药用部位：根）、鸡嗉子叶（药用部位：叶）。

| 形态特征 | 常绿小乔木。幼枝被褐色短柔毛。单叶对生；叶片薄革质或革质，长圆形至椭圆状披针形，长 5.5 ~ 10 cm，宽 2 ~ 3.4 cm，先端急尖，基部楔形，两面贴生白色短柔毛。头状花序球形，总苞片 4，白色，倒卵形，花瓣状；花萼管状，4 裂，内外均被白色柔毛；花瓣和雄蕊各 4；子房下位。聚合核果肉质，扁球形，成熟时呈紫红色。花果期 5 ~ 10 月。

| 生境分布 | 生于常绿阔叶混交林中。分布于广东始兴、乳源、乐昌、阳山、德庆、大埔等。

| 资源情况 | 野生资源一般。药材来源于野生。

| 采收加工 | **鸡嗉子果：** 秋季果实成熟时采收，除去种子，取果肉，干燥。

鸡嗉子根： 全年均可采挖，洗净，晒干。

鸡嗉子叶： 全年均可采收，鲜用或晒干。

| 功能主治 | **鸡嗉子果：** 甘，平。杀虫消积，清热解毒，利水消肿。用于蛔虫病，食积，肺热咳嗽，肝炎，腹水。

鸡嗉子根： 微苦、涩，凉。清热，止泻。用于湿热痢疾，泄泻。

鸡嗉子叶： 苦、涩，平。消积杀虫，清热解毒，利水消肿。用于食积，小儿疳积，虫积腹痛，肝炎，腹水，烫火伤，外伤出血，疮疡。

| 用法用量 | **鸡嗉子果：** 内服煎汤，6 ~ 15 g。

鸡嗉子根： 内服煎汤，10 ~ 15 g。

鸡嗉子叶： 内服煎汤，6 ~ 15 g；或研末。外用适量，研末撒或调搽；或煎汤洗；或捣敷。

山茱萸科 Cornaceae 四照花属 *Dendrobenthamia*

香港四照花 *Dendrobenthamia hongkongensis* (Hemsl.) Hutch.

| **药 材 名** | 香港四照花（药用部位：花、叶。别名：野荔枝、山荔枝、糖黄子树）、香港四照花果（药用部位：果实）

| **形态特征** | 常绿乔木或灌木。幼枝被褐色短柔毛。单叶对生；叶片薄革质或厚革质，椭圆形至长椭圆形，长 6 ～ 13 cm，宽 3 ～ 6 cm，下面密被白色粗毛，先端短渐尖，基部宽楔形，上面中脉明显。头状花序球形，总苞片 4，白色，宽椭圆形至倒卵状椭圆形；花萼管状，4 裂，外侧被白色细毛；花瓣和雄蕊各 4；子房下位。聚合核果肉质，球形，成熟时呈黄色或红色。花果期 5 ～ 12 月。

| **生境分布** | 生于海拔 350 ～ 1 600 m 的山谷密林或混交林中。分布于广东乐昌、乳源、始兴、仁化、连州、连山、连南、阳山、英德、新丰、翁源、

从化、龙门、广宁、怀集、郁南、封开、罗定、德庆、阳山及深圳（市区）、
茂名（市区）等。

| 资源情况 | 野生资源较丰富。药材来源于野生。

| 采收加工 | **香港四照花**：春、夏季采摘花，全年均可采收叶鲜用或晒干。
香港四照花果：夏、秋季采收，晒干。

| 功能主治 | **香港四照花**：苦、涩，凉。收敛止血。用于外伤出血。
香港四照花果：甘、苦，温。驱蛔。用于蛔虫病。

| 用法用量 | **香港四照花**：外用适量，鲜品捣敷；或研末撒。
香港四照花果：内服煎汤，6 ~ 15 g。

| 凭证标本号 | 441825190801045LY、441882180505005LY、441421180207650LY。

山茱萸科 Cornaceae 青荚叶属 Helwingia

西域青荚叶

Helwingia himalaica Hook. f. et Thomson ex C. B. Clarke

| 药 材 名 | 叶上珠（药用部位：叶、果实。别名：喜马拉雅青荚叶、桃叶青荚叶、细梗青荚叶）。

| 形态特征 | 落叶灌木，高 2 ~ 3 m。幼枝黄褐色。单叶互生；叶片厚纸质，长圆形至长卵状披针形，长 5 ~ 11 cm，宽 2.5 ~ 4 cm，先端尾状渐尖，基部阔楔形，边缘具腺状细锯齿。花单性，雌雄异株；雄花绿色带紫色，8 ~ 20 雄花组成密伞花序；3 ~ 4 雌花簇生叶上面中脉的中部或近基部，柱头 3 ~ 4 裂，向外反卷。核果近球形，具 3 ~ 5 棱，成熟后呈黑色，1 ~ 3 核果生于叶面中脉上。花果期 4 ~ 10 月。

| 生境分布 | 生于海拔 300 ~ 1 000 m 的山谷林中。分布于广东乳源、信宜。

| **资源情况** | 野生资源较少。药材来源于野生。 |

| **采收加工** | 夏、秋季采收，鲜用或晒干。 |

| **药材性状** | 本品叶片较厚，长圆形至长卵状披针形，长 5 ~ 11 cm，宽 2.5 ~ 4 cm，先端尾状渐尖，主脉上有的可见红色核果，表面具 3 ~ 5 棱。质稍脆。气微，味微涩。 |

| **功能主治** | 辛、苦，平。活血散瘀，除湿利水，接骨止痛。用于风湿痹痛，跌打损伤，痈疮。 |

| **用法用量** | 内服煎汤，9 ~ 18 g。外用适量，鲜品捣敷。 |

山茱萸科 Cornaceae 青荚叶属 Helwingia

青荚叶

Helwingia japonica (Thunb.) F. Dietr.

| 药 材 名 | 叶上珠（药用部位：叶、果实。别名：大叶通草）、小通草（药用部位：茎髓）。

| 形态特征 | 落叶灌木，高 1 ~ 2 m。幼枝绿色，叶痕显著。单叶互生；叶片纸质，卵形至阔椭圆形，长 3 ~ 13 cm，宽 1.5 ~ 9 cm，先端渐尖，基部阔楔形，边缘具刺状细锯齿。花单性，雌雄异株；雄花淡绿色，4 ~ 12 雄花组成伞形或密伞形花序，3 ~ 5 雄蕊生于花盘内侧；1 ~ 3 雌花簇生于叶上面中脉的中部或近基部，柱头 3 ~ 5 裂。球形核果具 3 ~ 5 棱，成熟后呈黑色，1 ~ 3 核果生于叶面中脉上。花果期 4 ~ 9 月。

| 生境分布 | 生于海拔约 1 000 m 的山地、路旁、山谷林中阴湿的地方。分布于

广东乳源、饶平及汕头（市区）等。

| **资源情况** | 野生资源较少。药材来源于野生。

| **采收加工** | 叶上珠：夏、秋季采收叶或果实，晒干。

小通草：秋季割下枝条，截断，趁鲜用木棍顶出茎髓，理直，晒干。

| **药材性状** | 叶上珠：本品叶片呈卵形至阔椭圆形，长 3 ~ 13 cm，宽 1.5 ~ 9 cm，先端渐尖，基部阔楔形，边缘具刺状细锯齿，上表面主脉处有呈球形、具 3 ~ 5 棱的黑褐色果实，下表面主脉明显。质较脆。气微，味微涩。

小通草：本品呈圆柱形，长 30 ~ 50 cm，直径 0.5 ~ 1 cm。表面白色或淡黄色，有浅纵条纹。质较硬，捏之不易变形。断面平坦，无空心，具银白色光泽。水浸后无黏滑感。无臭，无味。

| **功能主治** | 叶上珠：辛、苦，平。祛风除湿，活血解毒。用于感冒咳嗽，风湿痹痛，胃痛，痢疾，便血，月经不调，跌打损伤，骨折，痈疖疮毒，毒蛇咬伤。

小通草：甘、淡，寒。清热，利尿，下乳。用于乳少、乳汁不畅，小便不利，尿路感染。

| **用法用量** | 叶上珠：内服煎汤，9 ~ 15 g。外用鲜品适量，捣敷。

小通草：内服煎汤，3 ~ 9 g。

山茱萸科 Cornaceae 梾木属 Swida

小梾木 *Swida paucinervis* (Hance) Sojak

| 药 材 名 | 穿鱼藤（药用部位：根、枝叶。别名：乌金草、火烫药）。

| 形态特征 | 落叶灌木，高 1 ~ 3 m。幼枝略具 4 棱，红褐色。单叶对生；叶片纸质，椭圆状披针形或卵形状椭圆形，长 4 ~ 9 cm，宽 1 ~ 2.5 cm，先端急尖或渐尖，基部楔形，全缘。伞房状聚伞花序顶生，被灰白色短柔毛。花两性，白色至淡黄白色；萼裂齿 4；花瓣 4，狭卵形至披针形；雄蕊 4；子房下位，被贴生的短柔毛。核果圆球形，成熟时呈黑色，直径 5 mm。花果期 6 ~ 11 月。

| 生境分布 | 生于海拔 50 m 以上的河旁或溪边灌丛。中国科学院华南植物园有栽培。

| **资源情况** | 栽培资源较少。药材来源于栽培。 |

| **采收加工** | 全年均可采收，洗净，晒干或鲜用。 |

| **功能主治** | 辛、苦，凉。清热解毒，活血止痛，止血，接骨。用于感冒头痛，风湿关节痛，腹泻，热毒疮肿，外伤出血，跌打损伤，骨折，烫火伤等。 |

| **用法用量** | 内服煎汤，6～15 g。外用适量，鲜品捣敷，或干叶研末，撒敷。 |

山茱萸科 Cornaceae 梾木属 Swida

毛梾

Swida walteri (Wanger.) Sojak

| 药 材 名 | 毛梾枝叶（药用部位：枝叶、果实。别名：癞树叶、八树）。

| 形态特征 | 落叶乔木。幼枝对生，密被贴生的灰白色短柔毛。单叶对生；叶片纸质，椭圆形或阔卵形，长 4 ~ 12 cm，宽 1.7 ~ 5 cm，先端渐尖，基部楔形，上面被贴生短柔毛，下面密被贴生的灰白色短柔毛。伞房状聚伞花序顶生；花两性，白色，有香味；萼裂齿 4；花瓣 4，长圆状披针形；雄蕊 4；子房下位，被贴生的短柔毛。核果圆球形，成熟时呈黑色，直径 6 ~ 7 mm。花果期 5 ~ 9 月。

| 生境分布 | 生于海拔 300 m 以上的杂木林或密林下。分布于广东连州。

| 资源情况 | 野生资源稀少。药材来源于野生。

| 采收加工 | 夏、秋季采收枝叶，秋季采收果实，洗净，晒干。

| 功能主治 | 淡、苦，平。清热解毒，敛疮。用于漆疮。

| 用法用量 | 外用适量，鲜品捣烂涂；或煎汤洗；或研末撒敷。

八角枫科 Alangiaceae 八角枫属 Alangium

八角枫 *Alangium chinense* (Lour.) Harms

| 药 材 名 | 八角枫（药用部位：支根、须根或根皮、花、叶。别名：大枫树、八角王）。

| 形态特征 | 落叶灌木或小乔木。小枝略呈"之"字形弯曲。单叶互生；叶片纸质，卵形、近圆形或椭圆形，长 5 ~ 19 cm，宽 4 ~ 15 cm，先端渐尖，基部心形至平截，两侧不对称。聚伞花序腋生；花 8 ~ 30，白色；萼钟状，具 6 ~ 8 齿；花瓣与萼齿同数，线形，反卷；雄蕊与花瓣同数且与花瓣等长，花药线形；子房下位。核果卵形，长 5 ~ 7 mm，成熟时呈黑色。花果期 5 ~ 10 月。

| 生境分布 | 生于较阴湿的山谷、山坡杂木林中。广东各地均有分布。

| 资源情况 | 野生资源一般。药材来源于野生。

| 采收加工 | 侧根、须根或根皮，全年均可采挖侧根、须根，或剥取根皮，除去泥沙，晒干。花、叶，夏、秋季采收，晒干或鲜用。

| 药材性状 | 本品支根长圆柱形，略弯曲，长短不一，直径约 5 mm。表面黄棕色至灰褐色，栓皮纵裂，有时剥离。须根众多，直径约 1 mm，黄白色。质坚脆，断面黄白色，粉性。气微，味淡。

| 功能主治 | 支根、须根或根皮，辛、苦，微温，有毒，祛风除湿，舒筋活络，散瘀止痛。用于风湿痹痛，肢体麻木，瘫痪，鹤膝风，跌打损伤，无名肿毒。花、叶，辛，平，散风寒，行气。用于头痛，胸腹胀痛。

| 用法用量 | 内服煎汤，支根 3 ~ 9 g，须根 1 ~ 3 g，花 3 ~ 10 g；或浸酒；或研末。外用鲜叶适量，捣敷；或煎汤洗。

| 凭证标本号 | 441324181104073LY、440783191208019LY、440281190626033LY。

八角枫科 Alangiaceae 八角枫属 Alangium

小花八角枫 *Alangium faberi* Oliv.

| 药 材 名 | 小花八角枫（药用部位：根、叶。别名：细叶八角枫、西南八角枫）。

| 形态特征 | 落叶灌木。小枝纤细。单叶互生；叶片薄纸质至膜质，阔卵形或椭圆状卵形，先端渐尖或尾状渐尖，基部近圆形或心形，两侧不对称。聚伞花序短而纤细，具 5 ~ 10 花；花萼近钟形，7 裂；花瓣 5 ~ 6，线形，反卷；雄蕊与花瓣同数，二者近等长，花药基部有刺毛状硬毛；子房下位。核果近卵圆形或卵状椭圆形，直径 4 mm，成熟时呈淡紫色。花果期 6 ~ 9 月。

| 生境分布 | 生于低海拔的山谷疏林或灌木林中。分布于广东西部和北部。

| 资源情况 | 野生资源一般。药材来源于野生。

| 采收加工 | 夏、秋季采收，根洗净，切片，晒干，叶鲜用。

| 功能主治 | 辛、苦，微温。祛风除湿，活血止痛。用于风湿痹痛，胃脘痛，跌打损伤。

| 用法用量 | 内服煎汤，6 ~ 15 g。外用适量，捣敷；或研末调敷。

| 凭证标本号 | 441825190801044LY、440281190814017LY、440224180530029LY。

八角枫科 Alangiaceae 八角枫属 Alangium

阔叶八角枫

Alangium faberi Oliv. var. *platyphyllum* Chun et F. C. How

| 药 材 名 | 五代同堂（药用部位：根、叶。别名：木瓜、广西八角枫）。

| 形态特征 | 灌木，高约 1 m。单叶互生；叶片薄纸质至膜质，长圆形或近卵形，基部近圆形或近心形，不对称，长 9 ～ 18 cm，宽 6 ～ 8 cm。聚伞花序腋生，被淡黄色粗伏毛，常具 5 ～ 10 花；花萼近钟形，7 裂；花瓣 5 ～ 6，线形，反卷；雄蕊与花瓣同数，二者近等长，花丝微扁，下部与花瓣合生；子房下位。核果卵圆形或椭圆形，长约 1 cm，成熟时呈淡紫色。花果期 6 ～ 9 月。

| 生境分布 | 生于低海拔疏林中。分布于广东新丰、封开、龙门及雷州半岛等。

| 资源情况 | 野生资源一般。药材来源于野生。

| **采收加工** | 全年均可采收，根洗净，切片，晒干，叶鲜用。 |

| **功能主治** | 根，辛、微苦，温，理气活血，祛风除湿。用于脘腹胀痛，小儿疳积，风湿关节痛。叶，辛、微苦，温，活血定痛。用于跌打肿痛，骨折。 |

| **用法用量** | 内服煎汤，10 ~ 15 g。外用鲜品适量，捣敷。 |

| **凭证标本号** | 441827180716031LY。 |

八角枫科 Alangiaceae 八角枫属 Alangium

毛八角枫
Alangium kurzii Craib.

| 药 材 名 | 毛八角枫（药用部位：根。别名：毛木瓜、白龙须）。

| 形态特征 | 落叶小乔木或灌木。小枝幼时被黄色柔毛。单叶互生；叶片纸质，近圆形或阔卵形，长 12 ~ 14 cm，宽 7 ~ 9 cm，先端长渐尖，基部心形，两侧不对称，全缘，下面被黄褐色丝质绒毛。聚伞花序腋生，具 5 ~ 7 花；花萼漏斗状，具 6 ~ 8 齿；花瓣与萼齿同数，线形，反卷；雄蕊与花瓣同数，较花瓣略短；子房下位，2 室。核果椭圆形或长圆状椭圆形，长 1.2 ~ 1.5 cm，成熟时呈黑色。花果期 5 ~ 9 月。

| 生境分布 | 生于山地疏林中或林缘。广东各地均有分布。

| 资源情况 | 野生资源较丰富。药材来源于野生。

采收加工	夏、秋季采挖，洗净、晒干或鲜用。
功能主治	苦、辛，温；有小毒。舒筋活血，散瘀止痛。用于跌打瘀肿，骨折。
用法用量	内服煎汤，5 ～ 10 g。外用鲜品适量，捣敷；或研末敷。孕妇禁服。
凭证标本号	441825190503021LY、441225180609007LY、440785180326152LY。

八角枫科 Alangiaceae 八角枫属 Alangium

瓜木

Alangium platanifolium (Siebold et Zucc.) Harms

| 药 材 名 | 瓜木根（药用部位：根及根茎。别名：瓜木、筱悬叶瓜木）。

| 形态特征 | 落叶小乔木或灌木。小枝微呈"之"字形。单叶互生；叶片纸质，近圆形，长 11 ～ 13 cm，3 ～ 5 裂，不分裂或分裂，分裂者仅裂至叶片的 1/4 ～ 1/3 处，边缘呈波状或钝齿状，基部心形或近圆形。聚伞花序腋生，具 3 ～ 5 花；花萼近钟形，具 5 齿，紫红色花瓣 6 ～ 7，线形，反卷；雄蕊与花瓣同数，较花瓣短；子房下位，1 室。核果长卵圆形或长椭圆形，长 0.8 ～ 1.2 cm，成熟时呈黑色。花果期 3 ～ 9 月。

| 生境分布 | 生于向阳山坡或疏林中。分布于广东乳源、翁源、韶关及深圳（市区）等。广东广州有栽培。

| 资源情况 | 野生资源较少。栽培资源较少。药材来源于野生。

| 采收加工 | 全年均可采挖，除去泥沙，晒干。

| 药材性状 | 本品根圆柱形，略呈波状弯曲，长短不一，最长者长可达 1 m 以上，直径 2 ~ 8 mm，有分枝，细须状根及其残基众多，外皮灰黄色至棕黄色，栓皮纵裂，部分剥离。质脆硬，折断面不平，黄白色，纤维性。气微弱，味淡、微辛。

| 功能主治 | 辛，微温；有毒。祛风除湿，舒筋活血，散瘀止痛。用于风湿痹痛，肢体麻木，跌打损伤。

| 用法用量 | 内服煎汤，3 ~ 9 g；或浸酒。外用适量，捣敷或煎汤洗。

八角枫科 | Alangiaceae | 八角枫属 | *Alangium*

土坛树 *Alangium salviifolium* (L. f.) Wangerin

| 药 材 名 | 割舌罗（药用部位：根、叶。别名：割嘴果、割舌树）。

| 形态特征 | 落叶小乔木或灌木。树皮平滑，具圆形皮孔。单叶互生；叶片厚纸质或近革质，倒卵状椭圆形或倒卵状长圆形，长 7 ~ 13 cm，宽 3 ~ 6 cm，先端急尖或稍钝，基部阔楔形至近圆形，脉腋被簇毛。3 ~ 8 聚伞花序簇生于叶腋；花萼裂片阔三角形；花瓣线形；反卷；雄蕊 20 ~ 30；子房下位，1 室。核果卵圆形或椭圆形，长约 1.6 cm，成熟时呈红色至黑色。花果期 2 ~ 7 月。

| 生境分布 | 生于海拔 1 200 m 以下的疏林中。分布于广东电白及湛江（市区）等。

| 资源情况 | 野生资源一般。药材来源于野生。

| 采收加工 | 根，冬季采挖，洗净，切片，晒干。叶，秋季采收，晒干。

| 功能主治 | 微苦、涩，凉。消肿止痛，活血祛风。用于风湿痹痛，跌打损伤。

| 用法用量 | 内服煎汤，3 ~ 9 g。外用适量，捣烂涂敷。

| 凭证标本号 | 440882180512020LY。

蓝果树科 Nyssaceae 喜树属 Camptotheca

喜树
Camptotheca acuminata Decne.

| 药 材 名 | 喜树（药用部位：果实、根或根皮、树皮、叶。别名：旱莲木、千张树、水桐树）。

| 形态特征 | 落叶乔木，高 20 m 以上。树皮灰色或浅灰色，纵裂成浅沟状。当年生枝紫绿色。叶互生；叶片较大，纸质，矩圆状卵形或矩圆状椭圆形，全缘，上面亮绿色，叶脉明显。圆锥花序顶生或腋生，常由 2 ～ 9 头状花序组成，通常上部为雌花序，下部为雄花序；花杂性，均具 3 苞片；花萼杯状，5 浅裂；花瓣 5，淡绿色，外面密被短柔毛；雄花有 10 雄蕊，雄蕊排成 2 轮，外轮雄蕊较长；两性花雌蕊发育良好，子房下位。果序球形；翅果矩圆形，长 2 ～ 2.5 cm，两侧具窄翅。花期 5 ～ 7 月，果期 8 ～ 10 月。

| 生境分布 | 生于海拔 1 000 m 以下的林边或溪边。分布于广东曲江、仁化、乳源、乐昌、南雄、怀集、紫金、和平、连山、连州等。广东广州（市区）有栽培。 |

| 资源情况 | 野生资源较丰富。药材来源于野生。 |

| 采收加工 | 果实，成熟时采收，晒干。根皮，全年均可采收，以秋季采收为好，除去外层粗皮，晒干或烘干。树皮，全年均可采收，切碎，晒干。叶，夏、秋季采收，鲜用。 |

| 药材性状 | 本品果实披针形，长 2 ~ 2.5 cm，宽 5 ~ 7 mm，先端尖，有柱头残基，基部变狭，可见椭圆形凹点痕，两侧具窄翅；表面棕色至棕黑色，微有光泽，有纵皱纹，有时可见数条角棱和黑色斑点；质韧，不易折断，断面纤维性。种子 1，干缩成细条状。气微，味苦。 |

| 功能主治 | 果实、根或根皮，苦、涩、凉，有毒，清热解毒，散结消癥，抗癌杀虫。用于胃癌，结肠癌，直肠癌，膀胱癌，慢性粒细胞白血病，急性淋巴细胞白血病；外用于牛皮癣。树皮，苦，寒，有小毒，活血解毒，祛风止痒。用于牛皮癣。叶，苦，寒，有毒，清热解毒，祛风止痒。外用于痈疮疖肿，牛皮癣。 |

| 用法用量 | 果实，内服煎汤，3 ~ 9 g；或研末；或制成针剂、片剂。根皮，内服煎汤，9 ~ 15 g。树皮，内服煎汤，15 ~ 30 g；外用适量，煎汤洗或煎浓汤调涂。叶，外用适量，捣敷；或煎汤洗。 |

| 凭证标本号 | 440224181114001LY、441882180814081LY、441284190330509LY。 |

五加科 Araliaceae 莳萝属 Anethum

莳萝

Anethum graveolens Linn.

徐晔春提供

| 药 材 名 |

莳萝子（药用部位：果实。别名：时美中、小茴香、土茴香）、莳萝苗（药用部位：全草或嫩茎叶）。

| 形态特征 |

一年生草本，高 60 ~ 120 cm，无毛，有强烈香味。茎有纵长细条纹，直径 0.5 ~ 1.5 cm。叶具叶鞘；基生叶叶柄长约 5 cm，叶片宽卵形，多回羽状全裂，末回裂片丝状；茎上部叶无柄。复伞形花序；无总苞片及小总苞片；花瓣黄色，长圆形或近方形。果实卵状椭圆形，长约 4 mm，宽约 2 mm，背棱细且凸起，侧棱狭翅状。花期 5 ~ 8 月，果期 7 ~ 9 月。

| 生境分布 |

生于丘陵、田埂、路边、沟旁等。广东各地均有栽培。

| 资源情况 |

野生资源较少。栽培资源一般。药材来源于野生和栽培。

| 采收加工 | **莳萝子**：夏、秋季果实成熟时采收果枝，打落果实，去净杂质，晒干。
莳萝苗：春末夏初采收，晒干。

| 药材性状 | **莳萝子**：本品多分离为分果，呈扁平状广椭圆形，长约 4 mm，宽约 2 mm，厚约 1 mm。外表面呈棕色，背面有不甚明显的肋线 3，两侧肋线延伸，呈翅状，合生面中央有 1 棱线。气微香，味辛，麻舌。

| 功能主治 | **莳萝子**：辛，温。温脾开胃，散寒暖肝，理气止痛。用于腹中冷痛，胁肋胀满，呕逆食少，寒疝。
莳萝苗：辛，温。行气利膈，降逆止呕，化痰止咳。用于胸胁痞满，脘腹胀痛，呕吐，呃逆，咳嗽，咳痰。

| 用法用量 | **莳萝子**：内服煎汤，1 ~ 5 g；或入丸、散剂。
莳萝苗：内服煎汤，3 ~ 9 g。

五加科 Araliaceae 芹属 Apium

旱芹
Apium graveolens L.

| 药 材 名 | 芹菜（药用部位：全草。别名：香芹、水英）。

| 形态特征 | 二年生或多年生草本，高 50 ~ 150 cm，有强烈香气。根圆锥形，有支根。茎直立，有分枝，具棱。基生叶叶柄长 2 ~ 26 cm，基部

扩大成鞘，叶片长圆形至倒卵形，常 3 裂达中部或 3 全裂；茎生叶阔三角形，有短柄，常分裂为 3 小叶。复伞形花序顶生或与叶对生，无总苞片和小总苞片；花瓣白色或黄绿色。分果圆形或长椭圆形，果棱尖锐。花期 4 ~ 7 月。

| **生境分布** | 生于疏松、肥沃、富含腐殖质的黏性土壤中。广东各地均有栽培。

| **资源情况** | 栽培资源丰富。药材来源于栽培。

| **采收加工** | 春、夏季采收，鲜用或晒干。

| **功能主治** | 甘、辛、微苦，凉。平肝，清热，祛风，利水，止血，解毒。用于肝阳上亢所致眩晕，风热头痛，咳嗽，黄疸，小便淋沥，尿血，崩漏，带下，疮疡肿毒。

| **用法用量** | 内服煎汤，9 ~ 15 g，鲜品 30 ~ 60 g；或绞汁；或入丸剂。外用适量，捣敷；或煎汤洗。

| **凭证标本号** | 445222190213011LY。

五加科 Araliaceae 楤木属 Aralia

野楤头 *Aralia armata* (Wall.) Seem.

| 药 材 名 | 鹰不扑（药用部位：根或根皮。别名：小郎伞、鸟不宿、刺老包）。

| 形态特征 | 多刺灌木，高达 4 m。叶为三回羽状复叶，长 60 ～ 100 cm；托叶和叶柄基部合生；叶轴和羽片轴疏生细刺；羽片具 5 ～ 9 小叶，长圆状卵形，基部圆形或心形，歪斜，两面脉上疏生小刺，下面密生短柔毛，后毛脱落。花序顶生，多数伞形花序组成大圆锥花序；花序轴下部近无毛，上部被柔毛。果实球形，有 5 棱。花期 8 ～ 10 月，果期 9 ～ 11 月。

| 生境分布 | 生于林中和林缘。分布于广东阳山、博罗、和平、阳春及深圳（市区）。

| 资源情况 | 野生资源一般。药材来源于野生。

| **采收加工** | 秋后采收，鲜用，或切段，晒干。 |

| **药材性状** | 本品根呈圆柱形，常分枝，弯曲，长 30 ~ 45 cm，直径 0.5 ~ 2 cm；表面土黄色或灰黄色，栓皮易脱落，脱落处呈暗褐色或灰褐色，有纵皱纹，具横向凸起的皮孔和圆形侧根痕；质硬，易折断，粉性，断面皮部暗灰色，木部灰黄色或灰白色，有众多小孔（导管）。根皮外表面土黄色或灰黄色，有横向凸起的皮孔。气微，味微苦、辛。 |

| **功能主治** | 苦、微辛，微寒；有小毒。散瘀消肿，祛风除湿，止痛。用于跌打损伤，风湿痹痛，湿热黄疸，淋浊，水肿，痢疾，带下，胃脘痛，头痛，咽喉肿痛，乳痈，无名肿毒，瘰疬。 |

| **用法用量** | 内服煎汤，9 ~ 15 g；或浸酒。外用适量，捣敷；或捣烂，酒炒热敷；或煎汤熏洗。 |

| **凭证标本号** | 441324181209018LY。 |

五加科 Araliaceae 楤木属 Aralia

楤木
Aralia chinensis L.

| 药 材 名 | 楤木（药用部位：根皮、茎皮。别名：刺老苞、鹊不宿、鹊不踏）。

| 形态特征 | 灌木或乔木。树皮灰色，疏生粗壮直刺。小枝被黄褐色绒毛，疏生细刺。叶为二回或三回羽状复叶，长 60 ～ 110 cm；叶轴无刺或有细刺；羽片具 5 ～ 11 小叶，稀具 13 小叶，上面粗糙，疏生糙毛，下面有淡黄色或灰色短柔毛，脉上毛更密。伞形花序聚生为顶生大型圆锥花序；花白色；花瓣 5。果实球形，具 5 棱。花期 7 ～ 9 月，果期 9 ～ 12 月。

| 生境分布 | 生于森林、灌丛或林缘、路边。分布于广东新丰、和平、从化及深圳（市区）。

资源情况	野生资源一般。药材来源于野生。
采收加工	全年均可采剥，晒干。
药材性状	本品茎皮呈卷筒状、槽状或片状，外表面粗糙不平，呈灰褐色、灰白色或黄棕色，有纵皱纹及横纹，有的散有刺痕或断刺，内表面淡黄色、黄白色或深褐色；质坚脆，易折断，断面纤维性。气微香，味微苦，嚼之有黏性。
功能主治	甘、微苦，平。祛风除湿，利尿消肿，活血止痛。用于风湿关节痛，腰腿酸痛，肾虚水肿，消渴，胃脘痛，跌打损伤，骨折，吐血，衄血，漆疮，骨髓炎，深部脓疡。
用法用量	内服煎汤，15 ~ 30 g；或浸酒。外用适量，捣敷；或浸酒涂。
凭证标本号	441523191019010LY、441284190812262LY、445222181025007LY。

五加科 Araliaceae 楤木属 Aralia

白背叶楤木

Aralia chinensis L. var. *nuda* Nakai

| 药 材 名 | 楤木（药用部位：根皮、茎皮。别名：百鸟不站、黑龙皮、雀不站）。

| 形态特征 | 白背叶楤木为楤木的变种，其形态特征与原种相似，二者的主要区别在于：白背叶楤木小叶片下面呈灰白色，除侧脉有短柔毛外其余部位无毛；圆锥花序的主轴和分枝疏生短柔毛或几无毛，苞片长圆形，长 6 ~ 7 mm。

| 生境分布 | 生于森林、灌丛或山坡路旁。分布于广东韶关（市区）、河源（市区）、梅州（市区）、清远（市区）、云浮（市区）、广州（市区）。

| 资源情况 | 野生资源较丰富。药材来源于野生。

| 采收加工 | 全年均可采剥，晒干。

孟德昌提供

| **功能主治** | 甘、微苦，平。祛风除湿，利尿消肿，活血止痛。用于风湿关节痛，腰腿酸痛，肾虚水肿，消渴，胃脘痛，跌打损伤，骨折，吐血，衄血，漆疮，骨髓炎，深部脓疡。

| **用法用量** | 内服煎汤，15 ~ 30 g；或浸酒。外用适量，捣敷；或浸酒涂。

五加科 Araliaceae 楤木属 Aralia

食用土当归 *Aralia cordata* Thunb.

| **药 材 名** | 九眼独活（药用部位：根及根茎。别名：土当归、独眼、川当归）。

| **形态特征** | 多年生草本。叶为二回或三回羽状复叶；小叶 3 ~ 5；小叶片膜质或薄纸质，长卵形至长圆状卵形，长 4 ~ 15 cm，先端突尖，基部圆形至心形，侧生小叶片基部歪斜，上面无毛，下面脉上疏生短柔毛，边缘有粗锯齿。圆锥花序顶生或腋生，着生数个呈总状排列的伞形花序；花白色；花瓣 5，卵状三角形。果实球形，具 5 棱。花期 7 ~ 8 月，果期 9 ~ 10 月。

| **生境分布** | 生于林荫下或山坡草丛中。分布于广东乳源、乐昌、新丰、从化等。

| **资源情况** | 野生资源稀少。药材来源于野生。

岑华飞提供

| 采收加工 | 春、秋季采挖，除去残茎、须根及泥沙，晒干。

| 药材性状 | 本品根茎粗大，圆柱形，常呈扭曲状，表面灰棕色或棕褐色，粗糙，上面有圆形凹窝（茎痕）6～11，凹窝呈串珠状排列，故本品有"九眼独活"之称，根茎底部或侧面残留数条圆柱形的不定根，表面有纵皱纹；质轻，坚脆，易折断，断面灰黄色或棕黄色，疏松，有多数裂隙和油点。根软韧，质轻泡，疏松。

| 功能主治 | 辛、苦，温。祛风除湿，舒筋活络，活血止痛。用于风湿痹痛，腰膝酸痛，四肢痿痹，腰肌劳损，鹤膝风，手足扭伤肿痛，骨折，头痛，牙痛。

| 用法用量 | 内服煎汤，3～12 g；或浸酒。外用适量，研末调敷；或煎汤洗。

五加科 Araliaceae 楤木属 Aralia

头序楤木 *Aralia dasyphylla* Miq.

| 药 材 名 | 楤木（药用部位：根或根皮、茎皮。别名：百鸟不站、黑龙皮、雀不站）。

| 形态特征 | 小乔木。小枝刺长约 5 mm，幼枝密被黄褐色绒毛。二回羽状复叶，羽片具 7 ~ 9 小叶；小叶片薄革质，卵形或长圆状卵形，长 5.5 ~ 11 cm，上面粗糙，下面密被褐色绒毛；叶柄有刺或无刺，密被黄褐色绒毛。头状花序聚生成大型伞房状圆锥花序，花序轴和总花梗密被黄棕色绒毛；花无梗。果实球形，紫黑色，具 5 棱。花期 8 ~ 10 月，果期 10 ~ 12 月。

| 生境分布 | 生于林中、林缘和向阳山坡。分布于广东新丰、翁源、仁化、始兴、东源、和平、连平、龙川、紫金、连南、连山、阳山、佛冈、连州、

蕉岭、平远、五华、丰顺、大埔、郁南、新兴、罗定。

| **资源情况** | 野生资源较丰富。药材来源于野生。

| **采收加工** | 秋后采收，鲜用，或切段，晒干。

| **药材性状** | 本品根表面灰褐色；断面纤维状，皮部有树胶样渗出物，木质部黄白色，导管可见。根皮常较大，呈单卷筒状，外部可见圆形支根痕，外层栓皮呈纵长片状脱落，去栓皮后表面呈褐色，具蚯蚓状横环纹及凸出的横长皮孔，内表面灰褐色，有细小的纵皱纹；断面不整齐，呈片状层叠，外层黄灰色，内层灰色，在紫外线照射下外层呈黄绿色，内层呈灰色，新鲜根皮断面有树胶样渗出物。茎皮片状，表面栓皮灰色，多已脱落，外表面淡绿白色或黄白色，具凸出的圆形皮孔，内表面黄白色，光滑；断面略呈粉性，不整齐，呈片状层叠。

| **功能主治** | 甘、微苦，平。祛风除湿，利尿消肿，活血止痛。用于风湿关节痛，腰腿酸痛，肾虚水肿，消渴，胃脘痛，跌打损伤，骨折，吐血，衄血，漆疮，骨髓炎，深部脓疡。

| **用法用量** | 内服煎汤，15 ~ 30 g；或浸酒。外用适量，捣敷；或浸酒涂。

| **凭证标本号** | 441523190918031LY。

五加科 Araliaceae 楤木属 Aralia

黄毛楤木
Aralia decaisneana Hance

| **药 材 名** | 鸟不企（药用部位：根。别名：鸟不服、鹰不拍、大叶鸟不企）、鸟不企叶（药用部位：叶）。

| **形态特征** | 灌木，高 1 ~ 5 m。茎皮灰色，有纵纹和裂隙。新枝密生黄棕色绒毛，有刺。叶为二回羽状复叶，叶轴和羽片轴密生黄棕色绒毛；羽片有小叶 7 ~ 13；小叶片革质，卵形至长圆状卵形，两面密生黄棕色绒毛。伞形花序组成的大型顶生圆锥花序有长绒毛；花淡绿白色；萼无毛。果实球形，具 5 棱。花期 10 月至翌年 1 月，果期 12 月至翌年 2 月。

| **生境分布** | 生于阳坡或疏林中。分布于广东从化、新丰、翁源、乐昌、鹤山、德庆、怀集、高要、惠东、博罗、大埔、梅县、阳春、连州、英德、郁南、

新兴、罗定及深圳（市区）、珠海（市区）。

| **资源情况** | 野生资源丰富。栽培资源一般。药材来源于野生和栽培。

| **采收加工** | 鸟不企：秋后采收，洗净，鲜用，或切片，晒干。
鸟不企叶：全年均可采收，晒干。

| **药材性状** | 鸟不企：本品呈块片状，直径 0.5 ~ 4 cm，厚 0.6 ~ 1.2 cm，表面黄褐色或灰黄色，栓皮易脱落，脱落处呈暗褐色或灰褐色，有纵皱纹，具横向凸起的皮孔和圆形侧根痕。质硬，不易折断，断面皮部较厚，黄褐色，木部淡黄白色。
鸟不企叶：本品小叶革质；小叶无柄或有长约 5 mm 的柄；小叶片卵形至长圆状卵形，长 8 ~ 15 cm，宽 4 ~ 8 cm，先端渐尖，基部圆形至心形，边缘具细锯齿，上面被黄褐色绒毛，下面毛密。

| **功能主治** | 鸟不企：苦、辛，平。祛风除湿，活血通经，解毒消肿。用于风热感冒，头痛，咳嗽，风湿痹痛，腰腿酸痛，湿热黄疸，水肿，淋浊，带下，闭经，产后风，跌打肿痛，胃脘痛，咽喉肿痛，牙龈肿痛。
鸟不企叶：甘，平。平肝，解毒。用于头目眩晕，肿毒。

| **用法用量** | 鸟不企：内服煎汤，6 ~ 15 g；或浸酒。外用适量，捣敷。
鸟不企叶：内服煎汤，9 ~ 15 g。外用适量，捣敷。

| **凭证标本号** | 441825190504021LY、440783190715025LY、441623180915013LY。

五加科 Araliaceae 楤木属 Aralia

棘茎楤木
Aralia echinocaulis Hand.-Mazz.

| 药 材 名 | 红楤木（药用部位：根或根皮。别名：红老虎刺、鸟不踏、红刺筒）。

| 形态特征 | 小乔木，高达 7 m。小枝密生细长直刺。叶为二回羽状复叶；叶柄疏生短刺；羽片有小叶 5 ~ 9；小叶片膜质至薄纸质，长圆状卵形至披针形，两面均无毛，下面灰白色；小叶无柄或几无柄。圆锥花序顶生；主轴和分枝有糠屑状毛，后毛脱落；花白色；萼无毛；花瓣 5，卵状三角形。果实球形，具 5 棱。花期 6 ~ 8 月，果期 9 ~ 11 月。

| 生境分布 | 生于阳坡或疏林中。分布于广东和平、始兴、乐昌、连山及云浮（市区）。

| **资源情况** | 野生资源较丰富。药材来源于野生。

| **采收加工** | 全年均可采收，洗净，切片，鲜用或晒干。

| **功能主治** | 辛、微苦，平。祛风除湿，活血行气，解毒消肿。用于风湿痹痛，跌打肿痛，骨折，胃脘胀痛，疝气，崩漏，骨髓炎，痈疽，蛇咬伤。

| **用法用量** | 内服煎汤，9 ~ 15 g；或浸酒。外用适量，捣敷。

| **凭证标本号** | 440281190627062LY、441823201031078LY、440224181115001LY。

五加科 Araliaceae 楤木属 Aralia

长刺楤木 *Aralia spinifolia* Merr.

| 药 材 名 | 刺叶楤木（药用部位：根。别名：鸟不企、鸡云木、鹰不扒）。

| 形态特征 | 直立灌木，高约 3 m。二回羽状复叶，总叶轴、羽片轴和小叶的两面都有散生、长而直的细刺和许多开展的细刚毛，羽片有 5 ~ 9 小叶；小叶膜质，矩圆状卵形，长 9 ~ 12 cm，下面灰白色。圆锥花序大，花序轴和总花梗均密生刺和刺毛，伞形花序有散生的刺和密生的刚毛；花瓣 5。果实球状卵形，无毛，具 5 棱，花期 8 ~ 10 月，果期 10 ~ 12 月。

| 生境分布 | 生于山坡或林缘阳光充足处。分布于广东翁源、仁化、乐昌、德庆、高要、阳春、阳山、连州、新兴、信宜。

| 资源情况 | 野生资源较丰富。药材来源于野生。

| 采收加工 | 夏、秋季采挖，除去杂质，洗净，鲜用或晒干。

| 功能主治 | 苦，平。解毒消肿，止痛，驳骨。用于风湿关节痛，头晕，头痛，跌打损伤，骨折，吐血，崩漏，蛇咬伤。

| 用法用量 | 内服煎服，9 ~ 15 g；或浸酒。外用适量，捣敷。

| 凭证标本号 | 441523191018021LY、441823201206007LY、445224191004008LY。

五加科 Araliaceae 楤木属 Aralia

波缘楤木 *Aralia undulata* Hand.-Mazz.

| 药 材 名 |

波缘楤木（药用部位：根。别名：红刺脑包、顶天刺）。

| 形态特征 |

灌木或乔木，高 2.5 ~ 7 m。树皮赤褐色。小枝有短而粗的刺。二回羽状复叶；叶柄无毛，疏生少数短刺；羽片有小叶 5 ~ 15；小叶片纸质，卵形至卵状披针形，先端长渐尖或尾尖，上面深绿色，下面灰白色，两面均无毛，边缘有波状齿。圆锥花序大，总花梗有棕色糠屑状粗毛；花白色；花瓣 5。果实球形，具 5 棱。花期 6 ~ 8 月，果期 10 月。

| 生境分布 |

生于密林中或山谷疏林下。分布于广东乳源。

| 资源情况 |

野生资源较少。药材来源于野生。

| 采收加工 |

夏、秋季采挖，除去杂质，洗净，鲜用或晒干。

功能主治	辛、苦，凉。活血化瘀，通经止痛，祛风除湿。用于跌打损伤，骨折，痞块，闭经，痛经，劳伤疼痛，风湿痹痛。
用法用量	内服煎汤，9 ~ 15 g；或浸酒。外用适量，捣敷。
凭证标本号	440981150801014LY。

五加科 Araliaceae 罗伞属 *Brassaiopsis*

罗伞
Brassaiopsis glomerulata (Blume) Regel

药材名

鸭脚罗伞（药用部位：根、树皮、叶。别名：空壳桐、刺鸭脚木）。

形态特征

乔木。小枝具刺，幼时被锈红色绒毛。掌状复叶；叶柄长 30 ~ 50 cm；小叶 5 ~ 9，长圆形、卵状椭圆形或宽披针形，长 15 ~ 35 cm，全缘或疏生细齿，幼叶两面被锈红色星状绒毛，后毛脱落，侧脉 7 ~ 9（~ 12）对，明显，网脉不甚明显。圆锥花序初被锈红色绒毛，后毛脱落；花白色，芳香。果实扁球形或球形。花期 5 ~ 6 月，果期翌年 1 ~ 2 月。

生境分布

生于海拔 200 ~ 1 000 m 的山谷或山坡密林中。分布于广东罗定。

资源情况

野生资源较少。栽培资源一般。药材来源于野生和栽培。

采收加工

根、树皮，全年均可采收，洗净，切片，鲜

用或晒干。叶，全年均可采收，鲜用。

| **功能主治** | 微辛、苦，平。祛风除湿，散瘀止痛。用于咽喉肿痛，疮疖痈肿，跌打损伤，风湿痹痛。

| **用法用量** | 内服煎汤，15 ～ 30 g，鲜品加倍。外用适量，煎汤洗；或鲜品捣烂，酒炒热敷。

五加科 Araliaceae 树参属 Dendropanax

树参

Dendropanax dentiger (Harms) Merr.

| **药 材 名** | 枫荷梨（药用部位：根、茎、树皮。别名：半枫荷、金鸡趾）。 |

| **形态特征** | 乔木或灌木。叶片厚纸质或革质，密生粗大的红棕色半透明腺点（较薄叶片可见），叶形变异很大，椭圆形至线状披针形，先端渐尖，基部钝形或楔形，分裂叶片倒三角形，掌状2～3深裂或浅裂，稀5裂。伞形花序顶生，单生或聚生成复伞形花序；总花梗粗壮；花瓣5，三角形或卵状三角形。果实长圆状球形，稀近球形。花期8～10月，果期10～12月。 |

| **生境分布** | 生于常绿阔叶林或灌丛中。分布于广东从化、乳源、新丰、翁源、仁化、始兴、乐昌、曲江、宝安、信宜、德庆、惠东、博罗、五华、大埔、梅县、兴宁、和平、连平、紫金、阳春、连山、阳山、连州、 |

英德。

| **资源情况** | 野生资源丰富。药材来源于野生。

| **采收加工** | 根，秋、冬季采挖，洗净，切段，晒干或鲜用。茎、树皮，秋、冬季采收，洗净，切片，鲜用或晒干。

| **药材性状** | 本品根呈圆柱形，稍弯曲或扭曲，多分枝，长 15 ~ 30 cm，直径 0.5 ~ 2.5 cm，表面浅棕黄色或浅灰棕色，有细纵皱纹，皮孔横向延长或类圆形，质坚脆，易折断，断面不平坦，皮部灰黄色，木部浅黄白色；气微香，味淡。茎呈圆柱状，少有分枝，直径 0.5 ~ 2 cm，表面灰白色或灰青色，具细纵皱纹和略呈半圆形的叶痕，质坚硬，不易折断，断面纤维性，皮部薄，木部黄白色，髓部小。树皮表面灰白色或灰青色，具细纵皱纹及略呈半圆形的叶痕。

| **功能主治** | 甘、微辛，温。祛风湿，通经络，散瘀血，壮筋骨。用于风湿痹痛，偏瘫，头痛，月经不调，跌打损伤，疮肿。

| **用法用量** | 内服煎汤，15 ~ 30 g，大剂量可用至 45 g；或浸酒。外用适量，捣敷；或煎汤洗。

| **凭证标本号** | 440281190815005LY、441823200722028LY、441225180728025LY。

五加科 Araliaceae 树参属 Dendropanax

变叶树参

Dendropanax proteus (Champ. ex Benth.) Benth.

| 药 材 名 | 枫荷梨（药用部位：根、茎、树皮。别名：半枫荷、金鸡趾）。

| 形态特征 | 灌木，高 2 ~ 3 m。叶革质、纸质或薄纸质，无毛，无腺点，二型，不裂或具掌状深裂；不裂叶椭圆形、卵状椭圆形、椭圆状披针形、条状披针形或狭披针形，长 2.5 ~ 12 cm；分裂叶倒三角形，具掌状3 深裂。伞形花序单生或 2 ~ 3 花序聚生；花绿色；萼边缘有 4 ~ 5细齿；花瓣 4 ~ 5。果实球形，平滑。花期 5 ~ 6 月，果期翌年 1 ~2 月。

| 生境分布 | 生于山坡灌丛中或山谷溪边较阴湿的林下。分布于广东新丰、翁源、仁化、始兴、东源、和平、连平、龙川、紫金、连南、连山、阳山、佛冈、连州、蕉岭、平远、五华、丰顺、大埔、郁南、新兴、罗定。

| 资源情况 | 野生资源丰富。药材来源于野生。

| 采收加工 | 根，秋、冬季采挖，洗净，切段，晒干或鲜用。茎、树皮，秋、冬季采收，洗净，切片，鲜用或晒干。

| 功能主治 | 甘、辛，温。祛风湿，通经络，散瘀血，壮筋骨。用于风湿痹痛，偏瘫，头痛，月经不调，跌打损伤，疮肿。

| 用法用量 | 内服煎汤，15 ~ 30 g，大剂量可用至 45 g；或浸酒。外用适量，捣敷；或煎汤洗。

| 凭证标本号 | 441523190920005LY、441825190803013LY、440781190712036LY。

五加科 Araliaceae 五加属 Eleutherococcus

细柱五加
Eleutherococcus nodiflorus (Dunn) S. Y. Hu

| 药 材 名 | 五加皮（药用部位：根皮。别名：南五加皮、刺五加、刺五甲）。

| 形态特征 | 灌木，高 2～3 m。枝蔓生状，无毛，节上通常疏生反曲扁刺。叶有小叶 5，稀有小叶 3～4，互生或簇生；叶柄无毛，常有细刺；小叶片膜质至纸质，倒卵形至倒披针形，两面无毛或沿脉疏生刚毛，边缘有细钝齿。伞形花序腋生或顶生；花黄绿色；萼缘近全缘或有 5 小齿；花瓣 5。果实扁球形，成熟时呈紫黑色。花期 4～8 月，果期 6～10 月。

| 生境分布 | 生于灌丛、林缘、山坡路旁和村落中。分布于广东增城、龙门、阳山、英德。

| **资源情况** | 野生资源较少。栽培资源丰富。药材来源于野生和栽培。

| **采收加工** | 夏、秋季采挖根，洗净，剥取根皮，晒干。

| **药材性状** | 本品呈不规则卷筒状，长 5 ~ 15 cm，直径 0.4 ~ 1.4 cm，厚约 0.2 cm。外表面灰褐色，有稍扭曲的纵皱纹和横长皮孔样斑痕；内表面淡黄色或灰黄色，有细纵纹。体轻，质脆，易折断，断面不整齐，呈灰白色。气微香，味微辣而苦。

| **功能主治** | 辛、苦，温。祛风除湿，补益肝肾，强筋壮骨，利水消肿。用于风湿痹痛，筋骨痿软，小儿行迟，体虚乏力，水肿，脚气。

| **用法用量** | 内服煎汤，6 ~ 9 g，鲜品加倍；或浸酒；或入丸、散剂。外用适量，煎汤熏洗；或研末敷。

| **凭证标本号** | 441882180508013LY。

五加科 Araliaceae 五加属 Eleutherococcus

刚毛白簕

Eleutherococcus setosus (H. L. Li) Y. R. Ling

药 材 名

三加皮（药用部位：根或根皮。别名：毛三叶五加、刺三加）。

形态特征

本种与白簕 *Eleutherococcus trifoliatus*（L.）S. Y. Hu 的形态较相似。本种小叶片通常较长，上面刚毛较多，伞形花序常单生，以上特征与白簕差别较大，但白簕小叶片也有较长的，伞形花序也有单生的，此时本种与白簕的主要区别仅为本种小叶片边缘锯齿有长刚毛。

生境分布

生于林荫下或林缘湿润地。分布于广东新丰、翁源、怀集、龙门、博罗、大埔、阳山。

资源情况

野生资源较丰富。药材来源于野生。

采收加工

根，夏、秋季采挖，除去杂质，洗净，干燥。根皮，9～10 月采挖根，趁鲜时剥取根皮，晒干。

| **功能主治** | 苦、涩，微寒。祛风除湿，清热解毒，散瘀止痛。用于感冒发热，咽痛，头痛，咳嗽胸痛，胃脘疼痛，泄泻，痢疾，胁痛，黄疸，石淋，带下，风湿痹痛，腰腿酸痛，四肢拘挛麻木，跌打损伤，骨折，疟腮，乳痈，疮疡肿毒，蛇虫咬伤。 |

| **用法用量** | 内服煎汤，15 ~ 30 g，大剂量可用至 60 g；或浸酒。外用适量，研末调敷；或捣敷；或煎汤洗。 |

| **凭证标本号** | 440307201130002LY。 |

五加科 Araliaceae 五加属 Eleutherococcus

白簕

Eleutherococcus trifoliatus (L.) S. Y. Hu

| 药 材 名 | 三加皮（药用部位：根或根皮。别名：三叶五加、刺三加）。

| 形态特征 | 灌木，高 1 ~ 7 m，常呈蔓生状。小枝细长，疏被钩刺。叶有小叶 3，稀有小叶 4 ~ 5；叶柄有刺或无刺，无毛；小叶片纸质，稀呈膜质，卵形、椭圆状卵形或长圆形，两面无毛，或上面脉上疏生刚毛，边缘有细锯齿或钝齿。复伞形花序或圆锥花序顶生；花黄绿色；花瓣 5，三角状卵形，开花时反曲。果实扁球形，成熟时呈黑色。花果期 8 ~ 12 月。

| 生境分布 | 生于村落、山坡路旁、林缘和灌丛中。广东各地均有分布。

| 资源情况 | 野生资源较丰富。栽培资源较丰富。药材来源于野生和栽培。

| 采收加工 | 秋末叶落时至次春发芽前采挖根，干燥；或纵向剖开，剥取根皮，干燥。

| 药材性状 | 本品根呈圆柱形，稍弯曲，表面淡灰色至灰褐色，稍粗糙，有细纵沟及皱纹；质坚实，皮较薄，可折断，断面平整，皮部灰色，木部黄白色，微具放射状纹。根皮呈不规则长条形，多扭曲，大小不一，有的断裂成碎片状，外表面灰色，内表面灰褐色，有细纵皱纹；折断面有棕色点状树脂道，可见亮黄棕色油树脂。气微香，味微苦、辛而涩。

| 功能主治 | 苦、涩，微寒。祛风除湿，清热解毒，散瘀止痛。用于感冒发热，咽痛，头痛，咳嗽胸痛，胃脘疼痛，泄泻，痢疾，胁痛，黄疸，石淋，带下，风湿痹痛，腰腿酸痛，四肢拘挛麻木，跌打损伤，骨折，痄腮，乳痈，疮疡肿毒，蛇虫咬伤。

| 用法用量 | 内服煎汤，15～30 g，大剂量可用至60 g；或浸酒。外用适量，研末调敷；或捣敷；或煎汤洗。

| 凭证标本号 | 441825190413037LY、441284190723614LY、440783190716004LY。

五加科 Araliaceae 掌叶树属 Euaraliopsis

锈毛掌叶树

Euaraliopsis ferruginea (H. L. Li) G. Hoo et C. J. Tseng

| 药 材 名 | 阴阳枫（药用部位：根、茎皮。别名：鸡爪枫、枫荷桂、鸭公头）。

| 形态特征 | 无刺灌木，高1～2m。叶片纸质或薄革质，二型，不分裂或具掌状2～3深裂；不分裂叶片披针形、卵状披针形或长圆状披针形，长7～20cm；分裂叶裂片狭披针形，上面绿色，下面淡绿色，幼时两面均密生锈色星状毛，后上面无毛，下面星状毛变稀。圆锥花序顶生；花瓣5，绿色，三角状卵形。果实球形。花期6～7月，果期7～8月。

| 生境分布 | 生于森林中。分布于广东连山、连州、乳源、阳山、英德等。

| 资源情况 | 野生资源一般。药材来源于野生。

徐晔春提供

| 采收加工 | 秋、冬季采收，切片，鲜用或晒干。

| 功能主治 | 甘、微辛，温。祛风除湿，通经活络，散瘀行血，壮筋骨。用于风湿痹痛，瘫痪，跌打损伤，偏头痛，痈疮肿毒。

| 用法用量 | 内服煎汤，15 ~ 30 g；或浸酒。外用适量，捣敷。

徐晔春提供

五加科 Araliaceae 常春藤属 Hedera

常春藤
Hedera nepalensis K. Koch var. *sinensis* (Tobler) Rehder

| 药 材 名 |

常春藤（药用部位：茎、叶。别名：土鼓藤、三角藤、三角风）、常春藤子（药用部位：果实）。

| 形态特征 |

攀缘灌木。幼枝具铁锈色鳞片。叶片革质，二型；不育枝上的叶全缘或 3 裂，通常呈三角状心形或三角状长圆形，稀呈三角形或箭形；能育枝上的叶呈椭圆状卵形或椭圆状披针形。花序顶生伞形花序或小总状花序，具铁锈色鳞片；花瓣 5。果实球形，呈红色或黄色。花期 9 ~ 11 月，果期翌年 3 ~ 5 月。

| 生境分布 |

常生于林缘、林下、路旁、岩石或房屋墙壁上，庭园中也常栽培。广东各地均有分布。

| 资源情况 |

野生资源丰富。栽培资源丰富。药材来源于野生和栽培。

| 采收加工 |

常春藤： 春、秋季采收，干燥。
常春藤子： 秋季果实成熟时采收，晒干。

| **药材性状** | **常春藤：**本品呈长圆柱形，弯曲，有分枝，直径 0.2 ～ 1.5 cm；表面淡黄棕色或灰褐色，具纵皱纹和横长皮孔，一侧密生不定根；质坚硬，易折断，断面裂片状，皮部薄，灰绿色或棕色，木部宽，黄白色或淡棕色，髓明显。单叶互生，有长柄，长 7 ～ 9 cm；叶片革质，稍卷折，二型，呈三角状心形、三角状长圆形、三角形或箭形，全缘，稀具 3 浅裂，叶面常有灰白色花纹。偶见黄绿色小花或黄色圆球形果实。气微，味涩。

常春藤子：本品红色或黄色，呈球状，直径 0.7 ～ 1.3 cm。

| **功能主治** | **常春藤：**苦、辛，温。活血消肿，祛风除湿。用于风湿痹痛，瘫痪，口眼㖞斜，衄血，月经不调，跌打损伤，咽喉肿痛，疔疖痈肿，肝炎，蛇虫咬伤。

常春藤子：甘、苦，温。补肝肾，强腰膝，行气止痛。用于体虚羸弱，腰膝酸软，脘腹冷痛。

| **用法用量** | **常春藤：**内服煎汤，6 ～ 15 g；或研末；或浸酒。外用适量，捣敷；或煎汤洗。

常春藤子：内服煎汤，3 ～ 9 g；或浸酒。

| **凭证标本号** | 441825210313016LY、441882190616025LY、441623180626052LY。

五加科 Araliaceae　幌伞枫属 Heteropanax

短梗幌伞枫 *Heteropanax brevipedicellatus* H. L. Li

| 药 材 名 | 肉郎伞（药用部位：根、树皮）。

| 形态特征 | 常绿灌木或小乔木，高 3 ～ 7 m。树皮灰棕色，有细密纵裂纹。新枝密生暗锈色绒毛。四至五回羽状复叶；叶片纸质，椭圆形至狭椭圆形，上面深绿色，下面灰绿色，两面均无毛，边缘稍反卷。圆锥花序顶生；花梗长 1.5 ～ 2.5 mm，密生绒毛；花淡黄白色；花瓣 5，三角状卵形，外面疏生星状绒毛。果实扁球形。花期 11 ～ 12 月，果期翌年 1 ～ 2 月。

| 生境分布 | 生于低丘陵森林中和林缘、路旁隐蔽处。分布于广东新丰、翁源、乐昌、怀集等。

| 资源情况 | 野生资源较丰富。药材来源于野生。

| 采收加工 | 全年均可采收，晒干。

| 功能主治 | 苦，凉。清热解毒，活血消肿，止痛。用于跌打损伤，疮毒，烫火伤。

| 用法用量 | 内服煎汤，15 ~ 30 g。外用适量，捣敷；或煎汤洗。

| 凭证标本号 | 441622200923053LY、441224180714010LY。

五加科 Araliaceae 幌伞枫属 Heteropanax

幌伞枫

Heteropanax fragrans (Roxb. ex DC.) Seem.

药材名

大蛇药（药用部位：根、茎皮。别名：五加通、凉伞木）。

形态特征

常绿乔木，高5～30 m。树皮淡灰棕色。枝无刺。叶大，三至五回羽状复叶；小叶片在羽片轴上对生，纸质，椭圆形，长5.5～13 cm，两面均无毛，全缘。圆锥花序顶生，主轴及分枝密生锈色星状绒毛，后毛脱落；总花梗长1～1.5 cm；花淡黄白色，芳香；花瓣5，卵形，外面疏生绒毛。果实卵球形，花期10～12月，果期翌年2～3月。

生境分布

生于低山及平原地区，庭园中偶有栽培。广东各地均有分布。

资源情况

野生资源丰富。栽培资源较丰富。药材来源于野生和栽培。

采收加工

9～11月采收，切片，鲜用或晒干。

| 药材性状 | 本品根呈圆柱形，稍弯曲；表面灰黄色至棕黄色；体轻，质硬，不易折断，断面纤维性。茎皮呈板片状、卷筒状或条块状，厚 0.5 ~ 1 cm；外表皮灰褐色至灰棕色，粗糙，栓皮较厚，上面呈龟裂状，内表皮棕黄色，光滑；质坚硬，不易折断，断面黄白色，颗粒性。气微，味苦、涩。

| 功能主治 | 苦，凉。清热解毒，活血消肿，止痛。用于感冒发热，中暑头痛，痈疖肿毒，瘰疬，风湿痹痛，跌打损伤，毒蛇咬伤。

| 用法用量 | 内服煎汤，15 ~ 30 g。外用适量，捣敷；或煎汤洗。

| 凭证标本号 | 441284190726314LY、440882180406606LY。

五加科 Araliaceae 刺楸属 Kalopanax

刺楸 *Kalopanax septemlobus* (Thunb.) Koidz.

| 药 材 名 |

刺楸茎（药用部位：茎枝）、刺楸树根（药用部位：根或根皮。别名：刺根白皮、鸟不宿根皮、刺楸根）、刺楸树皮（药用部位：树皮。别名：丁桐皮、钉皮、刺楸皮）、刺楸树叶（药用部位：叶。别名：鸟不宿叶、刺楸叶）。

| 形态特征 |

落叶乔木，高达 30 m。树皮灰黑色，纵裂，树干及枝具鼓钉状扁刺。幼枝被白粉。单叶，在长枝上互生，在短枝上簇生，近圆形，（3 ~ ）5 ~ 7 掌状浅裂，裂片宽三角状卵形或长圆状卵形。伞形花序组成伞房状圆锥花序；花白色或淡黄色；花瓣 5，镊合状排列。果实近球形，成熟时呈蓝黑色；宿存花柱先端 2 裂。花期 7 ~ 8 月，果期 9 ~ 10 月。

| 生境分布 |

生于灌木林中和林缘、向阳山坡、岩质山地等。分布于广东乳源、乐昌、怀集、连山、饶平。

| 资源情况 |

野生资源丰富。栽培资源一般。药材来源于

野生和栽培。

| **采收加工** | 刺楸茎：全年均可采收，除去杂质，刮去刺，润透，切薄片，干燥。
刺楸树根：夏末秋初采挖根，洗净，切片，或剥取根皮，切片，鲜用或晒干。
刺楸树皮：全年均可采收，洗净，晒干。
刺楸树叶：夏、秋季采收，多鲜用。

| **药材性状** | 刺楸茎：本品枝条呈圆柱形，长 10 ~ 20 cm，直径约 1 cm。表面灰色至灰棕色，有黄棕色圆点状皮孔和淡棕色角状刺，刺尖锐，侧扁，基部扁而宽阔，呈长椭圆形，微有光泽。质坚硬，折断面木部纤维性或裂片状，中央可见白色髓部。气微，味淡。

刺楸树皮：本品呈卷筒状或条块状弧状弯曲，长、宽不一，厚 1.3 ~ 3.5 mm。外表面灰白色至灰褐色，粗糙，有灰黑色纵裂隙及横向裂纹，散生不明显的黄色圆点状皮孔，皮上有长约 1.3 cm 的钉刺，基部直径 1 ~ 1.7 cm，纵向延长，呈椭圆形，先端扁平、尖锐，长约 3 mm，钉刺脱落后露出黄色内皮；内表面棕黄色或紫褐色，光滑，有明显细纵纹。质坚韧，不易折断，折断面外部灰棕色，内部灰黄色，强纤维性，呈明显片层状。气微香，味苦。

刺楸树叶：本品叶柄细长，长 8 ~ 50 cm，无毛；叶片纸质，圆形或近圆形，直径 9 ~ 25 cm，掌状 5 ~ 7 浅裂，裂片阔三角状卵形至长圆状卵形，先端渐尖，基部心形，无毛或几无毛，边缘有细锯齿，具放射状主脉 5 ~ 7。

| **功能主治** | 刺楸茎：辛，平。祛风除湿，活血止痛。用于风湿痹痛，胃脘痛。

刺楸树根：苦、微辛，平。凉血散瘀，祛风除湿，解毒。用于肠风下血，风湿热痹，跌打损伤，骨折，全身水肿，疮疡肿毒，瘰疬，痔疮。

刺楸树皮：辛、苦，凉。祛风除湿，活血止痛，杀虫止痒。用于风湿痹痛，腰膝痛，痛疽，疮癣。

刺楸树叶：辛、甘，平。解毒消肿，祛风止痒。用于疮疡肿痛或溃破，风疹瘙痒，风湿痹痛，跌打肿痛。

| **用法用量** | 刺楸茎：内服煎汤，9 ~ 15 g。外用适量，煎汤洗。

刺楸树根：内服煎汤，9 ~ 15 g；或浸酒。外用适量，捣敷；或煎汤洗。

刺楸树皮：内服煎汤，9 ~ 15 g；或浸酒。外用适量，煎汤洗；或捣敷；或研末调敷。

刺楸树叶：外用适量，煎汤洗；或捣烂，炒热敷。

| **凭证标本号** | 44188120150811013LY。

五加科 Araliaceae 大参属 Macropanax

短梗大参 *Macropanax rosthornii* (Harms) C. Y. Wu ex G. Hoo

| 药 材 名 | 七角风（药用部位：根、叶。别名：七叶莲、七叶风、节梗大参）。

| 形态特征 | 常绿灌木或小乔木，高 2 ~ 9 m，全株无毛。枝暗棕色，小枝淡黄棕色。掌状复叶，小叶 3 ~ 5（~ 7）；小叶片纸质，倒卵状披针形，长 6 ~ 18 cm，上面深绿色，下面淡绿白色，两面均无毛，边缘疏生钝齿或锯齿，齿有小尖头。圆锥花序顶生，长 15 ~ 20 cm，主轴和分枝无毛；花瓣三角状卵形，白色。果实卵球形，宿存花柱端 2 裂。花期 7 ~ 9 月，果期 10 ~ 12 月。

| 生境分布 | 生于林中或林缘、灌丛中或路旁。分布于广东乳源、始兴、乐昌、连山等。

| 资源情况 | 野生资源一般。栽培资源一般。药材来源于野生和栽培。 |

| 采收加工 | 根，秋、冬季采挖，洗净泥土，切片，鲜用或晒干。叶，夏、秋季采收，多鲜用。 |

| 功能主治 | 甘，平。祛风除湿，活血。用于风湿痹痛，跌打损伤，骨折，小儿疳积。 |

| 用法用量 | 内服煎汤，9 ~ 15 g；或浸酒。外用适量，捣敷。 |

| 凭证标本号 | 440281190627021LY。 |

五加科 Araliaceae 人参属 Panax

三七 *Panax notoginseng* (Burkill) F. H. Chen ex C. H. Chow

| 药 材 名 | 三七（药用部位：根和根茎。别名：血参、山漆、人参三七）。

| 形态特征 | 多年生草本，高达 60 cm。主根纺锤形。茎无毛。掌状复叶 3 ～ 6 轮生于茎顶；小叶片长圆形至倒卵状长圆形，两面脉上均有刚毛；托叶卵形或披针形。伞形花序单生于茎顶，具 80 ～ 100 花；花梗长 1 ～ 2 cm，被柔毛；花淡黄绿色；萼具 5 小齿；花瓣 5。果实扁球状肾形，鲜红色；种子 2，白色，三角状卵形，具 3 棱。花期 7 ～ 8 月，果期 8 ～ 10 月。

| 生境分布 | 多栽培于山谷、山坡林下或人工荫棚内。广东南雄、乐昌、信宜等地有栽培。

| **资源情况** | 栽培资源较少。药材来源于栽培。

| **采收加工** | 栽种3～7年后，于夏末秋初开花前或冬季种子成熟后采收，洗净，分开主根、支根及根茎，干燥。支根习称"筋条"，根茎习称"剪口"。

| **药材性状** | 本品主根呈纺锤形；表面灰褐色或灰黄色，有断续的纵皱纹和支根痕，先端有茎痕，周围有瘤状突起；体重，质坚实，断面灰绿色、黄绿色或灰白色，木部微呈放射状排列。支根呈圆柱形或圆锥形。根茎呈不规则的皱缩块状或条状；表面有数个明显的茎痕及环纹；断面中心灰绿色或白色，边缘深绿色或灰色。气微，味先苦后甜。

| **功能主治** | 甘、微苦，温。归肝、胃经。散瘀止血，消肿定痛。用于咯血，吐血，衄血，便血，崩漏，外伤出血，胸腹刺痛，跌扑肿痛。

| **用法用量** | 内服煎汤，3～9g；或研末吞服，1～3g。外用适量，磨汁涂；或研末调敷。

五加科 Araliaceae 南鹅掌柴属 Schefflera

鹅掌藤
Schefflera arboricola (Hayata) Merr.

| 药 材 名 | 七叶莲（药用部位：茎、叶。别名：七加皮、招财树、七叶藤）。

| 形态特征 | 藤状灌木，高 2 ~ 3 m。小枝有不规则纵皱纹，无毛。小叶 7 ~ 9；小叶片革质，倒卵状长圆形或长圆形，长 9 ~ 16 cm，先端钝圆，上面深绿色，有光泽，下面灰绿色，全缘，中脉仅在下面隆起。圆锥花序顶生；花白色；花瓣 5 ~ 6。果实卵形，具 5 棱。花期 7 ~ 10 月，果期 11 ~ 12 月。

| 生境分布 | 生于谷地密林下或溪边较湿润处，常攀附在树上。分布于广东惠阳及广州（市区）。广东各地均有栽培。

| 资源情况 | 野生资源较少。栽培资源丰富。药材来源于野生和栽培。

采收加工	全年均可采收，除去杂质，洗净，切段，干燥。
药材性状	本品茎呈圆柱形；表面灰黄色或棕黄色，具纵皱纹及叶柄痕；质硬，不易折断，断面黄白色，纤维性，中央髓部中空。叶互生，掌状复叶；小叶通常7，呈棕褐色或绿褐色，展开后呈长椭圆形，全缘，网状叶脉明显。气微，味微苦、辛。
功能主治	辛、微苦，温。祛风止痛，活血消肿。用于风湿痹痛，头痛，牙痛，脘腹疼痛，痛经，产后腹痛，跌打肿痛，骨折，疮肿。
用法用量	内服煎汤，9～15 g；或浸酒。外用适量，煎汤洗；或鲜品捣敷。
凭证标本号	440303191028012LY、440304191027035LY、440607210127046LY。

五加科 Araliaceae　南鹅掌柴属 Schefflera

穗序鹅掌柴 Schefflera delavayi (Franch.) Harms

| 药 材 名 | 大泡通（药用部位：根皮、枝条。别名：大通塔、野巴戟、万贯钱）、大泡通皮（药用部位：茎皮。别名：枝子皮）。

| 形态特征 | 乔木或灌木，高 3 ~ 8 m。小枝粗壮，幼时密生黄棕色星状绒毛，后毛脱净。掌状复叶，小叶 4 ~ 7；小叶片纸质至薄革质，形状变化大，呈椭圆状长圆形、卵状长圆形或卵状披针形等；幼树之叶常羽状分裂，下面密被灰白色或黄褐色星状毛。花无梗，密集成穗状花序，再组成大圆锥花序；花瓣三角状卵形，白色。果实球形。花期 10 ~ 11 月，果期翌年 1 月。

| 生境分布 | 生于山谷溪边的常绿阔叶林、阴湿的林缘或疏林。分布于广东乳源、新丰、翁源、仁化、始兴、乐昌、信宜、高州、怀集、和平、连平、

连山、阳山、连州。

| **资源情况** | 野生资源丰富。栽培资源一般。药材来源于野生和栽培。 |

| **采收加工** | 根皮、枝条：全年均可采收，除去杂质，洗净，切段，干燥。茎皮，全年均可采收，多鲜用。 |

| **药材性状** | 本品枝条灰棕色或灰褐色，表面有纵皱纹，有棕色点状皮孔及弧形叶柄痕，幼嫩枝密被灰棕色茸毛；折断面可见白色薄片状大型髓。茎皮多呈片状；外表面灰褐色至暗褐色，有纵皱纹、灰白色栓皮和棕色点状皮孔，内表面色淡，有细纵纹；质硬，折断面纤维性；气微，味苦、涩。 |

| **功能主治** | 根皮、枝条：苦、涩、平，祛风活血，补肝肾，强筋骨。用于风湿痹痛，腰膝酸痛，跌打肿痛，胸胁、脘腹胀痛。茎皮，苦、涩，微寒，祛风除湿，舒筋活络。用于风湿痹痛，跌打损伤，骨折。 |

| **用法用量** | 根皮、枝条，内服煎汤，9 ~ 30 g，或浸酒；外用适量，煎汤洗，或捣敷。茎皮，内服煎汤，15 ~ 30 g。 |

| **凭证标本号** | 441823201031074LY。 |

五加科 Araliaceae　南鹅掌柴属 Schefflera

星毛鸭脚木 *Schefflera minutistellata* Merr. ex H. L. Li

| 药 材 名 | 小泡通树（药用部位：茎枝、叶。别名：七加皮、鸭麻木、小星鸭脚木）。

| 形态特征 | 灌木或小乔木，高 2 ~ 6 m。当年生小枝密生黄棕色星状绒毛，不久毛即脱净。掌状复叶，小叶 7 ~ 15；小叶片纸质至薄革质，长椭圆状披针形至卵状披针形，长 10 ~ 16 cm，上面无毛，下面密生灰色星状绒毛，老时几无毛。花序为由伞形花序组成的顶生圆锥花序，密生黄棕色星状绒毛；花瓣 5，无毛。果实球形，具 5 棱。花期 9 月，果期 11 月。

| 生境分布 | 生于山地密林或疏林中。分布于广东从化、乳源、新丰、仁化、始兴、乐昌、信宜、封开、怀集、高要、博罗、阳春、阳山、英德、饶平、

罗定。

| **资源情况** | 野生资源丰富。栽培资源一般。药材来源于野生和栽培。

| **采收加工** | 夏、秋季采收，晒干或鲜用。

| **药材性状** | 本品茎枝和叶多呈片状，幼枝密被黄棕色星状毛，老枝无毛。茎硬脆，叶片纸质至薄革质。

| **功能主治** | 辛、苦，温。发散风寒，活血止痛。用于风寒感冒，风湿痹痛，脘腹胀痛，跌打肿痛，骨折，劳伤疼痛。

| **用法用量** | 内服煎汤，9 ~ 15 g；或浸酒。外用适量，捣敷。

| **凭证标本号** | 441823210204021LY。

五加科 Araliaceae 南鹅掌柴属 Schefflera

鹅掌柴
Schefflera octophylla (Lour.) Harms

| 药 材 名 | 鸭脚木皮（药用部位：茎皮、根皮。别名：西加皮、鸭脚皮、鸭脚木）、鸭脚木叶（药用部位：叶）。

| 形态特征 | 乔木或灌木，高 2 ～ 15 m。掌状复叶，小叶 6 ～ 9；小叶片革质或纸质，椭圆形、长椭圆形或卵状椭圆形，长 9 ～ 17 cm，幼时密生星状短柔毛，后毛渐脱净，全缘；小叶柄不等长。花序为由伞形花序聚生而成的大型圆锥花序，顶生，初密生星状短柔毛，后毛渐稀；花白色，芳香；花瓣 5，无毛；花柱合生成短粗的柱状。果实球形。花期 11 ～ 12 月，果期 12 月。

| 生境分布 | 生于常绿阔叶林中或向阳山坡。广东各地均有分布。

| **资源情况** | 野生资源丰富。栽培资源一般。药材来源于野生。

| **采收加工** | **鸭脚木皮**：全年均可采剥，蒸透，切片，晒干。
鸭脚木叶：夏、秋季采收，多鲜用。

| **药材性状** | **鸭脚木皮**：本品树皮呈卷筒状或不规则板块状，长 30 ~ 50 cm，厚 2 ~ 8 mm。外表皮灰白色或暗灰色，粗糙，常有地衣斑，具类圆形或横向长圆形皮孔；内表面灰黄色或灰棕色，具纵细纹；质脆，易折断，断面不平坦，纤维性。
鸭脚木叶：本品叶柄长 15 ~ 30 cm，有小叶 6 ~ 9；小叶片纸质至革质，椭圆形、长圆状椭圆形或倒卵状椭圆形，长 9 ~ 17 cm，宽 3 ~ 5 cm，先端急尖或短渐尖，稀圆形，基部渐狭，楔形或钝形，全缘；小叶柄长 1.5 ~ 5 cm，中央小叶柄较长，两侧小叶柄较短。

| **功能主治** | **鸭脚木皮**：微苦、淡，平。清热解毒，祛风除湿，舒筋活络。用于感冒发热，咽喉肿痛，烫伤，无名肿毒，风湿痹痛，跌打损伤，骨折。
鸭脚木叶：辛、苦，凉。祛风除湿，解毒，活血。用于风热感冒，咽喉肿痛，斑疹发热，风疹瘙痒，风湿痹痛，湿疹，下肢溃疡，烧伤，跌打肿痛，骨折，刀伤出血。

| **用法用量** | **鸭脚木皮**：内服煎汤，9 ~ 15 g；或浸酒。外用适量，煎汤洗；或捣敷。
鸭脚木叶：内服煎汤，3 ~ 5 g；或研末为丸。外用捣汁涂；或酒炒敷。

| **凭证标本号** | 441523190919041LY、440783190608008LY、441284190816550LY。

五加科 Araliaceae　南鹅掌柴属 Schefflera

球序鹅掌柴 *Schefflera pauciflora* R. Vig.

药 材 名

球序鹅掌柴（药用部位：根皮、茎皮。别名：七加皮）。

形态特征

乔木或灌木，高 3 ～ 7 m，稀为缠绕藤本。小叶 5 ～ 7；小叶片革质，倒卵状椭圆形或倒卵状长圆形，稀椭圆形，长 8 ～ 15 cm，上面有光泽，下面灰绿色，两面均无毛，全缘。圆锥花序顶生；花无梗或有极短的梗，5 ～ 8 花密集成簇；花瓣 5，三角状长圆形或三角状卵形，无毛。果实卵形，具 5 棱。花期 9 月，果期 9 ～ 10 月。

生境分布

生于山坡或山谷常绿阔叶林中。分布于广东信宜、茂名。

资源情况

野生资源较少。药材来源于野生。

采收加工

全年均可采剥，洗净，鲜用，或切片，晒干。

| **功能主治** | 微苦、辛，平。祛风活络，散瘀止痛，消癥利水。用于风湿痹痛，跌打损伤，骨折，肝硬化腹水。 |

| **用法用量** | 内服煎汤，9 ~ 15 g；或浸酒。外用适量，捣敷。 |

五加科 Araliaceae 通脱木属 Tetrapanax

通脱木 *Tetrapanax papyrifer* (Hook.) K. Koch

| 药 材 名 |

通草（药用部位：茎髓。别名：白通草、通花、通大海）。

| 形态特征 |

乔木或小乔木，无刺，高 1 ~ 3.5 m。茎髓大，白色，纸质。叶大，集生于茎顶，基部心形，掌状 5 ~ 11 裂，裂片浅或深达中部，叶全缘或有粗齿，上面无毛，下面有白色星状绒毛。伞形花序聚生成顶生或近顶生大型复圆锥花序；花淡黄白色；花瓣 4，稀 5，三角状卵形，外面密生星状厚绒毛。果实球形。花期 10 ~ 12 月，果期翌年 1 ~ 2 月。

| 生境分布 |

生于向阳、肥沃的土壤中，有时栽培于庭园。分布于广东乳源、乐昌。

| 资源情况 |

野生资源一般。栽培资源一般。药材来源于野生和栽培。

| 采收加工 |

秋季割取茎，截成段，趁鲜取出髓部，理直，晒干。

药材性状	本品呈圆柱形，长 20 ～ 40 cm，直径 1 ～ 2.5 cm。表面白色或淡黄色，有浅纵沟纹。体轻，质松软，稍有弹性，易折断，断面平坦，显银白色光泽，中部有直径 0.3 ～ 1.5 cm 的空心或半透明薄膜，纵剖面呈梯状排列。实心者少见。无臭，无味。
功能主治	甘、淡，微寒。清热利尿，通气下乳。用于湿热淋证，水肿尿少，乳汁不下。
用法用量	内服煎汤，2 ～ 5 g。

五加科 Araliaceae 刺通草属 Trevesia

刺通草 Trevesia palmata (Roxb. ex Lindl.) Vis.

| 药 材 名 | 刺通草（药用部位：叶。别名：党楠、大罗伞、裂叶木通）。

| 形态特征 | 常绿小乔木，高 3 ~ 8 m。小枝淡黄棕色，有绒毛和刺；叶为单叶，革质，掌状 5 ~ 9 深裂，裂片披针形，基部由叶状阔翅将各小叶状裂片连成整片，两面疏生星状毛，或上面无毛。圆锥花序大；花淡黄绿色；花瓣 6 ~ 10，长圆形。果实卵球形，棱不明显。花期 10 月，果期翌年 5 ~ 7 月。

| 生境分布 | 广东广州（市区）有栽培。

| 资源情况 | 栽培资源一般。药材来源于栽培。

| **采收加工** | 全年均可采收，晒干。

| **药材性状** | 本品叶片直径可达 90 cm，掌状深裂，裂片 5 ~ 9，披针形，先端长渐尖，边缘有大锯齿，上面无毛或两面均疏生黄色星状绒毛；叶片革质。叶柄长 60 ~ 90 cm，通常疏生刺。气微，味微苦。

| **功能主治** | 微苦，平。化瘀止痛。用于跌打损伤，腰痛。

| **用法用量** | 内服煎汤，9 ~ 15 g；或浸酒。外用适量，捣敷。

伞形科 Umbelliferae 当归属 Angelica

紫花前胡

Angelica decursiva (Miq.) Franch. et Sav.

| 药 材 名 |

紫花前胡（药用部位：根）。

| 形态特征 |

多年生草本。根圆锥状，有强烈气味。茎高1～2m，直立，常呈紫色。根生叶和茎生叶有长柄，基部膨大成紫色的圆形叶鞘；叶片三角形至卵圆形，1回3全裂或1～2回羽状分裂；茎上部叶变成膨大的紫色囊状叶鞘。复伞形花序顶生和侧生，伞辐10～22，总苞片宿存，反折，紫色；花深紫色；萼齿明显。果实长圆形至卵状圆形，背棱线形隆起，尖锐，侧棱有较厚的狭翅，与果体近等宽。花期8～9月，果期9～11月。

| 生境分布 |

生于山坡林缘、溪沟边、杂木林、灌丛中。分布于广东乳源、新丰、始兴、南雄、乐昌、和平、连平、五华、兴宁、惠东、博罗、从化、阳山、连州、英德、怀集及深圳（市区）。

| 资源情况 |

野生资源丰富。栽培资源丰富。药材来源于野生和栽培。

| **采收加工** | 秋、冬季地上部分枯萎时采挖，除去须根，晒干。 |

| **药材性状** | 本品多呈不规则圆柱形、圆锥形或纺锤形，主根较细，有少数支根。表面棕色至黑棕色，根头部偶有残留茎基和膜状叶鞘残基，有浅而直的细纵皱纹，可见灰白色横向皮孔样突起和点状须根痕。质硬，断面类白色，皮部较窄，散有少数黄色油点。气芳香，味微苦、辛。 |

| **功能主治** | 疏风清热，降气化痰。用于外感风热，肺热痰壅，咳喘痰多，痰黄黏稠，呃逆食少，胸膈满闷。 |

| **用法用量** | 内服煎汤，5 ~ 10 g；或入丸、散剂。 |

| **凭证标本号** | 441825190808024LY。 |

伞形科 Umbelliferae 柴胡属 Bupleurum

竹叶柴胡

Bupleurum marginatum Wall. ex DC.

| **药材名** | 竹叶柴胡（药用部位：全草。别名：紫柴胡、竹叶防风、膜缘柴胡）。

| **形态特征** | 多年生草本，高 50 ~ 120 cm。直根纺锤形，外皮深红棕色，有细纵皱纹及稀疏的小突起。茎绿色，带紫棕色，上有淡绿色粗条纹。叶背面绿白色，近革质，长披针形或线形，长 10 ~ 16 cm，宽 6 ~ 14 mm，先端有长达 1 mm 的硬尖头，基部微缩抱茎，叶缘软骨质。复伞形花序；花瓣浅黄色，小舌片方形。果实长圆形，棕褐色，棱狭翼状。花期 6 ~ 9 月，果期 9 ~ 11 月。

| **生境分布** | 生于海拔 750 m 左右的山坡草地或林下。分布于广东乳源、阳山。

| **资源情况** | 野生资源较少。药材来源于野生。

| **采收加工** | 秋季采收，洗净，干燥。

| **药材性状** | 本品长 50 ～ 120 cm。根细小，呈纺锤形，具细纵皱纹及稀疏的横向皮孔样突起。茎微具纵棱，基部残存叶柄纤维。叶呈披针形，长 9 ～ 15 cm，宽 0.5 ～ 1.4 cm，叶缘软骨质，先端具硬尖头，基部半抱茎。复伞形花序。幼果棕色。体轻，质稍脆。气清香，味淡。

| **功能主治** | 苦、微辛，凉。发表退热，疏肝解郁，升举中气。用于感冒，腮腺炎，扁桃体炎。

| **用法用量** | 内服煎汤，3 ～ 10 g。

伞形科 Umbelliferae 积雪草属 Centella

积雪草 Centella asiatica (L.) Urb.

| 药 材 名 | 积雪草（药用部位：全草。别名：崩大碗、雷公碗、马蹄草）。

| 形态特征 | 多年生草本。茎匍匐，细长，无毛或少毛，节上生根。叶片膜质至草质，圆形、肾形或马蹄形，长 1 ~ 2.8 cm，宽 1.5 ~ 5 cm，边缘有钝锯齿，基部阔心形，基部叶鞘透明，膜质。伞形花序聚生于叶腋；花瓣卵形，紫红色或乳白色，膜质；花丝短于花瓣，与花柱等长。果实两侧扁压，圆球形，基部心形至平截形，每侧有纵棱数条。花果期 4 ~ 10 月。

| 生境分布 | 生于海拔 20 ~ 1 100 m 的阴湿草地、田边、沟边。广东各地均有分布。

| 资源情况 | 野生资源丰富。药材来源于野生。

| 采收加工 | 夏、秋季采收，除去泥沙，晒干。

| 药材性状 | 本品常皱缩成团状。根圆柱形，长 2 ～ 4 cm，表面浅黄色或灰黄色。茎黄棕色，节上有须状根。叶片多皱缩、破碎，完整者展平后近圆形或呈肾形，灰绿色，边缘有粗钝齿。伞形花序腋生。果实扁圆形，有隆起的纵棱及细网纹。气微，味淡。

| 功能主治 | 苦、辛、寒。清热利湿，消肿解毒。用于湿热黄疸，中暑腹泻，石淋，血淋，痈肿疮毒，跌扑损伤。

| 用法用量 | 内服煎汤，9 ～ 15 g，鲜品 15 ～ 30 g；或捣汁。外用适量，捣敷或绞汁涂。

| 凭证标本号 | 441825190807033LY、441523190404034LY、440783190608011LY。

伞形科 Umbelliferae 蛇床属 Cnidium

蛇床 *Cnidium monnieri* (L.) Cusson

药材名

蛇床子（药用部位：果实。别名：野茴香、野胡萝卜子、蛇米）。

形态特征

一年生草本，高 10 ~ 60 cm。茎直立，多分枝，中空，表面具深条棱。下部叶具短柄，叶鞘短而宽，上部叶柄全部呈鞘状；叶卵形至三角状卵形，二至三回三出式羽状全裂。复伞形花序；总苞片线形至线状披针形，边缘膜质，具细睫毛；小伞形花序具花 15 ~ 20；花瓣白色。分生果长圆状，长 2 ~ 4 mm，宽 1 ~ 2 mm，主棱 5，扩大成翅。花期 4 ~ 7 月，果期 6 ~ 10 月。

生境分布

生于田边、路旁、草地及河边湿地。分布于广东廉江、英德、蕉岭及广州（市区）、肇庆（市区）、阳江（市区）。

资源情况

野生资源较少。药材来源于野生。

采收加工

夏、秋季果实成熟时采收，除去杂质，晒干。

| 药材性状 | 本品双悬果呈椭圆形，长 2 ~ 4 mm，直径约 2 mm，表面灰黄色或灰褐色，先端有外弯柱基 2。分果背面有纵棱 5，接合面有棕色纵棱线 2。果皮松脆，揉搓后易脱落。种子细小，灰棕色，显油性。气香，味辛，有麻舌感。

| 功能主治 | 辛、苦，温；有小毒。燥湿祛风，杀虫止痒，温肾壮阳。用于阴痒带下，湿疹瘙痒，湿痹腰痛，肾虚阳痿，宫冷不孕。

| 用法用量 | 内服煎汤，3 ~ 9 g；或入丸、散剂。外用适量，煎汤熏洗；或做成坐药、栓剂；或研末调敷。

| 凭证标本号 | 441823210410005LY。

伞形科 Umbelliferae 芫荽属 Coriandrum

芫荽

Coriandrum sativum L.

| 药 材 名 |

胡荽（药用部位：带根全草。别名：香菜、芫荽）、芫荽茎（药用部位：茎。别名：芫荽梗）、胡荽子（药用部位：果实）。

| 形态特征 |

一年生或二年生草本，高 20 ~ 100 cm，有强烈气味。根纺锤形，有多数纤细的支根。茎直立，多分枝。基生叶柄长 2 ~ 8 cm；叶片 1 或 2 回羽状全裂；茎生叶 3 回至多回羽状分裂。伞形花序顶生或与叶对生，花序梗长 2 ~ 8 cm；花白色或带淡紫色；花瓣倒卵形，先端有内凹小舌片；果实成熟时花柱向外反曲。果实圆球形，背面有明显的棱。花果期 4 ~ 11 月。

| 生境分布 |

广东各地均有栽培。

| 资源情况 |

栽培资源丰富。药材来源于栽培。

| 采收加工 |

胡荽： 全年均可采收，洗净，晒干。
芫荽茎： 春季采收，鲜用，或洗净，晒干。

胡荽子：8 ～ 9 月果实成熟时采收，晒干。

| **药材性状** |

胡荽： 本品多卷缩成团。茎、叶枯绿色。干燥茎直径约 1 mm。叶多脱落或破碎，完整叶 1 ～ 2 回羽状分裂。根呈纺锤形，表面类白色。具浓烈的特殊香气，味淡、微涩。

芫荽茎： 本品茎枯绿色，干燥茎直径约 1 mm。具浓烈的特殊香气，味淡、微涩。

胡荽子： 本品双悬果球形，直径 3 ～ 5 mm，淡黄棕色至土黄棕色，先端残留 2 裂短柱头，花萼 5；表面有波状棱线 10 与明显的直纵棱 10，二者相间排列；基部钝圆；小分果具 3 纵行棱线。质稍坚硬。气香，揉碎后有特殊而浓烈的香气，味微辣。

| **功能主治** |

胡荽： 辛，温。发表透疹，消食开胃，止痛，解毒。用于风寒感冒，麻疹，痘疹透发不畅，食积，脘腹胀痛，呕恶，头痛，牙痛，脱肛，丹毒，疮肿初起，蛇咬伤。

芫荽茎： 辛，温。宽中健胃，透疹。用于胸脘胀闷，消化不良，麻疹。

胡荽子： 辛，酸。健胃消积，理气止痛，透疹解毒。用于食积，食欲不振，胸膈满闷，脘腹胀痛，呕恶反胃，泻痢，肠风便血，脱肛，疝气，麻疹，痘疹透发不畅，秃疮，头痛，牙痛，耳痛。

| **用法用量** |

胡荽： 内服煎汤，9 ～ 15 g，鲜品 15 ～ 30 g；或捣汁。外用适量，煎汤洗；或捣敷；或绞汁涂。

芫荽茎： 内服煎汤，3 ～ 9 g。外用适量，煎汤喷涂。

胡荽子： 内服煎汤，6 ～ 12 g；或入丸、散剂。外用适量，煎汤含漱或熏洗。

| **凭证标本号** |

445224210307027LY、441225190318013LY。

伞形科 Umbelliferae 鸭儿芹属 Cryptotaenia

鸭儿芹
Cryptotaenia japonica Hassk.

药材名

鸭儿芹（药用部位：茎叶。别名：鸭脚板草、鸭脚菜）、鸭儿芹根（药用部位：根）、鸭儿芹果（药用部位：果实）。

形态特征

多年生草本，高 20 ～ 100 cm。主根短，侧根多数，细长。茎直立，光滑，有分枝，表面有时略带淡紫色。三出复叶；基生叶及茎下部叶有柄，叶柄长 5 ～ 20 cm，最上部的茎生叶近无柄。复伞形花序呈圆锥状；花瓣白色，倒卵形，先端有内折的小舌片；花丝短于花瓣。分生果线状长圆形，长 4 ～ 6 mm，宽 2 ～ 2.5 mm。花期 4 ～ 5 月，果期 6 ～ 10 月。

生境分布

生于海拔 200 ～ 1 000 m 的山地、山沟及林下阴湿处。分布于广东始兴、翁源、乳源、新丰、怀集、封开、龙门、梅县、大埔、平远、蕉岭、连平、和平、阳春、阳山、连山、英德、连州。

资源情况

野生资源较丰富。药材来源于野生。

| **采收加工** | 鸭儿芹：夏、秋季采收，鲜用或晒干。
鸭儿芹根：夏、秋季采挖，洗净，晒干。
鸭儿芹果：7～10月采收成熟的果实，除去杂质，洗净，晒干。

| **功能主治** | 鸭儿芹：辛，苦。祛风止咳，利湿解毒，化瘀止痛。用于感冒咳嗽，肺痈，小便淋沥，疝气，月经不调，风火牙痛，目赤翳障，痈疽疮肿，皮肤瘙痒，跌打肿痛，蛇虫咬伤。
鸭儿芹根：辛，温。发表散寒，止咳化痰，活血止痛。用于风寒感冒，咳嗽，跌打肿痛。
鸭儿芹果：辛，温。消积顺气。用于食积腹胀。

| **用法用量** | 鸭儿芹：内服煎汤，15～30 g。外用适量，捣敷；或研末撒；或煎汤洗。
鸭儿芹根：内服煎汤，9～30 g；或研末。
鸭儿芹果：内服煎汤，3～9 g；或研末。

| **凭证标本号** | 441825190801012LY、440281190626029LY、441823190612029LY。

伞形科 Umbelliferae 胡萝卜属 Daucus

胡萝卜

Daucus carota L. var. *sativus* Hoffm.

| 药 材 名 |

胡萝卜（药用部位：根。别名：红萝卜、金笋）、胡萝卜叶（药用部位：基生叶。别名：胡萝卜缨子）、胡萝卜子（药用部位：果实）。

| 形态特征 |

二年生草本，高 15 ~ 120 cm。茎上有白色粗硬毛。基生叶长圆形，2 ~ 3 回羽状全裂，末回裂片线形或披针形，先端尖锐，有小尖头，叶柄长；茎生叶近无柄，有叶鞘。复伞形花序，花序梗长 10 ~ 55 cm，总苞片呈叶状，羽状分裂；花通常呈白色，有时带淡红色。果实圆卵形，棱上有白色刺毛。根肉质，长圆锥形，粗肥，呈红色或黄色。花期5 ~ 7 月。

| 生境分布 |

广东各地均有栽培。

| 资源情况 |

栽培资源丰富。药材来源于栽培。

| 采收加工 |

胡萝卜：冬季采挖，洗净。

胡萝卜叶：冬、春季采收带根头部的叶，洗净，鲜用或晒干。

胡萝卜子：夏季果实成熟时采收，除净杂质，晒干。

| 功能主治 | 胡萝卜：甘、辛，平。健脾和中，滋肝明目，化痰止咳，清热解毒。用于脾虚食少，体虚乏力，脘腹痛，泻痢，视物昏花，雀目，咳喘，百日咳，咽喉肿痛，麻疹，水痘，疖肿，烫火伤，痔漏。

胡萝卜叶：辛、甘，平。理气止痛，利水。用于脘腹痛，水肿，小便不通。

胡萝卜子：苦、辛，温。燥湿散寒，利水杀虫。用于久痢，久泻，虫积，水肿，宫冷腹痛。

| 用法用量 | 胡萝卜：内服煎汤，30 ~ 120 g；或生吃；或捣汁；或煮食。外用适量，煮熟捣敷；或切片，烧热敷。

胡萝卜叶：内服煎汤，30 ~ 60 g；或切碎，蒸熟食。

胡萝卜子：内服煎汤，3 ~ 9 g；或入丸、散剂。

| 凭证标本号 | 441624181208001LY。

伞形科 Umbelliferae 刺芹属 *Eryngium*

刺芹

Eryngium foetidum Linn.

| 药 材 名 |

野芫荽（药用部位：带根全草。别名：刺芫荽、假芫荽、洋芫荽）。

| 形态特征 |

二年生或多年生草本，高达 40 cm 或过之，有特殊香气。茎 3 ~ 5 歧聚伞式分枝。基生叶基部有膜质叶鞘，边缘有骨质锐齿；茎生叶着生在每一叉状分枝的基部，对生，无柄，边缘有深锯齿。无梗头状花序多生于茎的分叉处，总苞片披针形，边缘具刺状锯齿，小总苞片边缘膜质；花瓣白色、淡黄色或草绿色。果实近卵圆形，表面有瘤状突起。花果期 4 ~ 12 月。

| 生境分布 |

生于海拔 100 ~ 800 m 的丘陵、山地林下、路旁、沟边等湿润处。广东各地均有分布。

| 资源情况 |

野生资源较丰富。栽培资源一般。药材来源于野生和栽培。

| 采收加工 |

全年均可采收，晒干。

| 药材性状 | 本品长 15 ~ 35 cm。主根圆锥形，呈灰褐色。基生叶皱缩，边缘有刺状齿。花茎自中央伸出，上部分枝，有尖锐披针形短叶，边缘具锐齿。头状花序易脱落，残留萼片尖硬刺手。双悬果小，具棕色瘤状小点。全株香气较浓，味辛、微苦。

| 功能主治 | 辛、苦，平。发表止咳，透疹解毒，理气止痛，利尿消肿。用于感冒，咳喘，麻疹透发不畅，咽痛，胸痛，食积，呕逆，脘腹胀痛，泻痢，肠痛，肝炎，小便淋沥，水肿，疮疖，烫伤，跌打伤肿，蛇咬伤。

| 用法用量 | 内服煎汤，6 ~ 15 g。外用适量，煎汤洗；或捣敷。

| 凭证标本号 | 441523190517013LY、440783200312009LY、441622190530031LY。

伞形科 Umbelliferae 茴香属 Foeniculum

茴香 *Foeniculum vulgare* Mill.

| 药 材 名 |

小茴香（药用部位：果实。别名：土茴香）、茴香茎叶（药用部位：茎叶。别名：香丝菜）、茴香根（药用部位：根）。

| 形态特征 |

草本，高 0.4 ~ 2 m。茎直立，光滑，灰绿色或苍白色，多分枝。茎下部叶叶柄长 5 ~ 15 cm，中上部叶叶柄呈鞘状；叶片阔三角形，长 4 ~ 30 cm，宽 5 ~ 40 cm，4 ~ 5 回羽状全裂，末回裂片线形，长 1 ~ 6 cm，宽约 1 mm。复伞形花序顶生与侧生，花序梗长 2 ~ 25 cm，小伞形花序有花 14 ~ 39；花小，黄色。果实长圆形，长 4 ~ 6 mm，宽 1.5 ~ 2.2 mm，主棱尖锐。花期 5 ~ 6 月，果期 7 ~ 9 月。

| 生境分布 |

广东各地均有栽培。

| 资源情况 |

栽培资源较丰富。药材来源于栽培。

| 采收加工 |

小茴香：秋季果实初熟时采割植株，晒干，打下果实，除去杂质。

茴香茎叶：春、夏季采收，晒干或鲜用。

茴香根：7 月采挖，洗净，鲜用或晒干。

| 药材性状 |　**小茴香：**本品双悬果呈圆柱形或稍弯曲，长 4 ～ 6 mm，直径 1.5 ～ 2.2 mm。表面黄绿色或淡黄色，两端略尖，先端残留凸起的黄棕色柱基，基部有时有细小的果梗。分果呈长椭圆形，背面有纵棱 5，接合面平坦而宽。有特异香气，味微甜、辛。

茴香茎叶：本品茎鲜绿色，长 30 ～ 60 cm。茎下部叶叶柄长 5 ～ 15 cm，中上部叶叶柄呈鞘状；叶片阔三角形，4 ～ 5 回羽状全裂，末回裂片线形。气香，味甘。

茴香根：本品呈长圆锥状，老根多分枝，长 3 ～ 15 cm。根头部常有茎痕，并具多数横纹，表面灰黄色，粗糙。气香，味微苦。

| 功能主治 |　**小茴香：**辛，温。散寒止痛，理气和胃。用于寒疝腹痛，睾丸偏坠，痛经，少腹冷痛，脘腹胀痛，食少吐泻。

茴香茎叶：甘、辛，温。理气和胃，散寒止痛。用于恶心呕吐，疝气，腰痛，痛肿。

茴香根：辛、甘，温。温肾和中，行气止痛，杀虫。用于寒疝，耳鸣，胃寒呕逆，腹痛，风寒湿痹，鼻疳，蛔虫病。

| 用法用量 |　**小茴香：**内服煎汤，3 ～ 6 g；或入丸、散剂。外用适量，研末调敷；或炒热温熨。

茴香茎叶：内服煎汤，10 ～ 15 g；或捣汁；或浸酒。外用适量，捣敷。

茴香根：内服煎汤，9 ～ 15 g，鲜品加倍；或鲜品捣汁；或浸酒。外用适量，捣敷；或煎汤洗。

| 凭证标本号 |　440983180730101LY。

伞形科 Umbelliferae 珊瑚菜属 Glehnia

珊瑚菜 Glehnia littoralis F. Schmidt ex Miq.

| 药 材 名 | 北沙参（药用部位：根。别名：野香菜根、辽沙参、莱阳参）。

| 形态特征 | 多年生草本，被白色柔毛。根长 20 ～ 70 cm，表面黄白色。茎露于地上部分较短，地下部分伸长。基生叶叶柄长 5 ～ 15 cm，三出叶片 1 ～ 2 回羽裂，裂片有锯齿，茎生叶呈鞘状。复伞形花序顶生，密生长柔毛，无总苞片，小总苞线状披针形，密被柔毛，小伞形花序有花 15 ～ 20；花瓣白色或带堇色。果实近圆球形或倒广卵形，被毛，果棱有木栓质翅。花果期 6 ～ 8 月。

| 生境分布 | 生于海岸沙地、沙滩，或栽培于肥沃、疏松的砂壤土。分布于广东吴川、陆丰、惠来及深圳（市区）、阳江（市区）等。广东沿海地

区有栽培。

| **资源情况** | 野生资源较少。栽培资源一般。药材来源于栽培。

| **采收加工** | 夏、秋季采挖，除去须根，洗净，稍晾晒，置沸水中烫后除去外皮，干燥；或洗净后直接干燥。

| **药材性状** | 本品细长圆柱形，偶有分枝，长 15 ~ 45 cm，直径 0.4 ~ 1.2 cm。表面淡黄白色，略粗糙，不去外皮者表面黄棕色。全体有细纵皱纹，有棕黄色点状细根痕，先端常留有黄棕色根茎残基。质脆，易折断，断面皮部黄白色，木部黄色。气微，味甘。

| **功能主治** | 甘、微苦，微寒。养阴清肺，益胃生津。用于肺热燥咳，劳嗽痰血，胃阴不足，热病津伤，咽干口渴。

| **用法用量** | 内服煎汤，5 ~ 10 g；或入丸、散、膏剂。

伞形科 Umbelliferae 天胡荽属 *Hydrocotyle*

中华天胡荽

Hydrocotyle hookeri (C. B. Clarke) Craib subsp. *chinensis* (Dunn ex R. H. Shan & S. L. Liou) M. F. Watson & M. L. Sheh

| 药 材 名 | 大铜钱菜（药用部位：全草。别名：大马蹄草、地弹花、铜钱草）。

| 形态特征 | 多年生匍匐草本，直立部分高 8 ～ 37 cm，除托叶、苞片、花梗无毛外，其余部分均被或疏或密的反曲柔毛。茎节上生根。叶片圆肾形，5 ～ 7 掌状浅裂，裂片阔卵形或近三角形，边缘有锯齿，基部心形。单个伞形花序腋生或与叶对生，有花 25 ～ 50；花蕾草绿色，开放后呈白色；花瓣先端有淡黄色至紫褐色的腺点。果实近圆形，侧扁，侧面 2 棱明显隆起。花果期 5 ～ 11 月。

| 生境分布 | 生于海拔 700 ～ 1 000 m 的河沟边及路旁阴湿草地。分布于广东高州、信宜。

曾佑派提供

| **资源情况** | 野生资源较少。药材来源于野生。 |

| **采收加工** | 夏、秋季采收，洗净，鲜用或晒干。 |

| **药材性状** | 本品多皱缩。茎细小而弯曲，茎节处着生须根。叶片薄而皱缩，完整叶片呈圆肾形，长 2.5 ~ 7 cm，宽 3 ~ 8 cm，表面绿褐色，5 ~ 7 掌状浅裂，裂片阔卵形或近三角形，边缘有锯齿，基部心形。茎、叶均被或疏或密的反曲柔毛。气微，味淡。 |

| **功能主治** | 辛、微苦，平。理气止痛，利湿解毒。用于脘腹痛，肝炎，黄疸，小便不利，湿疹。 |

| **用法用量** | 内服煎汤，3 ~ 9 g。外用适量，捣敷。 |

曾佑派提供

伞形科 Umbelliferae 天胡荽属 Hydrocotyle

红马蹄草 Hydrocotyle nepalensis Hook.

| 药 材 名 | 红马蹄草（药用部位：全草。别名：大雷公藤、铜钱草、大样驳骨草）。

| 形态特征 | 多年生匍匐草本。茎斜上分枝，高 5 ～ 45 cm，节上生根。叶圆肾形，边缘常 5 ～ 7 浅裂，裂片有钝锯齿，基部心形，掌状脉 7 ～ 9。伞形花序数个簇生于叶腋，花序梗短于叶柄，小伞形花序有花 20 ～ 60，常密集成球形的头状花序；花白色，偶有紫红色斑点。果实近圆形，侧扁，光滑或有紫色斑点，成熟后常呈黄褐色或紫黑色，中棱和背棱显著。花果期 5 ～ 11 月。

| 生境分布 | 生于海拔 350 ～ 1 600 m 的山坡、路旁、阴湿地、水沟和溪边草丛中。广东各地均有分布。

资源情况	野生资源丰富。药材来源于野生。
采收加工	夏、秋季采收，洗净，鲜用或晒干。
药材性状	本品叶多皱缩成团，展开后叶长 15 ～ 30 cm。茎纤细，柔软而弯曲，有分枝，节上生根。单叶互生；叶柄基部有叶鞘；完整叶呈圆肾形，5 ～ 7 掌状浅裂，基部心形，两面被紫色短硬毛，具 3 ～ 7 密集头状花序或果序。质脆。气微，味淡。
功能主治	苦，寒。清热利湿，化瘀止血，解毒。用于感冒，咳嗽，痰中带血，痢疾，泄泻，痛经，月经不调，跌打伤肿，外伤出血，痈疮肿毒。
用法用量	内服煎汤，6 ～ 15 g；或浸酒。外用适量，捣敷；或煎汤洗。
凭证标本号	441825190707023LY、441324180728039LY、440281190425021LY。

伞形科 Umbelliferae 天胡荽属 *Hydrocotyle*

天胡荽 *Hydrocotyle sibthorpioides* Lam.

| **药 材 名** | 天胡荽（药用部位：全草。别名：盆上芫荽、遍地锦）。 |

| **形态特征** | 多年生草本，有气味。茎细长，匍匐于地上，节上生根。叶圆形或肾圆形，不裂或 5 ～ 7 裂，裂片阔倒卵形，边缘有钝齿，两面光滑或密被柔毛。单个伞形花序与叶对生，有花 5 ～ 18，小总苞片膜质，有黄色透明腺点；花小，绿白色，有腺点。果实略呈心形，两侧扁压，中棱在果实成熟时明显隆起，幼时表面呈草黄色，成熟时表面有紫色斑点。花果期 4 ～ 9 月。 |

| **生境分布** | 生于海拔 50 ～ 8 00 m 的湿润草地、河沟边、林下。广东各地均有分布。 |

| **资源情况** | 野生资源丰富。药材来源于野生。 |

| **采收加工** | 夏、秋季采收，洗净，鲜用或晒干。 |

| **药材性状** | 本品多皱缩成团，全体呈灰棕黄色。根细，茎细长且弯曲，具纵棱，节处残留细根或根痕。叶多皱缩、破碎，完整叶片呈圆形或近肾形，5～7浅裂或裂至叶片中部，托叶膜质，具扭曲状叶柄。双悬果略呈心形，两侧扁压。气香，味淡。 |

| **功能主治** | 辛、微苦，凉。清热利湿，解毒消肿。用于黄疸，痢疾，水肿，淋证，目翳，喉肿，痈肿疮毒，带状疱疹，跌打损伤。 |

| **用法用量** | 内服煎汤，9～15 g，鲜品30～60 g；或捣汁。外用适量，捣敷；或捣汁涂。 |

| **凭证标本号** | 440783200313010LY、440281190424024LY、440281190425017LY。 |

伞形科 Umbelliferae 天胡荽属 Hydrocotyle

破铜钱

Hydrocotyle sibthorpioides Lam. var. *batrachium* (Hance) Hand.-Mazz. ex R. H. Shan

| 药 材 名 | 天胡荽（药用部位：全草。别名：破铜钱、花边灯一盏）。

| 形态特征 | 多年生草本，有气味。茎细长，匍匐于地上，节上生根。叶圆形或肾圆形，3 ～ 5 深裂几达基部，侧面裂片常仅裂达基部 1/3 处，裂片均呈楔形。单个伞形花序与叶对生，有花 5 ～ 18，小总苞片膜质，有黄色透明腺点；花小，绿白色，有腺点。果实略呈心形，两侧扁压，中棱在果实成熟时明显隆起，幼时表面呈草黄色，成熟时表面有紫色斑点。花果期 4 ～ 9 月。

| 生境分布 | 生于海拔 40 ～ 450 m 的湿润草地、河沟边、溪谷及山地。广东各地均有分布。

| **资源情况** | 野生资源丰富。药材来源于野生。 |

| **采收加工** | 夏、秋季采收，洗净，鲜用或晒干。 |

| **药材性状** | 本品皱缩成团。茎纤细。叶多破碎，完整叶展平后近圆形，3～5深裂几达基部，侧面裂片一侧或两侧仅裂达基部1/3处，裂片楔形。气微香，味淡。 |

| **功能主治** | 辛、微苦，凉。清热利湿，解毒消肿。用于黄疸，痢疾，水肿，淋证，目翳，喉肿，痈肿疮毒，带状疱疹，跌打损伤。 |

| **用法用量** | 内服煎汤，9～15 g，鲜品30～60 g；或捣汁。外用适量，捣敷；或捣汁涂。 |

| **凭证标本号** | 441224180611045LY、441823190612034LY。 |

伞形科 Umbelliferae 天胡荽属 Hydrocotyle

肾叶天胡荽

Hydrocotyle wilfordii Maxim.

| 药 材 名 | 毛叶天胡荽（药用部位：全草。别名：水雷公根、透骨草、冰大海）。

| 形态特征 | 多年生草本。茎直立或匍匐，高 15 ~ 45 cm，节上生根。叶膜质，圆肾形，边缘不明显 7 裂，基部心形；托叶膜质，圆形。花序梗单生于枝条上部，与叶对生，小伞形花序密集成头状，小总苞片膜质，具紫色斑点；花瓣白色至淡黄色。果实基部心形，中棱明显隆起，成熟时呈紫褐色或黄褐色，有紫色斑点。花果期 5 ~ 9 月。

| 生境分布 | 生于海拔 350 ~ 1 400 m 的阴湿山谷、田野、沟边、溪旁等。分布于广东乐昌、翁源、平远、阳山、英德、博罗、惠阳、惠东、大浦、

新丰、龙门及深圳（市区）、潮州（市区）等。

| **资源情况** | 野生资源较丰富。药材来源于野生。

| **采收加工** | 夏、秋季采收，洗净，鲜用或晒干。

| **药材性状** | 本品多缠绕成团。茎纤细，长而弯曲，无毛。单叶互生；叶多皱缩，完整叶呈圆肾形，直径 1.5 ~ 6 cm，有 5 ~ 7 裂片，基部深心形，稍张开或相接近，两面无毛或有少数毛；叶柄长 2.5 ~ 19.5 cm，有短硬毛。气微，味淡、苦。

| **功能主治** | 苦，微寒。清热解毒，利湿。用于红白痢，黄疸，小便淋沥，疮肿，鼻炎，耳痛，口疮。

| **用法用量** | 内服煎汤，6 ~ 15 g。外用适量，捣敷；或绞汁涂。

| **凭证标本号** | 441825190805012LY、441225180730035LY。

伞形科 Umbelliferae 白苞芹属 Nothosmyrnium

白苞芹
Nothosmyrnium japonicum Miq.

| 药 材 名 |

紫茎芹（药用部位：根。别名：土藁本、华美叶芹）。

| 形态特征 |

多年生草本，高 0.5 ～ 1.2 m。主根较短，长 3 ～ 4 cm，有较多的须状支根。茎直立，有纵纹。叶卵状长圆形，2 回羽状分裂，茎上部的叶逐渐变小，羽状分裂，有鞘。复伞形花序顶生和腋生；花白色。果实球状卵形，基部略呈心形，先端渐狭窄，果棱线形，油管多数；分生果侧面扁平，横剖面圆形，略带五边形，胚乳腹面凹陷。花果期 9 ～ 10 月。

| 生境分布 |

生于山坡林下湿润处。分布于广东博罗、仁化、阳山等。

| 资源情况 |

野生资源一般。药材来源于野生。

| 采收加工 |

秋季采挖，洗净，晒干。

| **功能主治** | 祛风散寒，舒筋活血，镇痉止痛。用于风寒感冒，头痛，风寒湿痹，筋骨痛，骨折。

| **用法用量** | 内服煎汤，3 ~ 9 g。

| **凭证标本号** | 440281190628012LY。

短辐水芹 *Oenanthe benghalensis* (Roxb.) Benth. & Hook. f.

| 药 材 名 | 水芹菜（药用部位：全草。别名：少花水芹）。

| 形态特征 | 多年生草本，全体无毛。茎自基部多分枝，有棱。叶片三角形，1~2回羽状分裂，末回裂片卵形至菱状披针形，先端钝，边缘有钝齿。复伞形花序顶生和侧生，伞辐4~10。果实椭圆形或筒状长圆形，侧棱木栓质，较背棱和中棱隆起。花期5月，果期5~6月。

| 生境分布 | 生于山坡、林下、溪边、沟旁、水边湿地中。分布于广东始兴、乐昌、大埔、龙门、惠东、博罗、连山、恩平、信宜、徐闻及肇庆（市区）。

| 资源情况 | 野生资源较丰富。药材来源于野生。

| 采收加工 | 春、夏季采收，洗净，切段，晒干，或鲜用。

药材性状	本品多皱缩成团，长 20 ～ 40 cm，全株无毛。茎多分枝，具棱。叶为一至二回羽状复叶；小叶长 6 ～ 25 mm，下部小叶常呈卵形，上部小叶披针形，先端渐尖，基部楔形，侧生小叶基部偏斜，边缘有钝齿；叶柄长 2 ～ 7 cm，质脆。气微香，味微辛。
功能主治	清热透疹，平肝安神。用于麻疹初期，肝阳上亢，失眠多梦。
用法用量	内服煎汤，10 ～ 30 g；或捣汁。
凭证标本号	440281190425023LY、440882180331009LY、441224180401039LY。

伞形科 Umbelliferae 水芹属 Oenanthe

水芹 *Oenanthe javanica* (Blume) DC.

| 药 材 名 | 水芹（药用部位：全草。别名：小叶芹、野芹菜）。

| 形 态 特 征 | 多年生草本，高 15 ～ 80 cm。茎直立或基部匍匐。基生叶有柄，叶片三角形，1 ～ 2 回羽状分裂，末回裂片卵形至菱状披针形，边缘有牙齿或圆齿状锯齿；茎上部叶无柄。复伞形花序顶生，伞辐 6 ～ 16，直立并开展。果实近四角状椭圆形或筒状长圆形，侧棱木栓质，较背棱和中棱隆起。花期 6 ～ 7 月，果期 8 ～ 9 月。

| 生 境 分 布 | 生于低洼湿地或池沼、水沟中，常栽培作蔬菜食用。分布于广东乳源、仁化、始兴、南雄、乐昌、连平、蕉岭、丰顺、梅县、饶平、龙门、博罗、从化、增城、连山、阳山、英德、高要、阳春、信宜及深圳（市区）。

| 资源情况 | 野生资源丰富。栽培资源丰富。药材来源于野生和栽培。

| 采收加工 | 9 ~ 10 月采收，洗净，鲜用或晒干。

| 药材性状 | 本品多皱缩成团。茎细而弯曲，匍匐茎节处有须状根。叶皱缩，基生叶展平后呈三角形或三角状卵形，1 ~ 2 回羽状分裂，裂片呈卵形至菱状披针形，边缘有不整齐尖齿或圆锯齿，质脆易碎。气微香，味微辛、苦。

| 功能主治 | 清热利湿，止血，降血压。用于感冒发热，呕吐，腹泻，尿路感染，崩漏，带下，高血压。

| 用法用量 | 内服煎汤，10 ~ 20 g；或捣汁。外用适量，捣敷。

| 凭证标本号 | 440783200328024LY、441225180316008LY、441224180827023LY。

伞形科 Umbelliferae 水芹属 Oenanthe

卵叶水芹

Oenanthe javanica (Blume) DC. subsp. *rosthornii* (Diels) F. T. Pu

| 药 材 名 | 卵叶水芹（药用部位：全草。别名：水川芎、水芹、山芹菜草）。

| 形态特征 | 多年生草本，高 50 ~ 70 cm，粗壮。叶片呈广三角形或卵形，末回裂片菱状卵形或长圆形，先端长渐尖，边缘有楔形齿或近突尖。复伞形花序顶生和侧生，伞辐 10 ~ 24，直立并开展。果实椭圆形或长圆形，侧棱木栓质，较背棱和中棱隆起。花期 8 ~ 9 月，果期 10 ~ 11 月。

| 生境分布 | 生于水边或林下。分布于广东仁化、和平、连平、丰顺、龙门、阳山、怀集。

| 资源情况 | 野生资源较丰富。药材来源于野生。

| **采收加工** | 夏、秋季采收，洗净，鲜用或晒干。 |

| **药材性状** | 本品多皱缩成团。茎多分枝，有柔毛。叶多皱缩，完整叶呈广三角形或卵形，二回三出式羽状复叶；小叶菱状卵形或长圆状卵形，先端渐尖或尾尖，边缘有尖锯齿，两面无毛；叶柄长 5 ~ 14 cm。气香，味淡。 |

| **功能主治** | 补益气血，止血，利尿消肿。用于气虚血亏，头目眩晕，水肿，外伤出血。 |

| **用法用量** | 内服煎汤，10 ~ 20 g；或捣汁。外用适量，捣敷。 |

| **凭证标本号** | 441825190412023LY、441827180423012LY、441826140723148LY。 |

伞形科 Umbelliferae 水芹属 Oenanthe

线叶水芹

Oenanthe linearis Wall. ex DC.

| 药 材 名 | 西南水芹（药用部位：全草。别名：水芹菜、细叶水芹、野芫荽）。

| 形态特征 | 多年生草本，光滑无毛。茎直立，上部分枝，下部节上生不定根。叶有柄；叶片呈广卵形或长三角形，2回羽状分裂，基部叶末回裂片卵形，边缘分裂，茎上部叶末回裂片线形，基部楔形，先端渐尖，全缘。复伞形花序顶生和腋生，伞辐6～12。果实近四方状椭圆形或球形，侧棱较中棱和背棱隆起，背棱线形。花果期5～10月。

| 生境分布 | 生于山坡、山谷林下阴湿地或溪旁。分布于广东乳源、始兴、和平、大埔、龙门、南海、连山、连州、丰顺、揭阳及潮州（市区）等。

| 资源情况 | 野生资源较丰富。药材来源于野生。

| **采收加工** | 夏季采收，洗净，晒干。

| **药材性状** | 本品多皱缩成团，全体无毛。茎呈细长圆柱形而弯曲，多分枝。完整叶为 2 ~ 4 回羽状全裂，1 回裂片有柄，呈卵状三角形或长圆形，条裂成短披针形小裂片；叶柄长 2 ~ 6 cm，有长鞘。质脆。气特殊，味微辛。

| **功能主治** | 祛风除湿，止痛。用于头痛。

| **用法用量** | 内服煎汤，10 ~ 20 g；或捣汁。外用适量，捣敷。

| **凭证标本号** | 441882180410027LY。

伞形科 Umbelliferae 山芹属 Ostericum

隔山香

Ostericum citriodorum (Hance) C. Q. Yuan et R. H. Shan

| 药 材 名 | 鸡爪参（药用部位：全草。别名：柠檬香碱草）。

| 形态特征 | 多年生草本，高 0.5 ~ 1.3 m。根近纺锤形，有数条支根。茎单生，圆柱形，上部分枝。基生叶及茎生叶均为 2 ~ 3 回羽状分裂，叶片长圆状卵形至阔三角形，末回裂片长圆状披针形至长披针形，边缘及中脉干后波状皱曲，密生极细的齿。复伞形花序，花序梗长 6 ~ 9 cm，伞辐 5 ~ 12，小伞花序有 10 余花；花白色；萼齿明显，三角状卵形。果实椭圆形至广卵圆形，背棱有狭翅，侧棱有宽翅，宽于果体。花期 6 ~ 8 月，果期 8 ~ 10 月。

| 生境分布 | 生于山坡、灌木林下、林缘、草丛中。分布于广东龙门、连州及广州(市区)。

| 资源情况 | 野生资源一般。栽培资源较少。药材来源于野生。

| 采收加工 | 夏、秋季采收，除去杂质，鲜用或晒干。

| 功能主治 | 祛风消肿，活血散瘀，行气止痛。用于虚劳，脾胃不和，气短乏力，筋骨疼痛。

| 用法用量 | 内服煎汤，6 ~ 12 g；或甜酒煮服。

| 凭证标本号 | 441427180707420LY、441781140720052LY、44188120150730019LY。

前胡

Peucedanum praeruptorum Dunn

| 药 材 名 |

前胡（药用部位：根）。

| 形态特征 |

多年生草本，高 0.6 ~ 1 m。根圆锥形。茎圆柱形，髓部充实。基生叶具长柄，叶片宽卵形或三角状卵形，2 ~ 3 回 3 出分裂，末回裂片菱状倒卵形，边缘具不整齐的 3 ~ 4 粗锯齿或圆锯齿，有时下部锯齿呈浅裂或深裂状。复伞形花序顶生或侧生，总苞片无或 1 至数片，小总苞片 8 ~ 12，小伞形花序有花 15 ~ 20；萼齿不显著。果实卵圆形，背部扁压，背棱线形，稍凸起，侧棱呈翅状，比果体窄，稍厚，棱槽内油管 3 ~ 5，合生面油管 6 ~ 10。花期 8 ~ 9 月，果期 10 ~ 11 月。

| 生境分布 |

生于山坡林缘、路旁或半阴的山坡草丛中。分布于广东乳源、乐昌、惠阳、连山、连州、怀集及河源（市区）。

| 资源情况 |

野生资源丰富。栽培资源丰富。药材来源于野生和栽培。

| 采收加工 | 冬季至翌年春季茎叶枯萎或未抽花茎时采挖，除去须根，洗净，晒干或低温干燥。

| 药材性状 | 本品呈不规则圆柱形、圆锥形或纺锤形，稍扭曲，下部常有分枝。表面黑褐色或灰黄色，根头部多有茎痕和纤维状叶鞘残基，上端有密集的细环纹，下部有纵沟、纵皱纹及横向皮孔样突起。质较柔软，干者质硬，可折断，断面不整齐，淡黄白色，皮部散有多数棕黄色油点，形成层环纹棕色，射线呈放射状。气芳香，味微苦、辛。

| 功能主治 | 疏风清热，降气化痰。用于外感风热，肺热痰壅，咳喘痰多，痰黄黏稠，呃逆食少，胸膈满闷。

| 用法用量 | 内服煎汤，5 ~ 10 g；或入丸、散剂。

| 凭证标本号 | 441823190722022LY。

| 附　　注 | 广东所产前胡可能为南岭前胡 *Peucedanum longshengense* R. H. Shan et M. L. Sheh。

伞形科 Umbelliferae 茴芹属 *Pimpinella*

异叶茴芹
Pimpinella diversifolia DC.

| 药 材 名 |

鹅脚板（药用部位：全草。别名：八月白、苦爹菜、六月寒）。

| 形态特征 |

多年生草本。根通常为须根。茎直立，被柔毛。叶异形；基生叶有长柄；茎中下部叶 3 出分裂或羽状分裂，茎上部叶较小，有短柄或无柄，具叶鞘，叶片羽状分裂或 3 裂。通常无总苞片，稀有 1 ~ 5 总苞片，伞辐 6 ~ 15（~ 30），小总苞片 1 ~ 8；无萼齿；花瓣白色，基部楔形，背面有毛；花柱基圆锥形。幼果卵形，有毛；成熟的果实卵球形，基部心形，近无毛，果棱线形。花果期 5 ~ 10 月。

| 生境分布 |

生于山坡草丛、沟边或林下。分布于广东乳源、乐昌、连平、大埔、梅县、龙门、博罗、连山、阳山、连州、英德、新兴、阳春、高州及广州（市区）。

| 资源情况 |

野生资源较丰富。药材来源于野生。

| **采收加工** | 夏、秋季采收，除去杂质，晒干或鲜用。

| **功能主治** | 祛风散寒，解毒消肿。用于外感风寒；外用于跌打损伤，毒蛇咬伤，毒蜂蜇伤。

| **用法用量** | 内服煎汤，9 ～ 15 g；或研末；或浸酒；或绞汁涂。

| **凭证标本号** | 441882180912025LY。

伞形科 Umbelliferae 变豆菜属 Sanicula

变豆菜 *Sanicula chinensis* Bunge

药材名

变豆菜（药用部位：全草。别名：蓝布正、鸭脚板）。

形态特征

多年生草本，高达 1 m。茎粗壮或细弱，有纵沟纹，下部不分枝，上部重复叉式分枝。基生叶圆肾形至圆心形，通常 3 裂，稀 5 裂，中间裂片倒卵形。花序 2 ～ 3 回叉式分枝，侧枝向两边开展而伸长，中间的分枝较短；伞形花序 2 ～ 3 出，小伞形花序有花 6 ～ 10；雄花 3 ～ 7，萼齿窄线形；两性花 3 ～ 4，萼齿和花瓣的形状、大小同雄花。果实圆卵形，先端萼齿喙状凸出，皮刺直立，先端钩状，基部膨大。花果期 4 ～ 10 月。

生境分布

生于阴湿山坡路旁、杂木林下、竹园边、溪边草丛中。分布于广东乳源、乐昌、连州。

资源情况

野生资源较少。药材来源于野生。

采收加工

夏、秋季采收，鲜用或晒干。

| 功能主治 | 解毒，止血。用于咽痛，咳嗽，月经过多，尿血，外伤出血，疮痈肿毒。

| 用法用量 | 内服煎汤，6 ～ 15 g。外用适量，捣敷。

| 凭证标本号 | 441825190807028LY、441882180814029LY、441827180714016LY。

伞形科 Umbelliferae 变豆菜属 Sanicula

薄片变豆菜 Sanicula lamelligera Hance

药材名

鹅掌脚草（药用部位：全草。别名：山芹菜、野芹菜、散血草）。

形态特征

多年生小草本，高 13 ～ 30 cm。根茎短，有结节。茎上部有少数分枝。基生叶圆心形或近五角形，掌状 3 裂。花序通常 2 ～ 4 回二歧分枝或 2 ～ 3 叉分枝，分叉间的小伞形花序短缩，总苞片细小，线状披针形，小伞形花序有花 5 ～ 6；雄花 4 ～ 5；萼齿线形或呈刺毛状；两性花 1。果实长卵形或卵形，幼果表面有啮蚀状或微波状的薄层，成熟后薄层成短而直的皮刺，皮刺不呈钩状，皮刺基部连成薄片。花果期 4 ～ 11 月。

生境分布

生于山坡林下、沟谷、溪边等。分布于广东乳源、乐昌、紫金、饶平、从化、增城、连山、阳山、封开、信宜。

资源情况

野生资源较丰富。药材来源于野生。

采收加工	夏、秋季采收，洗净，鲜用或晒干。
功能主治	散寒止咳，行经调血。用于风寒咳嗽，百日咳，月经不调，闭经，腰痛。
用法用量	内服煎汤，6 ~ 15 g；或浸酒。外用适量，捣敷。
凭证标本号	441825190501055LY、441823190722028LY、441882180506026LY。

伞形科 Umbelliferae 变豆菜属 *Sanicula*

直刺变豆菜 *Sanicula orthacantha* S. Moore

| 药 材 名 | 小紫花菜（药用部位：全草。别名：黑鹅脚板）。

| 形态特征 | 多年生草本，高 8 ~ 35（~ 50）cm。根茎短而粗壮。茎 1 ~ 6，上部分枝。基生叶圆心形或心状五角形，掌状 3 全裂；茎生叶略小于基生叶，掌状 3 全裂。花序通常 2 ~ 3 分枝，在分叉间或在侧枝上有时有 1 短缩的分枝，总苞片 3 ~ 5，大小不等，长约 2 cm，小伞形花序有花 6 ~ 7；雄花 5 ~ 6；两性花 1，萼齿和花瓣形状同雄花。果实卵形，外面有直而短的皮刺，皮刺不呈钩状，有时皮刺基部连成薄片。花果期 4 ~ 9 月。

| 生境分布 | 生于林下、路旁、沟谷及溪边等。分布于广东乳源、乐昌、龙门、信宜、平远、大埔、连平、阳山及肇庆（市区）等。

资源情况	野生资源较丰富。药材来源于野生。
采收加工	春、夏季采收，洗净，鲜用或晒干。
功能主治	清热解毒。用于麻疹后热未尽，身热瘙痒，跌打损伤。
用法用量	内服煎汤，6 ~ 15 g；或浸酒。外用适量，捣敷。
凭证标本号	441882180410015LY、441827180423029LY。

伞形科 Umbelliferae 窃衣属 *Torilis*

小窃衣 *Torilis japonica* (Houtt.) DC.

| 药 材 名 | 窃衣（药用部位：果实。别名：华南鹤虱、破子草、粘粘草）。

| 形态特征 | 一年生或多年生草本，高 20 ～ 120 cm。主根圆锥形，棕黄色，支根多数。茎有纵条纹及刺毛。叶片 1 ～ 2 回羽状分裂，两面疏生紧贴的粗毛，末回裂片披针形至长圆形，边缘有条裂状的粗齿、缺刻或分裂。复伞形花序顶生或腋生，总苞片 3 ～ 6，伞辐 4 ～ 12，开展，有向上的刺毛。果实圆卵形。花果期 4 ～ 10 月。

| 生境分布 | 生于山坡、林下、河边、荒地及草丛中。分布于广东乳源、始兴、乐昌、梅县、阳山、连州、封开、阳春及广州（市区）、云浮（市区）。

| 资源情况 | 野生资源丰富。药材来源于野生。

| 采收加工 | 秋季果实成熟时割取全草，晒干，打下果实，除去杂质。 |

| 药材性状 | 本品为双悬果，椭圆形，多裂为分果。表面棕绿色或棕黄色，先端有微突的残留花柱，基部圆形，常残留小果梗，背面隆起，密生钩刺，刺的长短与排列均不整齐，状似刺猬，接合面凹陷成槽状，中央有 1 脉纹。体轻。搓碎时有特异香气，味微辛、苦。 |

| 功能主治 | 杀虫止泻，收湿止痒。用于虫积腹痛，泻痢，疮疡溃烂，阴痒带下，湿疹。 |

| 用法用量 | 内服煎汤，6 ~ 9 g。外用适量，捣汁涂；或煎汤洗。 |

| 凭证标本号 | 440281190424004LY、440224190315002LY、441422190331715LY。 |

伞形科 Umbelliferae 窃衣属 Torilis

窃衣
Torilis scabra (Thunb.) DC.

| 药 材 名 | 窃衣（药用部位：全草。别名：水防风、粘粘草）。

| 形态特征 | 一年生或多年生草本。全株贴生短硬毛。茎单生，有分枝，有细直纹和刺毛。叶卵形，1～2回羽状分裂，末回裂片披针形至长圆形，边缘有条裂状粗齿、缺刻或分裂。复伞形花序顶生和腋生，总苞片通常无，稀1，伞辐2～4，有纵棱及紧贴的硬毛。果实长圆形。花果期4～10月。

| 生境分布 | 生于山坡、林下、河边、荒地及草丛中。分布于广东乐昌、蕉岭、平远、龙门、从化。

| 资源情况 | 野生资源较丰富。药材来源于野生。

| 采收加工 | 夏末秋初采收，洗净，晒干或鲜用。

| 功能主治 | 杀虫止泻，收湿止痒。用于虫积腹痛，泻痢，疮疡溃烂，阴痒带下，湿疹。

| 用法用量 | 内服煎汤，6～9g。外用适量，捣汁涂；或煎汤洗。

| 凭证标本号 | 441825190413035LY、441823200707016LY、441882180409011LY。

桤叶树科 Clethraceae 桤叶树属 Clethra

单毛桤叶树

Clethra bodinieri H. Lév.

| 药 材 名 | 单毛山柳（药用部位：根。别名：单柱桤叶树、单柱山柳、小山柳）。

| 形态特征 | 常绿灌木或小乔木。小枝细，圆柱形，嫩时无毛或毛稀疏，老时无毛。叶革质，披针形或椭圆形，边缘具细锯齿。总状花序单生于枝端；花序轴、花梗和苞片均密被灰色单伏毛；萼 5（~6）深裂；花瓣5（~6），白色或淡红色，芳香；雄蕊 10（~12），与花瓣等长或较花瓣稍长。蒴果近球形，具宿萼；种子黄褐色，有网状浅凹槽。花期 6~7 月，果期 8~9 月。

| 生境分布 | 生于海拔 600~1300 m 的山坡、山谷密林、疏林或灌丛中。分布于广东从化、广宁及惠州（市区）、清远（市区）。

| **资源情况** | 野生资源一般。药材来源于野生。

| **功能主治** | 清热解毒。用于疮疖肿毒。

| **用法用量** | 外用适量，鲜根加米泔水和盐卤，磨汁，搽敷。

| **凭证标本号** | 441323181027028LY。

桤叶树科 Clethraceae 桤叶树属 Clethra

贵定桤叶树
Clethra cavaleriei H. Lév.

| 药 材 名 | 江南山柳（药用部位：根。别名：直端莲、贵定桤叶树、华中山柳）。

| 形态特征 | 落叶灌木或小乔木，高 1 ~ 5 m。小枝具棱纹，嫩时被星状绒毛。叶纸质，倒卵状长圆形或长椭圆形，边缘具锐尖腺头锯齿。总状花序单生；萼 5 深裂；花瓣 5，长圆状倒卵形；雄蕊 10，稍长于花瓣；子房密被锈色绒毛及成行的绢状长硬毛，先端 3 浅裂。蒴果近球形，下弯；种子黄褐色，种皮上有蜂窝状深凹槽。花期 7 ~ 8 月，果期 9 ~ 10 月。

| 生境分布 | 生于海拔 700 ~ 1 700 m 的山地林缘或林中。分布于广东乳源、乐昌、紫金、五华、大埔、梅县、海丰、龙门、从化、连山、英德、广宁等。

| 资源情况 | 野生资源较丰富。药材来源于野生。

| 采收加工 | 全年均可采挖，洗净，切片，鲜用。

| 功能主治 | 苦，寒。清热解毒。用于疖毒痈肿。

| 用法用量 | 外用适量，鲜根加米泔水和盐卤，磨汁，搽敷。

| 凭证标本号 | 441224180612043LY、441623180812006LY。

杜鹃花科 Ericaceae 金叶子属 Craibiodendron

广东金叶子
Craibiodendron scleranthum (Dop) Judd var. *kwangtungense* (S. Y. Hu) Judd

| 药 材 名 | 碎骨红（药用部位：根。别名：独角牛、红皮紫陵、广东假吊钟）。

| 形态特征 | 常绿乔木。叶互生，革质，椭圆形或披针形，长 6 ~ 8 cm，先端锐尖，基部渐狭成楔形，全缘，榄绿褐色，表面有光泽，背面颜色较淡，中脉在表面凹陷，在背面隆起，网脉明显，侧脉 8 ~ 20 对，至叶边缘网结。总状花序腋生，花序轴长 4 ~ 5 cm，被短柔毛；苞片披针形，有睫毛；花萼杯状，裂片近圆形，具睫毛；花冠短钟形，被毛；雄蕊 10，不伸出花冠外，花药基部近囊状；子房 5 室，花柱圆柱形，柱头平截。蒴果扁球形，顶部凹陷，外果皮木质化；种子近卵圆形，压扁，具纵条纹。花期 5 ~ 6 月，果期 7 ~ 8 月。

| 生境分布 | 生于海拔 300 ~ 1 400 m 的山地林中。分布于广东连山、英德、封

开、高要、信宜、高州、化州及云浮（市区）。

| **资源情况** | 野生资源较丰富。药材来源于野生。

| **采收加工** | 全年均可采挖，洗净，鲜用，或切片，晒干。

| **功能主治** | 甘、苦、涩，凉。通经活络，散瘀消肿。用于跌打损伤。

| **用法用量** | 内服煎汤，6～12 g。外用适量，配其他药捣敷。

| **凭证标本号** | 441224180612051LY。

杜鹃花科 Ericaceae 吊钟花属 Enkianthus

齿缘吊钟花

Enkianthus serrulatus (E. H. Wilson) C. K. Schneid.

药材名

九节筋（药用部位：根。别名：山枝仁、莫铁硝、野支子）。

形态特征

落叶灌木或小乔木，高2.6～6 m。小枝光滑，无毛；芽鳞12～15，宿存。叶密集排列于枝顶，厚纸质，长圆形或长卵形，边缘具细锯齿。伞形花序具2～6花，顶生；花梗长1～2 cm，下垂；花萼绿色，萼片5，三角形；花冠钟形，白绿色，口部5浅裂，裂片反卷；雄蕊10，花丝被柔毛，药室先端有1芒；子房圆柱形。蒴果椭圆形，干后呈黄褐色，无毛，具5棱，先端有宿存花柱，5裂；种子瘦小，具2膜质翅。花期4月，果期5～7月。

生境分布

生于海拔400～1 800 m的山坡，为我国特有种。分布于广东乳源、乐昌、龙川、龙门、博罗、连山、阳山、怀集、广宁、信宜及深圳（市区）。

资源情况

野生资源丰富。药材来源于野生。

| **功能主治** | 辛，温。祛风除湿，舒筋活络，活血止痛。用于风湿痹痛，跌打损伤等。

| **凭证标本号** | 441825210313058LY、441422190126416LY、441224180612023LY。

| 杜鹃花科 | Ericaceae | 白珠树属 | Gaultheria |

滇白珠树

Gaultheria yunnanensis (Franch) Rehder

| 药 材 名 |

透骨香（药用部位：全株或根。别名：白珠树、搜山虎、满山香）。

| 形态特征 |

常绿灌木，全株无毛。树皮灰黑色。枝条细长，具纵纹，无毛；叶卵形、椭圆形或长圆状披针形，基部钝圆或心形，革质，有锯齿，有香味。总状花序具花 10 ~ 15，腋生和顶生，序轴基部为鳞片状苞片所包；花冠白色，钟状，裂片三角形，短小；花丝纺锤形，有小乳突，无毛，花药 2 室，每室先端具 2 芒；子房球形，密被绢毛，花柱无毛，短于花冠。浆果状蒴果球形或扁球形，被柔毛，包于紫黑色宿萼内，5 裂；种子多数，淡黄色。花期 5 ~ 6 月，果期 7 ~ 11 月。

| 生境分布 |

生于海拔 700 ~ 1 700 m 的山野草地及丛林边。分布于广东翁源、平远、连南、阳山。

| 资源情况 |

野生资源较丰富。药材来源于野生。

采收加工	全年均可采收，根切片，全株切碎，晒干。

药材性状	本品茎圆柱形，多分枝，表面淡红棕色至棕红色，有明显的纵纹，皮孔横生，凸起；叶痕类圆形或类三角形，质硬脆，易折断，断面不整齐，木质部淡棕色至类白色，髓淡黄棕色。叶革质，多脱落，完整者呈椭圆形或狭卵形，表面淡绿色至棕红色，先端尖尾状，基部心形，叶缘有细锯齿。有的可见腋生的总状花序或果序，小花白色。蒴果球形，其外有紫黑色萼片；种子多而小，淡黄色。根弯曲，有分枝，颇长，粗者直径可达 2 cm，外表面赤褐色，深色之栓皮极易剥落，内部颜色较淡，散生细根，细根直径约 1 mm；质硬而脆，易折断，断面灰黄色，射线明显，木质致密。气芳香，味甘、辛。

功能主治	辛，温。祛风除湿，舒筋活络，活血止痛，化痰止咳。用于风湿痹痛，胃寒疼痛，跌打损伤，咳嗽痰多。

用法用量	内服煎汤，9 ~ 15 g，鲜品 30 g；或浸酒。外用适量，煎汤洗；或浸酒擦；或捣敷。

杜鹃花科 Ericaceae 珍珠花属 Lyonia

珍珠花
Lyonia ovalifolia (Wall.) Drude

| 药 材 名 | 小米柴（药用部位：根、叶。别名：南烛子、南烛、米饭花）。

| 形态特征 | 常绿或落叶灌木或小乔木。冬芽淡红色，长卵圆形，无毛；枝淡灰褐色，无毛。叶革质，卵形或椭圆形，先端渐尖，基部钝圆或心形，表面深绿色，背面淡绿色，中脉在表面下陷，在背面凸起，侧脉羽状。总状花序长 5 ～ 10 cm，着生于叶腋，近基部有叶状苞片 2 ～ 3；花萼 5 深裂，裂片长椭圆形；花冠圆筒状，上部浅 5 裂，裂片向外反折；雄蕊 10，花丝线形，先端有芒状附属物 2；子房近球形，柱头头状，略伸出花冠外。蒴果球形，室背开裂，缝线增厚；种子短线形，无翅。花期 5 ～ 6 月，果期 7 ～ 9 月。

| 生境分布 | 生于海拔 150 ～ 1 700 m 的山谷或山顶疏林中。分布于广东乳源、

翁源、乐昌、曲江、高要、信宜及河源（市区）、梅州（市区）、广州（市区）、清远（市区）。

| **资源情况** | 野生资源丰富。药材来源于野生。

| **采收加工** | 秋季采收，鲜用或晒干。

| **功能主治** | 辛，温；有毒。活血止痛，祛风。用于跌打损伤，骨折，癣疮。

| **用法用量** | 外用适量，煎汤洗；或捣敷。

| **凭证标本号** | 441825191002028LY、441622190530001LY、441623180812015LY。

杜鹃花科 Ericaceae 马醉木属 Pieris

马醉木 *Pieris japonica* (Thunb.) D. Don ex G. Don

| 药 材 名 |

马醉木（药用部位：叶。别名：广东马醉木、栂木、泡泡花）。

| 形态特征 |

灌木或小乔木。树皮棕褐色。小枝开展，无毛；冬芽倒卵形，呈覆瓦状排列。叶革质，密集排列于枝顶，椭圆状披针形，先端短渐尖，基部狭楔形，边缘在 2/3 以上部分具细圆齿，无毛，表面深绿色，背面淡绿色；叶柄腹面有深沟，背面圆形，微被柔毛。总状花序和圆锥花序顶生或腋生，簇生于枝顶，花序轴有柔毛；萼片三角状卵形；花冠白色，坛状，上部 5 浅裂；雄蕊 10，花丝有长柔毛，基部柔毛较多，花药背部与花丝相接处有 1 对下弯的芒；子房 1，近球形，无毛。蒴果近扁球形，直径 3 ~ 5 mm，无毛；花萼与花柱宿存，5 裂。花期 4 ~ 5 月，果期 7 ~ 9 月。

| 生境分布 |

生于海拔 800 ~ 1 500 m 的山坡疏林下、林缘及溪谷旁灌丛中。分布于广东平远。

| **资源情况** | 野生资源一般。栽培资源丰富。药材来源于野生。 |

| **采收加工** | 春、夏、秋季采收，鲜用或晒干。 |

| **功能主治** | 苦，凉；有大毒。杀虫。用于疥疮。 |

| **用法用量** | 外用适量，煎汤洗，渣敷。本品有大毒，不宜内服。 |

杜鹃花科 Ericaceae 杜鹃属 Rhododendron

刺毛杜鹃 *Rhododendron championiae* Hook.

| 药 材 名 | 刺毛杜鹃（药用部位：根、茎。别名：太平杜鹃、山荷桃、狗脚骨）。

| 形态特征 | 常绿灌木，高达 5 m。小枝有开展的刚毛状硬毛。叶厚纸质，矩圆状倒披针形，长达 17.5 cm；叶柄密生开展的腺头刚毛。伞形花序生于枝顶叶腋，有花 2 ~ 7；花梗长达 2 cm，密生开展的粗毛；花萼多变，5 深裂，裂片常呈三角状长圆形；花冠白色或淡红色，狭漏斗状；雄蕊 10，不等长，比花冠短；花柱长过雄蕊，伸出于花冠外，无毛。蒴果圆柱形，微弯曲，具 6 纵沟，有宿存花柱。花期 4 ~ 5 月，果期 5 ~ 11 月。

| 生境分布 | 生于海拔 300 ~ 1 300 m 的山地疏林内。分布于广东除西南沿海以

外的地区。

| **资源情况** | 野生资源丰富。药材来源于野生。

| **功能主治** | 涩，温。祛风解表，活血止痛。用于流行性感冒，咳嗽，风湿性关节炎，跌打损伤，月经不调。

| **用法用量** | 内服煎汤，9 ~ 30 g。

| **凭证标本号** | 440281190427024LY、440224180330020LY、441882180506004LY。

■杜鹃花科■ Ericaceae ■杜鹃属■ *Rhododendron*

羊角杜鹃

Rhododendron cavaleriei H. Lév.

| **药 材 名** | 多花杜鹃（药用部位：枝叶）。

| **形态特征** | 常绿灌木。小枝纤细，淡灰色，无毛。叶革质，披针形或倒披针形，先端渐尖，具短尖头，基部楔形或者狭楔形，边缘微反卷，上面深

绿色，具光泽，下面淡绿色，中脉在上面下凹，在下面显著凸起，无毛。伞形花序生于枝顶叶腋，有花 10 ～ 15；花梗密被灰色短柔毛；花冠白色至蔷薇色，狭漏斗形，5 深裂，裂片长圆状披针形，具条纹，花冠管狭圆筒状；雄蕊 10，略比花冠短或与花冠等长，花药长圆形；花柱比雄蕊长，伸出于花冠外，柱头头状。蒴果圆柱形，先端渐尖，密被褐色短柔毛。花期 4 ～ 5 月，果期 6 ～ 11 月。

| **生境分布** | 生于海拔 300 ～ 1 000 m 的疏林或密林中。分布于广东阳山、连山、连南、信宜等。

| **资源情况** | 野生资源一般。药材来源于野生。

| **功能主治** | 清热解毒，止血通络。

丁香杜鹃

Rhododendron farrerae Sweet

| 药 材 名 | 华丽杜鹃（药用部位：全株或根、叶）。

| 形态特征 | 落叶灌木。枝短而坚硬，黄褐色。叶近革质，常集生于枝顶，卵形，长 2 ~ 3 cm，先端钝，具软角质短尖头，基部圆形，边缘具开展的睫毛，两面中脉近叶基处被锈色糙伏毛或无毛；叶柄密被锈色柔毛。1 ~ 2 花顶生，先花后叶；花梗密被锈红色柔毛；花萼极不明显；花冠辐状漏斗形，紫丁香色，花冠管短而呈狭筒状，5 裂，裂片开展，上方 3 裂极少分裂，边缘多呈波状，其中 1 裂片最小，具紫红色斑点，下方 2 裂片大而深裂；雄蕊 8 ~ 10，不等长，比花冠短；花柱弯曲，无毛，柱头微裂。蒴果长圆柱形，长约 1 cm，密被锈色柔毛；果梗长约 1 cm，弯曲，密被红棕色长柔毛。花期 5 ~ 6 月，果期 7 ~ 8 月。

| **生境分布** | 生于海拔 250 ~ 1 400 m 的山地密林中。分布于广东乳源、乐昌、饶平、潮安、南澳、海丰、封开、高要及梅州（市区）、惠州（市区）、深圳（市区）、广州（市区）、清远（市区）、阳江（市区）、茂名（市区）。

| **资源情况** | 野生资源较丰富。药材来源于野生。

| **功能主治** | 清热解毒，止血通络，疏风，止咳。用于感冒，咳嗽痰多等。

| **凭证标本号** | 441322140802148LY。

| **附　　注** | 本种与满山红 *Rhododendron mariesii* Hemsl. et Wils. 的形态相似，二者的不同之处在于：本种的叶较小，先端钝，基部圆形；叶柄较短，通常长仅约 2 mm，密被锈色长柔毛；花冠紫丁香色；果梗弯曲。

杜鹃花科 Ericaceae 杜鹃属 Rhododendron

云锦杜鹃 *Rhododendron fortunei* Lindl.

| 药 材 名 | 天目杜鹃（药用部位：花、叶。别名：云锦杜鹃）。

| 形态特征 | 常绿灌木或小乔木。主干弯曲。树皮褐色，片状开裂。叶厚革质，长圆形至长圆状椭圆形。顶生总状伞形花序疏松，有花 6 ~ 12，有香味，花序轴淡绿色，多少具腺体；花萼小，长约 1 mm，稍肥厚，边缘有浅裂片 7，具腺体；花冠漏斗状钟形，粉红色，外面有稀疏腺体，有裂片 7，阔卵形；雄蕊 14，不等长，花药长椭圆形，黄色；花柱长约 3 cm，柱头小，头状。蒴果长圆状卵形至长圆状椭圆形，直或微弯曲，褐色，有肋纹及腺体残迹。花期 4 ~ 5 月，果期 8 ~ 10 月。

| 生境分布 | 生于海拔 1 500 ~ 1 900 m 的山脊阳处或林下。分布于广东乳源、

乐昌、连山。

| **资源情况** | 野生资源一般。药材来源于野生和栽培。

| **功能主治** | 苦、辛，寒。消炎，杀虫，清热解毒，敛疮。用于皮肤溃烂，疮毒等。

| **用法用量** | 鲜花或叶适量，加白糖少许，捣敷。

| **凭证标本号** | 441823191115008LY、441623180812040LY。

杜鹃花科 Ericaceae 杜鹃属 Rhododendron

广东杜鹃

Rhododendron kwangtungense Merr. et Chun

| **药 材 名** | 广东杜鹃（药用部位：全株）。

| **形态特征** | 落叶灌木。幼枝纤细，棕褐色，密被长刚毛和短腺头刚毛；老枝灰褐色，无毛或近无毛。叶集生于枝顶，革质，披针形至长圆状披针形或椭圆状披针形。伞形花序顶生，具 8 ~ 9 花；花梗密被锈色刚毛和短腺头毛；花萼极小，分裂不明显，裂片呈三角状，边缘具锈色长刚毛；花冠狭漏斗形，紫红色或白色，长约 2 cm，管狭长圆形，无毛，裂片 5，长圆形，长约 1 cm，先端钝或圆形，开展；雄蕊 5，近等长，伸出花冠外；花柱比雄蕊长。蒴果长圆状卵形，具刚毛。花期 5 月，果期 6 ~ 12 月。

| **生境分布** | 生于海拔 450 ~ 1 600 m 的灌丛中。分布于广东北部和西部。

| 资源情况 | 野生资源较丰富。药材来源于野生。

| 功能主治 | 辛、苦，微温。化痰止咳。用于支气管炎。

| 凭证标本号 | 440281190628002LY、440281190426014LY、440281200713006LY。

杜鹃花科 Ericaceae 杜鹃属 Rhododendron

鹿角杜鹃

Rhododendron latoucheae Franch

| 药 材 名 | 鹿角杜鹃（药用部位：根、花蕾。别名：岩杜鹃、绿杜鹃、高脚铜盘）。

| 形态特征 | 常绿灌木或小乔木，高 2 ~ 3 m。叶集生于枝顶，近轮生，革质，卵状椭圆形或长圆状披针形，上面深绿色，具光泽，下面淡灰白色。花单生于枝顶叶腋，枝端具 1 ~ 4 花；花冠白色或带粉红色，5 深裂，先端微凹；雄蕊 10，不等长，部分伸出花冠外，花柱无毛，柱头 5 裂。蒴果圆柱形，具纵肋，先端截形，花柱宿存。花期 3 ~ 4 月，稀 5 ~ 6 月，果期 7 ~ 10 月。

| 生境分布 | 生于海拔 500 ~ 1 400 m 的杂木林内。分布于广东始兴、仁化、乳源、乐昌、信宜、连平、平远、阳山、连州及东莞（市区）。

| **资源情况** | 野生资源一般。药材来源于野生。 |

| **功能主治** | 根，甘、酸，温，祛风止痛，清热解毒。用于风湿关节痛，肺痈。花蕾，消炎解毒，除湿，活血。用于血崩，湿疹，痈疥疮毒。 |

| **用法用量** | 内服煎汤，6～10g。 |

| **凭证标本号** | 440281190627033LY、441623180809049LY、441623181020012LY。 |

杜鹃花科 Ericaceae 杜鹃属 Rhododendron

岭南杜鹃

Rhododendron mariae Hance

| 药 材 名 | 紫花杜鹃（药用部位：枝叶。别名：异叶杜鹃、假吊钟）。

| 形态特征 | 落叶灌木，高 1 ~ 3 m，稀高达 7.5 m。分枝多，幼枝密被红棕色糙伏毛，老枝灰褐色，有残存毛。叶革质，集生于枝端，椭圆状披针形至椭圆状倒卵形，上面绿色，无毛，下面疏被红棕色糙伏毛；叶柄被糙伏毛。花芽卵球形，鳞片阔卵形，外面近顶部被淡黄棕色糙伏毛，边缘具睫毛。伞形花序顶生，具 7 ~ 16 花；花梗密被棕褐色柔毛；花萼极小，被淡黄褐色柔毛；花冠狭漏斗状，丁香紫色。蒴果长卵状球形，密被红棕色糙伏毛。花期 3 ~ 6 月，果期 7 ~ 11 月。

| 生境分布 | 生于海拔 150 ~ 1 300 m 的山丘灌丛中。分布于广东中部、北部和西部。

| **资源情况** | 野生资源丰富。药材来源于野生。 |

| **采收加工** | 4～5 月采收，鲜用或阴干。 |

| **药材性状** | 本品叶革质，二型。春叶较大，椭圆状披针形，先端渐尖，有短尖头，基部楔形，上面绿色，无毛，下面疏被糙伏毛；夏叶较小，椭圆形或倒卵形，先端钝，有尖头。叶柄被糙伏毛。 |

| **功能主治** | 苦，平。镇咳，祛痰，平喘。用于咳嗽，哮喘，支气管炎，跌打损伤，对口疮。 |

| **用法用量** | 内服煎汤，6～30 g，鲜品 60 g。外用适量，鲜品捣敷。 |

| **凭证标本号** | 440281190426013LY、441882180412024LY、441224180612026LY。 |

杜鹃花科 Ericaceae 杜鹃属 *Rhododendron*

满山红

Rhododendron mariesii Hemsl. et E. H. Wilson

| 药 材 名 | 映山红（药用部位：叶。别名：三叶杜鹃）。

| 形态特征 | 落叶灌木。小枝轮生，初被黄棕色柔毛，后无毛。叶厚纸质或近革质，常 2 ～ 3 叶集生于枝顶，卵状披针形或椭圆形，中上部有细钝齿，幼时两面被黄棕色长柔毛，后近无毛；叶柄近无毛。常 2 花顶生，先花后叶，出自于同一顶生花芽；花梗直立，常为芽鳞所包，密被黄褐色柔毛；花萼环状，5 浅裂，密被黄褐色柔毛；花冠漏斗状，淡紫红色，有深色斑点，5 裂。蒴果椭圆状卵球形，密被亮棕褐色长柔毛。花期 4 ～ 5 月，果期 6 ～ 11 月。

| 生境分布 | 生于海拔 600 ～ 1 200 m 的山地稀疏灌丛。分布于广东乳源、始兴、乐昌、和平、紫金、蕉岭、平远、大埔、梅县、揭西、龙门、博罗、

从化、封开、怀集、高要及清远（市区）、阳江（市区）。

| 资源情况 | 野生资源丰富。药材来源于野生。

| 采收加工 | 夏季叶茂盛时采摘，晒干。

| 功能主治 | 辛、苦，寒；有小毒。止咳，祛痰。用于肺热咳嗽，哮喘，月经不调，闭经，崩漏，跌打损伤等。

| 用法用量 | 内服煎汤，25 ~ 50 g；或以 40% 乙醇浸膏服，6 ~ 12 g。

| 凭证标本号 | 440224190315030LY、441882190417003LY。

| 附　注 | 《中国药典》中收载的满山红为兴安杜鹃 *Rhododendron dauricum* L. 的干燥叶。

杜鹃花科 Ericaceae 杜鹃属 Rhododendron

羊踯躅

Rhododendron molle (Blume) G. Don

| 药 材 名 | 羊踯躅（药用部位：根、果实、花。别名：黄杜鹃、闹羊花、三钱三）。

| 形态特征 | 落叶灌木，高 0.5 ~ 2 m。幼枝被柔毛和刚毛。叶纸质，长圆形至长圆状披针形，先端钝，具短尖头，基部楔形，边缘具睫毛，幼时上面被微柔毛，下面密被灰白色柔毛，沿中脉被黄褐色刚毛。总状伞形花序顶生，花多达 13，先花后叶或花与叶同时开放；花萼裂片小，圆齿状，被微柔毛和刚毛状睫毛；花冠阔漏斗形，黄色或金黄色，内有深红色斑点。蒴果圆锥状长圆形，具 5 纵肋，被微柔毛和疏刚毛。花期 3 ~ 5 月，果期 7 ~ 8 月。

| 生境分布 | 生于海拔 400 ~ 700 m 的山坡草地、丘陵灌丛或山脊杂木林下。分布于广东南雄、乐昌、曲江、连州。

| 资源情况 | 野生资源一般。药材来源于野生。

| 采收加工 | 根，全年均可采挖，洗净，切片，晒干。果实，9～10月果实成熟而未开裂时采收，晒干。花，花盛期采摘。

| 药材性状 | 本品果实长椭圆形，略弯曲，表面红棕色或栗褐色，微具光泽，有纵沟5，先端尖，基部有宿萼，有的有果梗，质硬脆，易折断，断面5室；种子多数，长扁圆形，棕褐色，边缘具膜质翅。以色红棕、未开裂者为佳。花多皱缩；花梗灰白色，长短不等；花萼5裂，边缘有较长的细毛；5花冠钟状，5裂，先端卷折，表面疏生短柔毛，灰黄色至褐色。商品不带子房，花萼和花梗也常被除去。以花呈灰黄色、不霉、无其他混杂物者为佳。

| 功能主治 | 根，辛，温，有大毒，祛风除湿，化痰止咳，散瘀止痛，杀虫。用于风湿痹痛，痛风，咳嗽，跌打肿痛，痔漏，疥癣。果实，苦，温，有大毒，搜风止痛，止咳平喘。用于风湿痹痛，痛风，咳嗽，跌打肿痛，痔漏，疥癣。花，辛，温，有大毒，祛风除湿，散瘀定痛。用于风湿痹痛，偏正头痛，跌打肿痛，顽癣。

| 用法用量 | 根，内服煎汤，1.5～3 g。外用适量，研末调敷；煎汤洗或涂擦。果实，内服研末，0.1～0.3 g；或煎汤，0.3～0.9 g；或入丸、散剂；或浸酒。外用适量，研末调敷。花，内服研末，0.3～0.6 g；或煎汤，0.3～0.6 g；或入丸、散剂；或浸酒。外用适量，研末调敷；或鲜品捣敷。本品有大毒，不宜多服、久服。

杜鹃花科 Ericaceae 杜鹃属 Rhododendron

毛棉杜鹃

Rhododendron moulmainense Hook.

| 药 材 名 | 丝线吊芙蓉（药用部位：根皮。别名：白杜鹃、六角杜鹃、白花木）。

| 形态特征 | 常绿灌木或小乔木。幼枝淡褐色，老枝灰色，无毛。叶片革质，宽倒披针形或椭圆状披针形，先端急尖或渐尖，基部楔形或宽楔形，无毛，中脉在上面呈窄沟状，侧脉在上面不甚明显；叶柄无毛。花芽长圆锥状卵形，鳞片阔卵形或长倒卵形，两面无毛或外面近顶部被微柔毛，边缘被柔毛。数伞形花序生于枝顶叶腋，花 3～5；花萼小，裂片 5，裂片三角形，具波状浅裂，无毛；花冠淡紫色、粉红色或淡红白色，狭漏斗形、匙形或长倒卵形，先端浑圆或微凸起。蒴果圆柱状，微弯曲，有 6 棱，成熟时呈深褐色，花柱宿存。花期 12 月至翌年 3～4 月，果期 7～8 月。

| 生境分布 | 生于海拔 200 ～ 1 800 m 的灌丛或疏林中。广东各地均有分布。

| 资源情况 | 野生资源丰富。药材来源于野生。

| 采收加工 | 夏、秋季采收，切片，鲜用或晒干。

| 功能主治 | 微苦，平。利水，活血。用于水肿，肺结核，跌打损伤。

| 用法用量 | 内服煎汤，10 ～ 15 g。

| 凭证标本号 | 441422190221569LY、441623180627044LY、445222181216013LY。

杜鹃花科 Ericaceae 杜鹃属 Rhododendron

白花杜鹃
Rhododendron mucronatum (Blume) G. Don

| 药 材 名 | 白花映山红（药用部位：根、花、茎叶。异名：杜鹃、白杜鹃、尖叶杜鹃）。

| 形态特征 | 常绿或半常绿灌木，高 1 ~ 2 m。分枝多，密被灰褐色长柔毛。叶近轮生，二型；春叶早落，膜质，披针形至卵状披针形，先端急尖或钝尖，基部楔形，两面均有灰棕色柔毛；夏叶宿存，半革质，椭圆形或椭圆状披针形，先端钝尖，有短尖头，基部楔形，全缘，两面密被糙伏毛和腺毛，叶脉上毛尤多；叶柄密被扁平而长的糙伏毛和短腺毛。伞形花序顶生，密被淡黄褐色长柔毛和腺头毛；花萼大，绿色，5 裂，裂片披针形，密被腺状短柔毛；花冠白色或淡红色，阔漏斗形，无毛和紫斑，5 裂，裂片卵状椭圆形。蒴果圆锥状卵

球形。花期 4 ~ 5 月，果期 6 ~ 7 月。

| **生境分布** | 广东各地均有栽培。

| **资源情况** | 栽培资源一般。药材来源于栽培。

| **采收加工** | 秋末采挖根，夏初采摘花，鲜用或晒干。茎叶全年均可采收，多鲜用。

| **功能主治** | 甘、辛，温。和血止咳，活血化瘀。用于吐血，便血，痢疾，崩漏，咳嗽，跌打损伤。

| **用法用量** | 内服煎汤，10 ~ 30 g。外用适量，煎汤洗。

| **附　　注** | 本种与锦绣杜鹃 *Rhododendron pulchrum* Sweet 的形态相似，不同之处在于后者的幼枝、花梗、花萼裂片均无腺头毛，花冠蔷薇紫色，具深红色斑点。

杜鹃花科 Ericaceae 杜鹃属 *Rhododendron*

马银花

Rhododendron ovatum (Lindl.) Planch. ex Maxim.

| 药 材 名 | 马银花（药用部位：根。别名：卵叶杜鹃）。

| 形态特征 | 常绿灌木。多分枝，小枝灰褐色，被短柄腺体和短柔毛。单叶互生；叶革质，先端骤尖或钝，具短尖头，基部圆，上面深绿色，有光泽，仅沿中脉具短柔毛，下面中脉凸起，无毛，侧脉不明显；叶柄具狭翅，被短柔毛。花单生于枝顶叶腋；花萼5深裂，裂片卵形或长卵形，外面基部密被灰褐色短柔毛和稀疏腺毛，边缘无毛；花冠淡紫色、紫色或粉红色，辐状，5深裂，裂片长圆状倒卵形或阔倒卵形，内面具粉红色斑点，外面无毛，筒部内面被短柔毛。蒴果阔卵球形，密被灰褐色短柔毛和稀疏腺体，被增大的宿存花萼所包围。花期4～5月，果期7～10月。

| **生境分布** | 生于海拔 200 ~ 1 600 m 的疏林中或密林的边缘。分布于广东乳源、翁源、始兴、曲江、乐昌、南雄、和平、龙川、五华、龙门、从化、罗定及清远（市区）。 |

| **资源情况** | 野生资源丰富。药材来源于野生。 |

| **采收加工** | 夏、秋季采挖，洗净，切片，晒干。 |

| **功能主治** | 苦，平；有毒。清湿热，解疮毒。用于湿热带下，痈肿，疔疮。 |

| **用法用量** | 内服煎汤，1.5 ~ 3 g。外用适量，煎汤洗。 |

| **凭证标本号** | 441882180412023LY。 |

杜鹃花科 Ericaceae 杜鹃属 *Rhododendron*

乳源杜鹃
Rhododendron rhuyuenense Chun ex Tam

| 药 材 名 | 乳源杜鹃（药用部位：全株）。

| 形态特征 | 半常绿灌木，高 3 m。小枝灰褐色，被长刚毛和短腺毛。叶革质，椭圆状披针形、长披针形或宽卵形，边缘具长刚毛，上面中脉有刚毛，下面散生刚毛；叶柄被棕色长刚毛和腺头状毛。伞形花序顶生，有 8 ~ 12 花；花梗有刚毛和腺毛；花萼被长刚毛和腺毛，5 浅裂，裂片卵形或三角状卵形；花冠钟状，粉红色带紫色，冠筒内面被微柔毛，5 裂。蒴果卵球形，被深褐色长刚毛。花期 5 ~ 6 月，果期 7 ~ 11 月。

| 生境分布 | 生于海拔 1 600 m 以下的阳坡疏林或灌丛中。分布于广东乳源、乐昌。

| **资源情况** | 野生资源一般。药材来源于野生。 |

| **功能主治** | 清热解毒，化痰止咳。用于咳嗽。 |

| **凭证标本号** | 441823200831002LY、441882180505026LY。 |

杜鹃花科 Ericaceae 杜鹃属 Rhododendron

猴头杜鹃
Rhododendron simiarum Hance

| 药 材 名 | 南华杜鹃（药用部位：花）。

| 形态特征 | 常绿灌木，高 2 ~ 5 m，稀高 10 ~ 13 m。幼枝皮光滑，淡棕色，老枝皮呈层状剥落，淡灰色或灰白色。叶厚革质，常 5 ~ 7 叶密生于枝顶，倒卵状披针形或椭圆状披针形，先端钝圆或钝尖，基部楔形，下延至叶柄。总状伞形花序有 5 ~ 9 花；花萼盘状，有 5 齿；花冠钟状，乳白色至粉红色，喉部有红色斑点，5 裂，裂片半圆形，先端凹陷。蒴果长椭圆形，被锈色毛，后无毛。花期 4 ~ 5 月，果期 7 ~ 9 月。

| 生境分布 | 生于海拔 500 ~ 1 800 m 的沟谷、山脊与山坡混交林中。分布于广

东乳源、新丰、翁源、乐昌、和平、梅县、信宜等。广东广州（市区）有栽培。

| **资源情况** | 野生资源较丰富。药材来源于野生。

| **功能主治** | 甘，温。化痰止咳。用于咳嗽。

| **凭证标本号** | 441623180812038LY。

杜鹃花科 Ericaceae **杜鹃属** Rhododendron

杜鹃
Rhododendron simsii Planch

| 药 材 名 | 杜鹃花（药用部位：根、叶、花、果实。别名：映山红、满山红、山踯躅）。

| 形态特征 | 落叶灌木。分枝多而纤细，密被亮棕褐色的扁平糙伏毛。叶革质，常集生于枝端，卵形、椭圆形、卵状椭圆形至倒披针形，边缘微反卷，具细齿。花芽卵球形，鳞片外面中部以上被糙伏毛，边缘具睫毛；2～6花簇生于枝顶；花萼5深裂，三角状长卵形，被糙伏毛，边缘具睫毛；花冠阔漏斗状，玫瑰色、鲜红色或深红色，5裂，裂片上部有深色斑点。蒴果卵球形，密被糙伏毛；花萼宿存。花期4～5月，果期6～8月。

| 生境分布 | 生于海拔100～1700 m的山地灌丛或松林下。广东各地均有分布。

| **资源情况** | 野生资源丰富。药材来源于野生。

| **采收加工** | 根，全年均可采收，洗净，鲜用，或切片，晒干。叶，春、秋季采收，鲜用或晒干。花，4～5月花盛开时采收，烘干。果实，8～10月果实成熟时采收，晒干。

| **药材性状** | 本品根呈细长圆柱形，弯曲，有分枝，长短不等，根头部膨大，有多数木质茎基。表面灰棕色或红棕色，较光滑，有网状细皱纹。木质坚硬，难折断，断面淡棕色。无臭，味淡。

| **功能主治** | 根，酸、涩，温，有毒，祛风湿，活血祛瘀，止血。用于风湿性关节炎，跌打损伤，闭经。叶，甘、酸，平，清热解毒，化痰止咳，止血。用于支气管炎，荨麻疹；外用于痈肿。花，甘，平，活血调经，止咳，祛风湿。用于吐血，衄血，崩漏，月经不调，咳嗽，风湿痹痛，痈疖疮毒。果实，甘、辛，温，活血止痛。用于跌打肿痛。

| **用法用量** | 根，内服煎汤，15～30g；或浸酒。外用适量，研末敷；或鲜品捣敷。叶，内服煎汤，10～15g。外用适量，鲜品捣敷；或煎汤洗。花，内服煎汤，9～15g。外用适量，捣敷。果实，内服研末，1～2g。

| **凭证标本号** | 441825210313060LY、441523190404019LY、440783200312025LY。

杜鹃花科 Ericaceae 越橘属 Vaccinium

南烛

Vaccinium bracteatum Thunb.

| 药 材 名 |　南烛（药用部位：根、茎枝、叶、果实。别名：乌饭树、米饭花、苞越橘）。

| 形态特征 |　常绿灌木或小乔木，高 2 ~ 6（~ 9）m。分枝多，无毛。叶椭圆形、菱状椭圆形、披针状椭圆形或披针形，薄革质，先端尖、渐尖或长渐尖，基部楔形、宽楔形或钝圆，有细齿，两面无毛，侧脉 5 ~ 7 对，斜伸至边缘以内网结。总状花序长 4 ~ 10 cm，多花，序轴密被柔毛；苞片叶状，披针形，两面沿脉被微毛或两面近无毛，边缘有锯齿，宿存或脱落，小苞片 2，线形或卵形，长 1 ~ 3 mm，密被微毛或无毛；花冠白色，筒状，有时略呈坛状，外面密被短柔毛，稀近无毛，内面有稀疏柔毛，口部裂片短小，三角形，外折。浆果紫黑色，外

面通常被短柔毛，稀无毛。花期 6 ~ 7 月，果期 8 ~ 10 月。

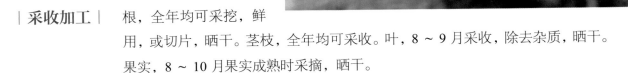

| 生境分布 | 生于丘陵或山地。广东各地均有分布。广东各地均有栽培。

| 资源情况 | 野生资源丰富。栽培资源一般。药材来源于野生和栽培。

| 采收加工 | 根，全年均可采挖，鲜用，或切片，晒干。茎枝，全年均可采收。叶，8 ~ 9 月采收，除去杂质，晒干。果实，8 ~ 10 月果实成熟时采摘，晒干。

| 药材性状 | 本品叶长椭圆形至披针形，长 2.5 ~ 6 cm，宽 1 ~ 2.5 cm，两端尖锐，边缘有稀疏细锯齿，多向外反卷，上面暗棕色，有光泽，主脉凹陷，下面棕色，叶脉明显凸起，叶柄短而不明显，质脆；气微，味涩而苦。果实类球形，直径 4 ~ 5 mm，表面暗红褐色至紫黑色，稍被白粉，略有细纵纹，先端具呈点状的黄色花柱痕迹，基部有细果梗或果梗痕，有时有宿萼，宿萼约包被果实的2/3以上部分，萼筒钟状，先端 5 浅裂，裂片短三角形，质松脆，断面黄白色，内含多数长卵状三角形种子，种子橙黄色；气微，味酸而稍甜。

| 功能主治 | 根，酸、微甘，平，散瘀，止痛。用于牙痛，跌打损伤。茎枝、叶，酸、涩，平，益肠胃，养肝肾。用于脾胃气虚，久泻，食少，肝肾不足，腰膝乏力，须发早白。果实，酸、甘，平，补肝肾，强筋骨，固精气，止泻痢。用于梦遗，久痢，久泻，赤白带下。

| 用法用量 | 根，内服煎汤，9 ~ 15 g；或研末。外用适量，捣敷；或煎汤洗。茎枝、叶，内服煎汤，6 ~ 9 g；或熬膏；或入丸、散剂。果实，内服煎汤，9 ~ 15 g；或入丸剂。

| 凭证标本号 | 441825191002057LY、440224190608011LY、441623180626022LY。

杜鹃花科 Ericaceae 越橘属 Vaccinium

短尾越橘 *Vaccinium carlesii* Dunn

| 药 材 名 | 福建乌饭树（药用部位：全株。别名：乌饭子、早禾子树）。

| 形态特征 | 常绿灌木或乔木，高 1 ~ 3（~ 6）m。幼枝初有柔毛，后无毛。叶密生，散生于枝上；叶片革质，卵状披针形或长卵形，长 2 ~ 7 cm，先端渐尖或长尾尖，基部圆形或宽楔形，稀楔形，有稀疏浅齿。总状花序腋生和顶生；苞片披针形，生于花梗基部；萼筒无毛；萼齿三角形，短小；花冠白色，宽钟状，口部张开，5 裂几达中部，裂片先端反折。浆果球形，紫黑色，常被白粉。花期 5 ~ 6 月，果期 8 ~ 10 月。

| 生境分布 | 生于海拔 200 ~ 1 400 m 的山地疏林、灌丛或常绿阔叶林内。分布于广东乳源、新丰、翁源、始兴、南雄、乐昌、蕉岭、平远、大埔、

梅县、博罗、连山、连州、英德。

| **资源情况** | 野生资源丰富。药材来源于野生。

| **功能主治** | 清热解毒，固精驻颜，强筋益气，明目乌发，止血，止泻。用于筋骨不利，神
疲无力，须发早白。

| **用法用量** | 内服煎汤，9～15 g；或入丸剂。

| **凭证标本号** | 441825190807010LY、441882190613005LY、441623180913002LY。

杜鹃花科 Ericaceae 越橘属 Vaccinium

黄背越橘

Vaccinium iteophyllum Hance

| 药 材 名 | 鼠刺乌饭树（药用部位：根。别名：黄背乌饭树、糯米柴）。

| 形态特征 | 常绿灌木或小乔木。幼枝被淡褐色至锈色短柔毛或短绒毛，老枝灰褐色或深褐色，无毛。叶片革质，卵形、长卵状披针形或披针形，先端渐尖至长渐尖，基部楔形至钝圆，边缘有稀疏浅锯齿，有时近全缘，上面沿中脉被微毛，下面被柔毛，柔毛沿中脉密；叶柄密被毛。总状花序生于枝条下部和顶部叶腋，序轴、花梗密被毛；苞片披针形，被微毛，小苞片小，线形或卵状披针形，被毛，早落；萼齿三角形；花冠白色或带淡红色，筒状或坛状，外面沿 5 肋有微毛或无，裂齿短小，三角形，直立或反折；雄蕊药室背部有长约 1 mm 的距。浆果球形，被短柔毛。花期 4 ～ 5 月，果期 6 月以后。

| **生境分布** | 生于海拔400～1 400 m的山地灌丛或山坡疏林、密林内。分布于广东乳源、新丰、仁化、始兴、南雄、乐昌、蕉岭、平远、五华、兴宁、饶平、龙门、博罗、信宜、连山、阳山、连州、英德、德庆、高要、罗定及广州（市区）。

| **资源情况** | 野生资源丰富。药材来源于野生。

| **功能主治** | 苦，寒。散瘀止痛，利尿消肿。用于风湿痹痛，腰膝酸软等。

| **凭证标本号** | 441523190516012LY、441823190722026LY、441224180901007LY。

杜鹃花科 Ericaceae 越橘属 Vaccinium

江南越橘
Vaccinium mandarinorum Diels

| 药 材 名 | 米饭花果（药用部位：果实。别名：西南越橘、饱饭花果）。

| 形态特征 | 常绿灌木或小乔木。幼枝通常无毛，有时被短柔毛；老枝灰黑色或紫褐色，无毛。叶片厚革质，卵形或长圆状披针形，基部楔形或钝圆，有细齿。总状花序腋生或生于枝顶叶腋，有多数花；苞片未见，小苞片 2，着生于花梗中部或近基部，线状披针形或卵形，无毛；花萼无毛或被微毛，萼齿三角形、卵状三角形或半圆形；花冠白色，有时呈淡红色，微香，筒状或筒状坛形，内面有微毛，裂齿三角形或狭三角形，直立或反折。花柱内藏或微伸出花冠。浆果紫黑色，无毛。花期 4 ~ 6 月，果期 6 ~ 10 月。

| 生境分布 | 生于海拔 200 ~ 1 400 m 的山坡灌丛、杂木林中或路边林缘。分布

于广东粤北山区。

| **资源情况** | 野生资源较丰富。药材来源于野生。

| **采收加工** | 7 ～ 10 月果实成熟时采收，晒干。

| **功能主治** | 甘，平；有毒。消肿。用于跌打损伤，全身水肿，肾虚早衰，须发早白，早泄梦遗等。

| **用法用量** | 内服煎汤，12 ～ 15 g。

| **凭证标本号** | 440281190813019LY、441623180812033LY。

鹿蹄草科 Pyrolaceae　水晶兰属 Monotropa

水晶兰 *Monotropa uniflora* L.

| **药 材 名** | 水晶兰（药用部位：全草或根。别名：银锁匙、梦兰花）。

| **形态特征** | 多年生腐生肉质草本。根细而分枝密，交结成团块状。茎直立，不分枝，白色，干后呈黑褐色。叶鳞片状，互生，长圆形或宽披针形，先端钝，近全缘。花单朵顶生，俯垂，后直立；花冠白色，筒状钟形；花药黄色；子房5室，中轴胎座，柱头呈漏斗状。蒴果椭圆状球形，直立向上。花期8～9月，果期（9～）10～11月。

| **生境分布** | 生于海拔1 000 m左右的山地密林。分布于广东乳源、乐昌、英德。

| **资源情况** | 野生资源较少。药材来源于野生。

| **采收加工** | 夏、秋季采收，鲜用或晒干。

| **功能主治** | 甘，平。补肺止咳。用于肺虚咳嗽。

| **用法用量** | 内服煎汤，9 ~ 15 g；或炖肉食。

鹿蹄草科 Pyrolaceae 鹿蹄草属 Pyrola

长叶鹿蹄草 *Pyrola elegantula* Andres

药材名

长叶鹿蹄草（药用部位：全草。别名：极品鹿蹄草）。

形态特征

多年生常绿小亚灌木。根茎细长。叶 2 ～ 6，基生，薄革质，狭长圆形，长为宽的 2.5 ～ 3 倍，先端急尖，边缘有稀疏细齿。总状花序长 2 ～ 4 cm，有 4 ～ 6 花；花冠钟状，白色，常带粉红色；萼片披针形，先端短渐尖；雄蕊 10，花药黄色，具小角；花柱长 9 ～ 13 mm，伸出于花冠外，先端有环状突起。蒴果扁球形。花期 6 月，果期 7 月。

生境分布

生于海拔 700 ～ 1 600 m 的山地林下。分布于广东阳山、乳源。

资源情况

野生资源较少。药材来源于野生。

采收加工

全年均可采收，除去杂质，晒至叶片变软，堆置至叶片变为紫褐色，晒干。

| 药材性状 | 本品根茎细长。茎圆柱形或具纵棱。叶基生，狭长圆形，先端急尖，边缘有稀疏细齿。总状花序有花 4 ~ 6，花下垂；萼片 5，长舌形；花瓣 5，先端圆钝；雄蕊 10，花药基部有小角；花柱外露，有环状凸起的柱头盘。蒴果扁球形，直径 7 ~ 10 mm。气微，味淡、微苦。

| 功能主治 | 甘、苦，温。归肝、肾经。祛风湿，强筋骨，止血，止咳。用于风湿痹痛，肾虚腰痛，腰膝无力，月经过多，久咳劳嗽。

| 用法用量 | 内服煎汤，9 ~ 15 g。外用适量，捣敷；或研末敷；或煎汤洗。

| 附　注 | 广东、福建、贵州等曾将长叶鹿蹄草作鹿衔草药用。2020 年版《中国药典》收载的鹿衔草为鹿蹄草科植物鹿蹄草 *Pyrola calliantha* H. Andres 或普通鹿蹄草 *Pyrola decorate* H. Andres 的干燥全草。

柿科 Ebenaceae 柿属 *Diospyros*

乌材
Diospyros eriantha Champ. ex Benth.

| 药 材 名 | 乌材（药用部位：根皮、果实。别名：乌材柿、软毛柿）。

| 形态特征 | 常绿乔木或灌木。幼枝、冬芽、叶下面脉上、幼叶叶柄和花序等处被锈色粗伏毛。叶长圆状披针形，长 5 ~ 12 cm，基部楔形或近圆形，上面光亮，侧脉每边 4 ~ 6；叶柄长 5 ~ 6 mm。高脚碟状花冠白色。浆果近无柄，卵形或长圆形，直径约 8 mm，成熟时呈黑紫色，宿萼裂片 4，卵形。花期 7 ~ 8 月，果期 10 月至翌年 1 ~ 2 月。

| 生境分布 | 生于山地疏林、密林或灌丛中。广东各地均有分布。

| 资源情况 | 野生资源丰富。药材来源于野生。

| 采收加工 | 根皮，秋季采挖根，洗净，剥取根皮，晒干。果实，果实成熟后采摘，

晒干。

| **功能主治** | 苦、涩，凉。消炎解毒，收敛。用于风湿痹痛，疝气痛，心气痛。

| **用法用量** | 根皮，内服煎汤，6 ~ 12 g。果实，内服适量，煎汤。

| **凭证标本号** | 441827180322036LY、441324181228002LY。

柿科 Ebenaceae 柿属 Diospyros

柿

Diospyros kaki Thunb.

| 药 材 名 | 柿蒂（药用部位：宿萼。别名：柿丁、柿蒂）、柿子（药用部位：果实）、柿饼（药材来源：果实经加工而成的饼状食品）、柿霜（药

材来源：柿饼外所生的白色粉霜）、柿漆（药材来源：未成熟果实经加工而成的胶状液。别名：柿涩）、柿皮（药用部位：外果皮）、柿叶（药用部位：叶）、柿花（药用部位：花）、柿木皮（药用部位：树皮）、柿根（药用部位：根或根皮）。

| 形态特征 | 落叶大乔木。树皮呈长方块状开裂。嫩枝被棕色柔毛，后毛脱落。叶卵状椭圆形至倒卵形或近圆形，长 5 ~ 18 cm，嫩叶两面疏生柔毛，老叶仅下面被柔毛，侧脉每边 5 ~ 7；叶柄长 8 ~ 20 mm。浆果形状多种，直径 3.5 ~ 8.5 cm，宿萼 4 裂，外面有伏柔毛，后无毛，里面密被棕色绢毛；果梗长 6 ~ 12 mm。花期 5 ~ 6 月，果期 9 ~ 10 月。

| 生境分布 | 广东各地均有栽培。

| 资源情况 | 栽培资源丰富。药材来源于栽培。

| 采收加工 | **柿蒂：** 冬季果实成熟时采摘果实，食用果实时收集宿萼，洗净，晒干。
柿子： 霜降至立冬间采摘果实，脱涩。
柿饼： 将成熟果实的外果皮剥除，日晒夜露 1 个月，放置席圈内，1 个月左右即成柿饼，也可经人工烘烤加工。
柿霜： 将柿饼上析出的白色粉霜刷下，即为柿霜。
柿漆： 采摘未成熟的果实，捣烂，置缸中，加入适量清水，不时搅动，然后静置约 20 天，将渣滓除去，剩下的无色胶状液，即为柿漆。
柿皮： 将未成熟的果实摘下，削取外果皮，鲜用。
柿叶： 秋季采摘叶，晒干。
柿花： 花落时采收，除去杂质，晒干或鲜用。
柿木皮： 全年均可采收，晒干。
柿根： 9 ~ 10 月采挖根，洗净，鲜用或晒干，或剥取根皮，洗净，鲜用或晒干。

| 药材性状 | **柿蒂：** 本品呈扁圆形，直径 1.5 ~ 2.5 cm，中央较厚，微隆起，具因果实脱落而留下的圆形疤痕，边缘较薄，4 裂，裂片多反卷，易碎，基部有果梗或圆孔状的果梗痕。外表面黄褐色或红棕色，内表面黄棕色，密被细绒毛。质硬而脆。气微，味涩。

柿霜：本品呈灰白色至淡黄棕色，粉末状，质轻，易潮解。气微，味甜，有清凉感。

柿叶：本品多皱缩或破碎。完整叶片展开后呈卵状椭圆形至倒卵形或近圆形，灰绿色或黄棕色，长 5 ~ 17 cm，宽 2.8 ~ 9 cm，先端渐尖或钝，基部楔形、圆形或近截形，全缘，表面略有光泽，两面无毛或仅下面具短柔毛，中脉在上面凹下，有微柔毛，在下面凸起，侧脉每边 5 ~ 7，在上面平坦或稍凹下，在下面略凸起，向上斜生，在近叶缘处结成网状；叶柄长 0.8 ~ 2 cm，上面有浅槽。质脆，气微，味微苦、涩。

| 功能主治 | 柿蒂：苦、涩，平。归胃经。降逆止呃。用于呃逆。

柿子：甘、涩，凉。归心、肺、大肠经。清热，润肺，生津，解毒。用于咳嗽，吐血，口渴，口疮，热痢，便血。

柿饼：甘、平，微温。润肺，止血，健脾，涩肠。用于咯血，吐血，便血，尿血，脾虚消化不良，泄泻，痢疾，喉干音哑，颜面黑斑。

柿霜：甘，凉。归心、肺经。生津利咽，润肺止咳。用于口疮，咽喉痛，咽干咳嗽。

柿漆：苦，涩。平肝。用于高血压。

柿皮：甘、涩，寒。清热解毒。用于疔疮，无名肿毒。

柿叶：苦，寒。归肺经。止咳定喘，生津止渴，活血止血。用于咳喘，肺气胀，各种内出血。

柿花：甘，平。归脾、肺经。降逆和胃，解毒收敛。用于呕吐，吞酸，痘疮。

柿木皮：涩，平。清热解毒，止血。用于便血，烫火伤。

柿根：涩，平。清热解毒，凉血止血。用于血崩，血痢，痔疮，蜘蛛背。

| 用法用量 | 柿蒂：内服煎汤，5 ~ 10 g。

柿子：内服适量，嚼食；或煎汤；或烧炭研末。

柿饼：内服适量，嚼食；或煎汤；或烧存性，入散剂。

柿霜：冲服，3 ~ 9 g；或入丸剂，噙化。外用适量，捣敷。

柿漆：内服，20 ~ 40 ml。

柿皮：外用鲜品适量，贴敷。

柿叶：内服煎汤，3 ~ 9 g；或泡茶饮。外用适量，研末敷。

柿花：内服煎汤，3 ~ 6 g。外用适量，研末搽。

柿木皮：内服研末，5 ~ 6 g。外用适量，烧灰调敷。

柿根：内服煎汤，30 ~ 60 g。外用适量，鲜品捣敷。

| 凭证标本号 |　　441523190402024LY、441823190930027LY、445224190511130LY。

柿科 Ebenaceae 柿属 Diospyros

野柿

Diospyros kaki Thunb. var. *sylvestris* Makino

| **药 材 名** | 野柿（药用部位：根、枝）。

| **形态特征** | 落叶乔木。树皮暗灰色，鳞片状开裂。小枝及叶柄常密被黄褐色柔毛。单叶互生；叶片椭圆状卵形至长圆状卵形或倒卵形，全缘，下面被褐色柔毛。花单性或杂性；萼裂片卵形；雄花冠直径 6 ~ 9 mm。浆果直径 2 ~ 5 cm，橙黄色或鲜黄色，宿萼外面和果实均密被短柔毛，后毛脱落。花期 5 ~ 6 月，果期 9 ~ 10 月。

| **生境分布** | 生于山地自然林、次生林或山坡灌丛中，垂直分布达 1 200 m。分布于广东翁源、乳源、乐昌、南雄、连山、博罗、从化。

| **资源情况** | 野生资源较丰富。药材来源于野生。

| 采收加工 | 全年均可采收，晒干。 |

| 功能主治 | 涩、酸，凉。收敛清热。用于乏力，不思饮食，体弱，早衰，黄疸，烫火伤。 |

| 用法用量 | 内服煎汤，20 ～ 30 g。 |

| 凭证标本号 | 441825190504017LY、440281190625008LY、440281190427014LY。 |

柿科 Ebenaceae 柿属 Diospyros

君迁子 *Diospyros lotus* L.

药材名

君迁子（药用部位：果实。别名：黑枣、软枣）。

形态特征

落叶乔木。树皮灰黑色或灰褐色。冬芽先端急尖。叶椭圆形至长椭圆形，长 5 ~ 13 cm，宽 2.5 ~ 6 cm，先端渐尖，侧脉每边 7 ~ 10。雄花花冠壶形，带红色或淡黄色；雌花淡绿色或带红色。浆果近球形或椭圆形，直径 1 ~ 2 cm，8 室，成熟时呈蓝黑色，被白蜡层，宿萼 4 深裂，裂片卵形，先端钝圆；果梗长 2 ~ 3 mm。花期 5 ~ 6 月，果期 10 ~ 11 月。

生境分布

生于海拔 700 ~ 1 200 m 的山地灌丛或林缘。分布于广东乳源、乐昌、和平、连山。

资源情况

野生资源较少。药材来源于野生。

采收加工

10 ~ 11 月果实成熟时采收，晒干或鲜用。

| **药材性状** | 本品直径 1 ～ 2 cm，表面黑色，果肉红褐色至黑色，质地绵软，有或无种子。种子长圆形，褐色，侧扁。气微，味甘、涩。 |

| **功能主治** | 甘、涩，凉。清热，止渴。用于烦热，消渴。 |

| **用法用量** | 内服煎汤，15 ～ 30 g。 |

| **凭证标本号** | 440982140826010LY。 |

柿科 Ebenaceae 柿属 Diospyros

罗浮柿
Diospyros morrisiana Hance

| 药 材 名 | 罗浮柿（药用部位：叶、茎皮）、罗浮柿果（药用部位：未成熟果实）、罗浮柿根（药用部位：根）。

| 形态特征 | 灌木或乔木。树皮片状剥落，表面黑色。除芽、花序和嫩梢外，其余部位无毛。冬芽圆锥状。叶薄革质，长椭圆形或卵形，长 5 ~ 10 cm，宽 2.5 ~ 4 cm，侧脉每边 4 ~ 6；叶柄长约 1 cm，先端具狭翅。浆果球形，直径 1.6 ~ 2 cm，4 室，黄色，宿萼近方形，直径约 8 mm，4 浅裂；果梗极短。花期 5 ~ 6 月，果期 11 月。

| 生境分布 | 生于山坡、山谷林中、灌丛中或近溪畔。广东各地均有分布。

| 资源情况 | 野生资源丰富。药材来源于野生。

| **采收加工** | **罗浮柿**：夏、秋季采收，鲜用或晒干。
| | **罗浮柿果**：冬季采收未成熟果实，鲜用或晒干。
| | **罗浮柿根**：夏、秋季采挖，洗净，切段，晒干。

| **功能主治** | **罗浮柿**：苦、涩，凉。解毒消炎，收敛止泻。用于食物中毒，腹泻，痢疾，烫火伤。
| | **罗浮柿果**：苦、涩，凉。清热解毒。用于烫火伤。
| | **罗浮柿根**：微苦、涩，平。健脾利湿。用于纳呆，腹泻。

| **用法用量** | **罗浮柿**：内服煎汤，9 ~ 15 g，鲜叶可用至 30 g。外用适量，研末调敷。
| | **罗浮柿果**：外用适量，煎膏涂；或研末撒敷。
| | **罗浮柿根**：内服煎汤，9 ~ 15 g。

| **凭证标本号** | 441523190405002LY、441825190708013LY、440781190519019LY。

柿科 Ebenaceae 柿属 Diospyros

油柿

Diospyros oleifera Cheng

| 药 材 名 | 油柿蒂（药用部位：宿萼）、油柿子（药用部位：果实）、油柿霜（药材来源：制作柿饼时柿饼外面所生的白色粉霜）、油柿根（药用部位：根或根皮）。

| 形态特征 | 落叶乔木。树皮深灰色或灰褐色，片状剥落。嫩枝、叶片、叶柄、雄花序、果梗等均被灰色、灰黄色或灰褐色柔毛。叶片长 6.5 ～ 17（～ 20）cm，侧脉每边 7 ～ 9。浆果略呈钝四棱形或扁球形，直径 5（～ 8）cm，被软毛，成熟时呈暗黄色，有黏胶状物质渗出；果梗长 8 ～ 10 mm；种子棕色，侧扁，宿萼 4 深裂，外被长柔毛，内生绢毛。花期 4 ～ 5 月，果期 8 ～ 10 月。

| 生境分布 | 生于海拔 100 ～ 300 m 的山坡上。栽培于村中、果园、路边、河畔等。

分布于广东乐昌、南雄、乳源、翁源、连山、连南、连州、封开、从化、博罗。

| **资源情况** | 野生资源较少。栽培资源丰富。药材来源于栽培。

| **采收加工** | **油柿蒂**：冬季果实成熟时采摘果实，食用果实时收集宿萼，洗净，晒干。
油柿子：果实成熟后采摘，脱涩。
油柿霜：将柿饼上析出的白色粉霜刷下，即为柿霜。
油柿根：9 ~ 10月采挖根，洗净，鲜用或晒干，或剥取根皮，洗净，鲜用或晒干。

| **药材性状** | **油柿蒂**：本品直径2.5 ~ 3 cm，裂片4，无脉纹，强烈反卷，坚实不易碎。外表面灰黑色，密被茸毛；内表面较平坦，中央稍隆起，密被茸毛。

| **功能主治** | **油柿蒂**：苦、涩，平。归肺、胃经。降气止呕。用于呃逆。
油柿子：清热，润肺。用于吐血，咯血，血淋，肠风，痔漏，痢疾。
油柿霜：生津利咽，润肺止咳。用于咳嗽，咽喉痛。
油柿根：凉血止血。用于吐血，痔疮出血。

| **用法用量** | **油柿蒂**：内服煎汤，5 ~ 10 g。
油柿子：内服适量，嚼食。
油柿霜：冲服，3 ~ 9 g，或入丸剂，噙化。外用适量，捣敷。
油柿根：内服煎汤，30 ~ 60 g。外用适量，鲜品捣敷。

| **凭证标本号** | 441827180408016LY。

柿科 Ebenaceae 柿属 Diospyros

老鸦柿

Diospyros rhombifolia Hemsl.

| **药 材 名** | 老鸦柿（药用部位：根、枝）。

| **形态特征** | 落叶小乔木。树皮平滑。枝有刺。叶纸质，菱状倒卵形，长 4 ~ 8.5 cm，宽 1.8 ~ 3.8 cm，先端钝，基部楔形，侧脉每边 5 ~ 6；叶柄纤细，长 2 ~ 4 mm。浆果球形，直径约 2 cm，先端有小突尖，成熟时呈橘红色，有蜡质及光泽，宿萼 4 深裂，裂片革质，长圆状披针形；果梗长 1.5 ~ 2.5 cm。花期 4 ~ 5 月，果期 8 ~ 10 月。

| **生境分布** | 广东无野生分布。广东广州（市区）有栽培。

| **资源情况** | 无野生资源。栽培资源较少。药材来源于栽培。

| 采收加工 | 全年均可采收，洗净，切片，晒干。

| 功能主治 | 苦，平。归肝经。清湿热，利肝胆，活血化瘀。用于急性黄疸性肝炎，肝硬化，跌打损伤。

| 用法用量 | 内服煎汤，10 ~ 30 g。

柿科 Ebenaceae 柿属 Diospyros

信宜柿

Diospyros sunyiensis Chun et H. Y. Chen

| 药 材 名 | 信宜柿（药用部位：果实）。

| 形态特征 | 灌木或小乔木。小枝褐色，密生皮孔。嫩枝、叶柄、果梗有暗黄色绒毛。叶近革质，长圆形，长 10 ~ 19 cm，宽 3.5 ~ 7 cm，下面有暗黄色长柔毛，脉上的毛较密，侧脉每边 7 ~ 9。浆果球形，直径约 3 cm，7 ~ 8 室，初时被黄色柔毛，后无毛，宿萼 4 深裂，裂片三角形，外被长柔毛；果梗长 1.2 ~ 2 cm。果期 8 月。

| 生境分布 | 生于低山混交林中。分布于广东信宜、从化及茂名（市区）。

| 资源情况 | 野生资源较少。药材来源于野生。

| 采收加工 | 果实成熟后采摘，脱涩。

| 功能主治 | 甘、涩，寒。消食开胃，化痰。用于高血压，痔疮出血，便秘，口干，痰多久咳。

| 用法用量 | 内服适量，嚼食。

山榄科 Sapotaceae 金叶树属 *Donella*

金叶树

Donella lanceolata (Blume) Aubrév. var. *stellatocarpa* (P. Royen) X. Y. Zhang

| 药 材 名 | 大横纹（药用部位：根、叶。别名：横纹独须）。

| 形态特征 | 乔木。嫩枝被黄色柔毛。叶长圆形或长圆状披针形，长 5 ~ 12 cm，先端渐尖或尾尖，基部稍偏斜，边缘波状，侧脉密集，具缘脉，幼叶两面被锈色绒毛。花数朵簇生于叶腋；花萼和花冠均 5 裂，边缘具流苏；花冠长 1.8 ~ 3 mm；能育雄蕊 5，无退化雄蕊；子房被锈色绒毛。浆果近球形，直径 1.5 ~ 2（~ 4）cm，成熟时具 5 纵棱，横切面呈星状；种子疤痕狭长圆形至倒披针形。花期 5 月，果期 10 月。

| 生境分布 | 生于中海拔杂木林中。分布于广东中部和南部。广东各地均有栽培。

孙观灵提供

| **资源情况** | 野生资源较少。栽培资源一般。药材来源于野生和栽培。 |

| **采收加工** | 根，全年均可采收，洗净，切片，晒干。叶，全年均可采收，晒干。 |

| **功能主治** | 甘、涩，温。活血祛瘀，消肿止痛。用于跌打瘀肿，风湿关节痛，骨折，脱臼。 |

| **用法用量** | 根，外用 200 g，浸酒 500 ml，每次取 5 ~ 15 ml 擦。叶，外用适量，研末，加酒或水调敷。 |

| **凭证标本号** | 440781190829005LY。 |

山榄科 Sapotaceae 铁线子属 Manilkara

人心果 *Manilkara zapota* (L.) P. Royen

| **药 材 名** | 人心果（药用部位：树皮、果实）。

| **形态特征** | 乔木，栽培者有时呈灌木，具乳汁。叶密聚于枝顶，革质，长圆形或卵状椭圆形，先端急尖或钝，无毛，侧脉多而密，近平行，网脉不明显；叶柄长 1.5 ~ 3 cm。1 ~ 2 花生于枝顶叶腋，长约 1 cm；花萼 2 轮，每轮 3 裂；花冠白色，裂片背部具等大的花瓣状附属物 2，能育雄蕊 6，退化雄蕊花瓣状。浆果直径 4 ~ 8 cm，褐色，果肉黄褐色。花果期 4 ~ 9 月。

| **生境分布** | 广东各地均有栽培。

| **资源情况** | 栽培资源丰富。药材来源于栽培。

| 采收加工 | 树皮，春季剥取，晒干。果实，果实成熟时采摘，晒干。

| 功能主治 | 甘、淡。消炎解毒，收敛。用于胃脘痛，急性胃肠炎，扁桃体炎。

| 用法用量 | 内服煎汤，20 ~ 30 g。

| 凭证标本号 | 440523190711034LY、440783191208015LY。

山揽科 Sapotaceae 桃揽属 Pouteria

桃榄 *Pouteria annamensis* (Pierre ex Dubard) Baehni

| 药 材 名 | 桃榄（药用部位：树皮）。

| 形态特征 | 大乔木。老枝常具疣状总花梗残迹。幼叶披针形，两面密被微红褐色柔毛，成熟叶长圆状倒卵形或长椭圆状披针形，长 6 ~ 17 cm，宽 2 ~ 5 cm，无毛，侧脉 5 ~ 9（~ 11）对。1 ~ 3 花簇生于叶腋；花梗和花萼裂片外面被锈色短柔毛；花冠长 3 ~ 4 mm，退化雄蕊钻形。浆果球形，直径 2.5 ~ 4.5 cm，成熟时呈紫红色；种子具侧生的狭长圆形疤痕。花期 5 月，果期秋、冬季。

| 生境分布 | 生于中海拔的疏林或密林中，村边、路旁偶见。分布于广东台山、廉江及茂名（市区）。

| **资源情况** | 野生资源一般。药材来源于野生。

| **采收加工** | 随用随采。

| **功能主治** | 清热解毒。用于毒蛇咬伤。

| **用法用量** | 外用鲜品适量，捣敷。

紫金牛科 Myrsinaceae 蜡烛果属 Aegiceras

蜡烛果 *Aegiceras corniculatum* (L.) Blanco

| 药 材 名 | 桐花树（药用部位：根、茎、叶。别名：浪柴、红蒴）、蜡烛果（药用部位：果实）。

| 形态特征 | 灌木或小乔木。枝干无毛，褐黑色。叶互生，枝条先端叶近对生；叶片革质，先端圆形或微凹，全缘，边缘反卷，两面密布小窝点，叶面无毛，中脉平整，背面密被微柔毛，中脉隆起。伞形花序生于枝条先端，无梗；花梗具腺点；花萼仅基部连合，无毛；花冠白色，钟形。蒴果圆柱形，弯曲如新月。花期 12 月至翌年 1 ~ 2 月，果期 10 ~ 12 月。

| 生境分布 | 生于海边潮水涨落的污泥滩上，为红树林组成树种之一，有时亦成纯林。分布于广东东莞（市区）、深圳（市区）、珠海（市区）、

江门（市区）、阳江（市区）、湛江（市区）等。

| **资源情况** | 野生资源较丰富。药材来源于野生。

| **采收加工** | **桐花树：**全年均可采收，晒干或鲜用。
蜡烛果：秋、冬季果实近成熟时采收，晒干。

| **药材性状** | **桐花树：**本品根圆柱状；外表面灰褐色，有细纵纹，皮孔圆形，直径约 0.1 cm；质地坚韧，不易折断，断面较平坦，可见灰褐色皮层，较窄，木部肉白色。茎圆柱状；表面灰褐色，有细纵纹及细小圆形皮孔或枝痕；质地坚韧，不易折断，断面不平坦，可见棕色皮层，较窄，木部灰白色，可见棕色同心环。叶部分破损，边缘卷起，叶面、叶背均呈淡褐色，完整叶展开后呈阔椭圆形，先端较圆，全缘，表面光滑无毛，具光泽，中脉在上表面凹陷，在下表面凸起，侧脉在两面均凸起。气微香，味微咸。
蜡烛果：本品圆柱形，弯曲如新月，多具果梗，表面棕色；种子多数，黑色。

| **功能主治** | 祛风止痛，驱虫。用于哮喘，炎症，风湿痹痛。

| **用法用量** | 内服煎汤，15 ~ 30 g。

| **凭证标本号** | 440882180602881LY。

紫金牛科 Myrsinaceae 紫金牛属 Ardisia

细罗伞
Ardisia affinis Hemsl.

| 药 材 名 | 细罗伞（药用部位：全株。别名：矮地茶、波叶紫金牛）。

| 形态特征 | 小灌木。根茎近圆柱状，疏生须根。幼枝密被锈色微柔毛，除侧生特殊花枝外，几无分枝。叶片坚纸质，边缘具浅波状齿，齿间可见腺点，中脉具腺状微柔毛。伞形花序着生于侧生特殊花枝先端，下弯，被锈色微柔毛；花萼基部连合，其长度可达花萼全长的1/3，具腺点；花瓣淡粉红色，仅基部连合，具疏腺点。果实球形，红色。花期5～7月，果期10～12月。

| 生境分布 | 生于石灰岩山林下或溪边、路旁的石缝阴湿处。分布于广东乳源、阳山、连南、连山等。广东各地均有栽培。

| 资源情况 | 野生资源一般。栽培资源一般。药材来源于野生。

| 采收加工 | 夏、秋季采收，洗净，切段，晒干。

| 药材性状 | 本品根茎类圆柱状，生有细根。茎近圆柱状，少分枝，表面浅棕色，有细皱纹及叶痕。叶片纸质，卷曲，完整叶片呈椭圆形，中脉被微柔毛，浅棕色，下面具稀疏的紫黑色腺点，边缘有浅波状齿；叶柄被微柔毛。气微，味淡。

| 功能主治 | 苦、辛，平。利咽止咳，理气活血。用于咽喉肿痛，咳嗽，胃脘痛，跌打肿痛等。

| 用法用量 | 内服煎汤，15 ～ 30 g。外用适量，研末调敷。

| 凭证标本号 | 441823190720006LY。

| 附　　注 | 本品为矮地茶的易混品，广东民间习惯用本品替代矮地茶使用。

紫金牛科 Myrsinaceae 紫金牛属 Ardisia

少年红

Ardisia alyxiifolia Tsiang ex C. Chen.

| 药 材 名 | 少年红（药用部位：全株。别名：念珠藤叶紫金牛）。

| 形态特征 | 小灌木。茎纤细，具细纵纹，幼时密被锈色微柔毛。叶片厚，坚纸质至革质，长圆状披针形，边缘具浅圆齿，齿间具腺点，被稀疏微柔毛或小鳞片，尤以背面中脉为多；叶柄具沟。伞房花序侧生，密被微柔毛；花梗通常带红色；萼片三角状卵形，具腺点；花瓣白色，具乳头状突起及疏腺点。果实球形，红色，具腺点。花期 6 ~ 7 月，果期 10 ~ 12 月。

| 生境分布 | 生于山谷疏、密林下或坡地。分布于广东翁源、曲江、连山、阳山等。

| 资源情况 | 野生资源较少。药材来源于野生。

| 采收加工 | 夏、秋季采收，洗净，切段，晒干。 |

| 药材性状 | 本品根茎、茎近圆柱状，茎表面浅棕色，纤细，具细纵纹及叶痕，幼时密被锈色微柔毛。叶片厚坚纸质，卷曲，具皱纹，完整叶片边缘具浅圆齿，齿间具紫黑色腺点，背面中脉被稀疏微柔毛或小鳞片。气微，味微苦。 |

| 功能主治 | 苦、辛，平。归肺、肝经。止咳平喘，活血散瘀。用于咳喘痰多，跌打损伤等。 |

| 用法用量 | 内服煎汤，9～15 g。 |

| 凭证标本号 | 441823201031068LY、440224181204018LY。 |

| 附　注 | 本种易与细罗伞 *Ardisia affinis* Hemsl. 混淆，但本种植株较高，叶片较厚且长，基部钝至圆形，花序通常无叶，以此可以区分。 |

紫金牛科 Myrsinaceae 紫金牛属 Ardisia

九管血
Ardisia brevicaulis Diels

| 药 材 名 | 九管血（药用部位：全株。别名：血党、矮茎朱砂根、散血丹）。

| 形态特征 | 小灌木。根横断面有血红色液汁渗出。幼枝被微柔毛，除侧生特殊花枝外无分枝。叶片坚纸质，卵状披针形，近全缘，边缘具腺点，背面被细微柔毛，尤以中脉为多，具疏腺点，侧脉与中脉几成直角。伞形花序；花萼基部连合达 1/3，萼片披针形，具腺点；花瓣粉红色，具腺点。果实球形，鲜红色，具腺点，宿存萼与果梗通常呈紫红色。花期 6 ～ 7 月，果期 10 ～ 12 月。

| 生境分布 | 生于密林下或阴湿处。分布于广东乳源、仁化、乐昌、梅县、从化、连山、怀集等。

| 资源情况 | 野生资源一般。药材来源于野生。

| 采收加工 | 全年均可采收，洗净，切段，晒干。

| 药材性状 | 本品根多数，簇生于略膨大的根茎上；表面棕红色，具细皱纹及横裂纹；质脆易折断，皮部与木部易分离，皮部厚，类白色，散生紫褐色斑点。茎表面灰棕色，质硬而脆，易折断，断面具髓部。叶多皱缩，灰绿色或棕黄色，完整者展平后呈狭卵形，近全缘，边缘有腺点。气微香，味淡。

| 功能主治 | 苦、辛，寒。归肝、肾经。祛风除湿，活血调经，消肿止痛。用于咽喉肿痛，风火牙痛，风湿痹痛，跌打损伤，无名肿毒，毒蛇咬伤等。

| 用法用量 | 内服煎汤，9 ~ 15 g；或浸酒。

| 凭证标本号 | 441825190710004LY、441823190929014LY、445222181216015LY。

紫金牛科 Myrsinaceae 紫金牛属 Ardisia

凹脉紫金牛 *Ardisia brunnescens* Walker

| 药 材 名 |

石凉伞（药用部位：根。别名：棕紫金牛、山脑根）。

| 形态特征 |

灌木。嫩枝略呈肉质。叶片坚纸质，全缘，两面无毛，叶面脉下凹，背面中、侧脉明显，隆起，侧脉常连成断续的边缘脉或 1 圈波状脉。复伞形花序或圆锥状聚伞花序；花萼基部连合达 1/3，具腺点和细缘毛，偶见锈色疏鳞片；花瓣粉红色，具腺点，里面近基部处具细乳头状突起。果实球形，深红色，具不明显腺点。花期 5 ~ 7 月，果期 9 ~ 12 月。

| 生境分布 |

生于山谷疏、密林下，灌丛中或石灰岩山坡林下。分布于广东博罗及肇庆（市区）、云浮（市区）等。

| 资源情况 |

野生资源稀少。药材来源于野生。

| 采收加工 |

夏、秋季采收，洗净，切段，晒干。

| **功能主治** | 苦，凉。清热解毒。用于咽喉肿痛。 |

| **用法用量** | 内服煎汤，3～6 g；或煎汤含咽。 |

紫金牛科 Myrsinaceae 紫金牛属 Ardisia

尾叶紫金牛
Ardisia caudata Hemsl.

| 药 材 名 |

尾叶紫金牛（药用部位：根。别名：峨眉紫金牛、薄叶紫金牛）。

| 形态特征 |

多枝灌木。枝条纤细。叶片膜质，椭圆状披针形，先端尾状渐尖，边缘具皱波状浅圆齿或圆齿，具边缘腺点，两面无毛，背面被不甚明显的疏鳞片，无腺点。复亚聚伞花序或伞形花序；花萼仅基部连合，先端钝或急尖，无毛，具腺点；花瓣粉红色，具腺点。果实球形，红色，具腺点；果梗长可达 2 cm。花期 5 ~ 7 月，果期 9 ~ 12 月。

| 生境分布 |

生于山谷、山坡疏林、密林下，溪边或阴湿处。分布于广东信宜等。

| 资源情况 |

野生资源稀少。药材来源于野生。

| 采收加工 |

夏、秋季采收，洗净，鲜用或晒干。

| 功能主治 | 苦、辛，寒。祛风湿，解热毒，止痛。用于风湿痹痛，咽喉肿痛，牙痛，胃痛，跌打骨折等。

| 用法用量 | 内服煎汤，9 ~ 20 g；或浸酒。外用适量，鲜品捣敷。

紫金牛科 Myrsinaceae 紫金牛属 Ardisia

小紫金牛 *Ardisia chinensis* Benth.

药 材 名	小紫金牛（药用部位：全株。别名：小郎伞、产后草、石狮子）。
形态特征	亚灌木状矮灌木，具蔓生走茎。直立茎通常丛生，幼时被锈色细微柔毛及灰褐色鳞片，后柔毛及鳞片脱落而具皱纹。叶片坚纸质，全缘或中部以上具疏波状齿，叶面无毛，叶脉平整，叶背被疏鳞片，脉隆起。亚伞形花序单生于叶腋；花萼仅基部连合，具缘毛，有时具疏腺点；花瓣白色，无腺点。果实球形，由红变黑，无毛，无腺点。花期 4 ~ 6 月，果期 10 ~ 12 月。
生境分布	生于山地疏林、密林下或溪旁。分布于广东乳源、乐昌、仁化、翁源、南雄、始兴、大埔、新丰、德庆、阳春、封开及肇庆（市区）等。

| 资源情况 | 野生资源较丰富。药材来源于野生。

| 采收加工 | 夏、秋季采收，洗净，晒干。

| 药材性状 | 本品根茎圆柱形，着生多数细根。茎扁圆形，表面暗褐色。叶互生；叶片倒卵状椭圆形或椭圆形，先端钝或渐尖，基部楔形，全缘或中部以上具疏波状齿，上面暗棕色，下面浅棕色。气微，味微涩。

| 功能主治 | 苦，平。活血止血，散瘀止痛，清热利湿。用于肺痨咯血，吐血，痛经，闭经，跌打损伤，黄疸，小便淋沥等。

| 用法用量 | 内服煎汤，10 ~ 15 g。

| 凭证标本号 | 441825190709003LY、441622190530003LY、441523190514034LY。

紫金牛科 Myrsinaceae 紫金牛属 Ardisia

朱砂根
Ardisia crenata Sims.

| 药 材 名 | 朱砂根（药用部位：根。别名：老鼠尾、大凉伞、金鸡爪）、朱砂根叶（药用部位：叶）。 |

| 形态特征 | 灌木。茎粗壮，除侧生特殊花枝外无分枝。叶片革质或坚纸质，边缘具波状齿及腺点，两面无毛，背面偶见小鳞片。伞形花序或聚伞花序；花萼仅基部连合，萼片全缘，两面无毛，具腺点；花瓣白色，稀略带粉红色，盛开时反卷，具腺点，有时里面近基部处具乳头状突起。果实球形，鲜红色，具腺点。花期 5 ~ 6 月，果期 10 ~ 12 月。 |

| 生境分布 | 生于疏林、密林下阴湿的灌丛中。广东各地均有分布。 |

| 资源情况 | 野生资源丰富。栽培资源较丰富。药材来源于野生和栽培。 |

| 采收加工 | **朱砂根**：秋、冬季采收，洗净，切段，晒干。
朱砂根叶：夏季采收，洗净，鲜用或晒干。

| 药材性状 | **朱砂根**：本品簇生于略膨大的根茎上，圆柱形，略弯曲，长 5 ~ 30 cm，直径 0.2 ~ 1 cm。表面棕褐色，具纵皱纹及横向裂痕，皮部与木部易分离。质硬而脆，易折断，断面不平坦，皮部占断面的 1/3 ~ 1/2，类白色或粉红色，外侧散生紫红色斑点，习称"朱砂点"，木部黄白色。气微，味微苦，有刺舌感。

| 功能主治 | **朱砂根**：微苦、辛，平。归肺、肝经。解毒消肿，活血止痛，祛风除湿。用于咽喉肿痛，风湿热痹，黄疸，痢疾，跌打损伤，乳腺炎等。
朱砂根叶：活血行瘀。用于咳嗽咯血，无名肿毒，跌打损伤。

| 用法用量 | **朱砂根**：内服煎汤，15 ~ 30 g。外用适量，捣敷。
朱砂根叶：内服煎汤，15 ~ 30 g。外用适量，鲜品捣敷。

| 凭证标本号 | 441825190709022LY、441523190918008LY、440783190812003LY。

紫金牛科 Myrsinaceae 紫金牛属 Ardisia

红凉伞

Ardisia crenata Sims var. *bicolor* (Walker) C. Y. Wu et C. Chen

| **药 材 名** | 红凉伞（药用部位：根。别名：紫背紫金牛、红色紫金牛、大凉伞）。

| **形态特征** | 灌木。茎粗壮，除侧生特殊花枝外无分枝。叶片革质或坚纸质，边缘具波状齿及腺点，两面无毛，背面紫红色，偶有两面均呈紫红色者。伞形花序或聚伞花序；花梗带紫红色；花萼仅基部连合，萼片带紫红色，具腺点；花瓣带紫红色，盛开时反卷，具腺点，里面近基部处可见乳头状突起。果实球形，鲜红色，具腺点。花期 5 ～ 6 月，果期 10 ～ 12 月。

| **生境分布** | 生于疏林、密林下阴湿的灌丛中。广东各山区均有分布。

| **资源情况** | 野生资源较丰富。药材来源于野生。

| 采收加工 | 秋、冬季采收，洗净，晒干。

| 药材性状 | 本品具支根数条，圆柱形，长短不一，表面褐色或浅棕红色，较光滑，老根具纵向皱纹及横向断裂痕，有须根或须根断痕；质硬而脆，易折断，断面皮部易与木质部分离，皮部占断面的 1/3 ~ 1/2，粉红色，靠近木质部有深红棕色或浅色环纹，木部黄白色。气微，味辛、微辣，有刺舌感。

| 功能主治 | 微苦、辛，平。归肺、肝经。解毒消肿，活血止痛，祛风除湿。用于急性咽喉炎，白喉，劳伤吐血，风湿关节痛，跌打损伤等。

| 用法用量 | 内服煎汤，15 ~ 30 g。外用适量，捣敷。

| 附　注 | 《中国植物志》记载，本变种与朱砂根 *Ardisia crenata* Sims. 的形态无太大差异，二者的主要区别在于本变种叶背、花梗、花萼及花瓣均带紫红色，有的植株叶两面均呈紫红色。

紫金牛科 Myrsinaceae 紫金牛属 Ardisia

百两金 *Ardisia crispa* (Thunb.) A. DC.

| 药 材 名 | 百两金（药用部位：全株。别名：竹叶风、开喉箭、八爪龙）。

| 形态特征 | 灌木，具匍匐生根的根茎。直立茎除侧生花枝外无分枝。叶片膜质或近坚纸质，狭长圆状披针形，全缘，边缘腺点明显，两面无毛，背面具细鳞片，偶见疏腺点。亚伞形花序；花萼仅基部连合，具腺点，无毛；花瓣白色或粉红色，里面被细微柔毛，具腺点。果实球形，鲜红色，具腺点。花期 5 ~ 6 月，果期 10 ~ 12 月。有时植株上部开花，下部果实成熟。

| 生境分布 | 生于山谷、山坡疏林、密林下或灌丛中。分布于广东仁化、乳源、德庆、

高要、肇庆（市区）等。

| **资源情况** | 野生资源一般。药材来源于野生。

| **采收加工** | 夏、秋季采收，洗净，切段，晒干。

| **药材性状** | 本品根具圆点状须根痕，断面皮部厚，散生深棕色小点（朱砂点），木部有细密放射状纹理。茎红棕色或灰绿色，有细纵纹、叶痕及节。叶片略卷曲或破碎，完整者展平后呈狭长圆状披针形，墨绿色或棕褐色，边缘具明显腺点，背面具细鳞片。气微，味微苦、辛。

| **功能主治** | 苦、辛，凉。归肝、肺经。清热利咽，祛痰利湿，活血解毒。用于咽喉肿痛，咳嗽，咳痰不畅，湿热黄疸，小便淋沥，风湿痹痛，跌打损伤，疔疮，无名肿毒等。

| **用法用量** | 内服煎汤，9～15 g；或煎汤含咽。外用适量，鲜品捣敷。

| **凭证标本号** | 445222181216007LY、441523190918083LY、441422190220414LY。

紫金牛科 Myrsinaceae 紫金牛属 Ardisia

郎伞木
Ardisia elegans Andrews

药 材 名	郎伞木（药用部位：根。别名：雀儿肾、胭脂木、大罗伞）。
形态特征	灌木，高 1 ~ 3 m。茎粗壮，除侧生花枝外无分枝。叶片坚纸质，略厚，边缘具明显圆齿及腺点，两面无毛和腺点，背面偶见细微小窝点。复伞形花序或为由伞房花序组成的圆锥花序；花萼仅基部连合，萼片无腺点；花瓣粉红色，稀红色或白色，无腺点。果实球形，深红色，具明显腺点。花期 6 ~ 7 月，果期 10 ~ 12 月。有时植株上部开花，下部果实成熟。
生境分布	生于山谷，山坡，疏林、密林中或溪旁。广东各山区均有分布。
资源情况	野生资源丰富。药材来源于野生。

| **采收加工** | 夏、秋季采收，洗净，切段，晒干。 |

| **功能主治** | 苦、辛，凉。清热解毒，活血止痛。用于咽喉肿痛，风湿痹痛，跌打损伤等。 |

| **用法用量** | 内服煎汤，15 ~ 30 g；或捣汁。 |

| **凭证标本号** | 441224180612010LY、441823191019005LY、440224180530008LY。 |

紫金牛科 Myrsinaceae 紫金牛属 Ardisia

月月红
Ardisia faberi Hemsl.

| 药 材 名 | 月月红（药用部位：全株或根。别名：江南紫金牛、毛青杠、红毛走马胎）。

| 形态特征 | 小灌木。茎无分枝。茎、嫩叶、叶脉、叶柄及花梗均密被锈色卷曲长柔毛。叶对生或近轮生；叶片厚膜质，具粗锯齿，背面中、侧脉明显隆起。亚伞形花序；花萼基部分离，萼片线状披针形，外面密被长柔毛，里面无毛；花瓣白色至粉红色，具腺点，无毛。果实球形，红色，无腺点。花期 5 ~ 7 月，果期 5 月或 11 月。

| 生境分布 | 生于山谷疏林、密林下，水旁，路边或石缝间。分布于广东德庆、乳源、和平等。

资源情况	野生资源稀少。药材来源于野生。
采收加工	夏、秋季采收，洗净，切段，晒干。
功能主治	辛、苦，平。归肝、肾经。疏风散热，解毒利咽，消肿。用于风热感冒，咳嗽，咽喉肿痛等。
用法用量	内服煎汤，9 ~ 15 g。
凭证标本号	441823201031039LY。

紫金牛科 Myrsinaceae 紫金牛属 Ardisia

灰色紫金牛 *Ardisia fordii* Hemsl.

| **药 材 名** | 灰色紫金牛（药用部位：全株。别名：细罗伞、两广紫金牛）。

| **形态特征** | 小灌木，具匍匐状根茎。嫩枝密被锈色鳞片，除侧生花枝外无分枝。叶片坚纸质，全缘，两面无毛，背面被锈色鳞片，侧脉连成近边缘的边缘脉。伞形花序具叶；花萼仅基部连合，具腺点和缘毛，可见小鳞片；花瓣红色或粉红色，具腺点。果实球形，深红色，具疏鳞片和腺点。花期6～8月，果期10～12月。有时植株上部开花，下部果实成熟。

| **生境分布** | 生于疏林、密林下或水边。分布于广东大埔、从化、英德、德庆、封开、怀集、高要、新兴、台山、阳春、信宜等。

| **资源情况** | 野生资源一般。药材来源于野生。

| **采收加工** | 夏、秋季采收，洗净，切段，晒干。

| **功能主治** | 活血消肿。用于跌打损伤。

| **用法用量** | 内服煎汤，10 ~ 15 g。

| **凭证标本号** | 441422210225668LY、440224190609002LY。

紫金牛科 Myrsinaceae 紫金牛属 Ardisia

走马胎
Ardisia gigantifolia Stapf

| 药 材 名 | 走马胎（药用部位：根。别名：大叶紫金牛、马胎、走马风）。

| 形态特征 | 大灌木，具匍匐状根茎。直立茎粗壮，无分枝。叶簇生于茎先端；叶片大，具疏腺点，腺点在两面隆起，叶片膜质，基部楔形，下延至叶柄成波状狭翅，边缘具啮蚀状细齿，齿具小尖头。多个亚伞形花序组成大型总状圆锥花序；花萼仅基部连合，具腺点；花瓣白色或粉红色，具疏腺点。果实球形，红色，具纵肋、腺点。花期 4 ~ 6 月，果期 11 ~ 12 月。

| 生境分布 | 生于山间疏林、密林下或阴湿的地方。分布于广东新丰、始兴、乐昌、曲江、大埔、英德、封开、怀集、信宜、高州及阳江（市区）等。

| **资源情况** | 野生资源较丰富。药材来源于野生。 |

| **采收加工** | 全年均可采收，洗净，鲜用，或切片，晒干。 |

| **药材性状** | 本品呈不规则圆柱形，念珠状膨大，长短不一，直径 1.5 ~ 4 cm。表面灰褐色或棕褐色，具细密纵沟纹和结节状横断纹，习称"蛤蟆皮"。轻轻刮去外表皮可见红色小窝点，习称"血腥点"。皮部厚，易剥落。质坚硬，不易折断，断面皮部淡紫红色，木部黄白色，可见放射状纹理。气微，味微苦。 |

| **功能主治** | 苦、微辛，温。归肝、脾经。行血祛风，消肿止痛，活血。用于风湿痹痛，跌打损伤，产后瘀血腹痛，痈疽疮疡等。 |

| **用法用量** | 内服煎汤，9 ~ 15 g，鲜品 30 ~ 60 g，或浸酒。外用适量，研末调敷。 |

| **凭证标本号** | 441823191017022LY。 |

紫金牛科 Myrsinaceae 紫金牛属 Ardisia

大罗伞树

Ardisia hanceana Mez

| 药 材 名 | 大罗伞树（药用部位：根。别名：罗伞盖珍珠、珍珠盖罗伞）。

| 形态特征 | 灌木。茎粗壮，除侧生花枝外无分枝。叶片狭长，坚纸质，近全缘或具边缘反卷的突尖锯齿，齿尖具腺点，背面近边缘处具隆起的疏腺点，被细鳞片；侧脉 12 ~ 18 对。复伞房状伞形花序无毛；花枝长 8 ~ 24 cm；花萼仅基部连合，裂片卵形，可见腺点；花瓣长 6 ~ 7 mm，白色或带紫色，具腺点，里面近基部处具乳头状突起。果实球形，深红色，腺点不明显。花期 5 ~ 6 月，果期 11 ~ 12 月。

| 生境分布 | 生于山谷、山坡林下或阴湿的地方。分布于广东雷州半岛及周边以外的地区。

| 资源情况 | 野生资源丰富。药材来源于野生。

| 采收加工 | 夏、秋季采收，洗净，切段，晒干。

| 功能主治 | 苦、辛，平。活血散瘀，止痛。用于风湿痹痛，闭经，跌打损伤等。

| 用法用量 | 内服煎汤，15 ~ 30 g。

| 凭证标本号 | 441825190711009LY、441523190515020LY、441823191115002LY。

紫金牛科 Myrsinaceae 紫金牛属 Ardisia

矮紫金牛

Ardisia humilis Vahl

| **药 材 名** | 矮紫金牛（药用部位：茎皮。别名：大叶紫钱）。 |

| **形态特征** | 灌木，高 1 ~ 2 m。茎粗壮，有皱纹，除侧生花枝外无分枝。叶片革质，倒卵形，长 15 ~ 18 cm，宽 5 ~ 7 cm，全缘，两面无毛，背面密布小窝点，中脉在背面隆起。多数伞房花序组成金字塔形圆锥花序；花萼基部连合达 1/3，萼片基部近耳形，互相重叠；花瓣粉红色或红紫色，无毛。果实球形，暗红色至紫黑色，具腺点。花期 3 ~ 4 月，果期 11 ~ 12 月。 |

| **生境分布** | 生于山间疏林、密林下或开阔的坡地。分布于广东雷州、徐闻等。 |

| **资源情况** | 野生资源稀少。药材来源于野生。 |

| **采收加工** | 春末夏初采收，晒干。 |

| **功能主治** | 辛，平。止咳化痰，祛风解毒，活血止痛。用于感冒发热，咳喘痰多，月经不调等。 |

| **用法用量** | 内服煎汤，9 ～ 15 g。 |

| **凭证标本号** | 441223190719013LY。 |

紫金牛科 Myrsinaceae 紫金牛属 Ardisia

紫金牛
Ardisia japonica (Thunb.) Blume

| 药 材 名 | 矮地茶（药用部位：全株。别名：矮茶风、矮脚樟、平地木）。

| 形态特征 | 小灌木，高约 30 cm，近蔓生。直立茎不分枝。叶对生或近轮生；叶片坚纸质，边缘具细锯齿、腺点，两面无毛或仅背面中脉被细微柔毛。亚伞形花序腋生或生于近茎先端的叶腋；花萼基部连合，两面无毛，具缘毛，有时具腺点；花瓣粉红色或白色，无毛，具密腺点。果实球形，初呈鲜红色，后呈黑色，多少具腺点。花期 5 ~ 6 月，果期 11 ~ 12 月。

| 生境分布 | 生于山间林下或阴湿的地方。分布于广东乳源、南雄、乐昌、大埔、龙门、阳山等。

| **资源情况** | 野生资源较丰富。药材来源于野生。

| **采收加工** | 夏、秋季采收，洗净，晒干。

| **药材性状** | 本品根茎圆柱形，匍匐状，疏生须根。茎略扁，圆柱形，稍扭曲，表面红棕色，有细纵纹、叶痕及节；质硬，易折断。叶集生于茎梢，对生或近轮生；叶片略卷曲或破碎，完整者展平后呈椭圆形，灰绿色至浅红棕色，边缘具细锯齿，坚纸质。茎顶偶见球形核果。气微，味微涩。

| **功能主治** | 辛、微苦，平。归肺、肝经。化痰止咳，清利湿热，活血化瘀。用于新久咳嗽，喘满痰多，湿热黄疸，闭经，风湿痹痛，跌打损伤等。

| **用法用量** | 内服煎汤，15 ~ 30 g。外用适量，煎汤洗。

| **凭证标本号** | 441523190403053LY、441825190413020LY、440281190816009LY。

紫金牛科 Myrsinaceae 紫金牛属 Ardisia

山血丹

Ardisia lindleyana D. Dietr.

| 药 材 名 | 山血丹（药用部位：全株。别名：斑叶朱砂根、血党、出血丹）。

| 形态特征 | 灌木。除侧生花枝外无分枝。叶片坚纸质，狭披针形，边缘反卷，具微波状齿，齿尖具腺点，中脉在两面隆起，叶背具细鳞片，侧脉连成边缘脉；叶柄具狭翅。亚伞形花序具少数叶状苞片；萼片具腺点；花瓣白色，具明显腺点。果实球形，深红色，具疏腺点。花期 5 ～ 7 月，果期 10 ～ 12 月。有的植株上部开花，下部果实成熟。

| 生境分布 | 生于山谷、山坡林下阴湿处。分布于广东新丰、翁源、南雄、乐昌、和平、紫金、蕉岭、平远、大埔、饶平、南澳、博罗、从化、增城、英德、封开等。

| 资源情况 | 野生资源丰富。药材来源于野生。

| 采收加工 | 全年均可采收，洗净，切段，晒干。

| 药材性状 | 本品根茎略膨大，上端残留数条茎基，表面灰褐色。根丛生，不规则弯曲，灰棕色或暗棕色，常附有黑褐色分泌物，具细纵纹及横向断裂痕；质硬，易折断，断面皮部常与木部分离，皮部厚，约占横断面的1/2，浅棕黄色，可见紫褐色斑点，木部淡黄色，具放射状纹理；气微，味微苦、辛，有刺舌感。茎灰绿色，有细纵纹、叶痕及节；叶皱缩，完整者展平后呈狭披针形，具微波状齿，齿尖可见腺点，叶柄具狭翅；气微，味淡。

| 功能主治 | 辛、苦，平。归肝、肾经。活血调经，消肿止痛，祛风除湿。用于风湿痹痛，痛经，闭经，跌打损伤，咽喉肿痛，无名肿毒等。

| 用法用量 | 内服煎汤，9 ~ 10 g。外用适量，鲜品捣敷。

| 凭证标本号 | 441422190716010LY、441623180625041LY、445222180720003LY。

紫金牛科 Myrsinaceae 紫金牛属 Ardisia

心叶紫金牛 *Ardisia maclurei* Merr.

药 材 名	心叶紫金牛（药用部位：全株。别名：红云草、走马风、假地榕）。
形态特征	近草质亚灌木。具匍匐茎，直立茎高 4 ~ 15 cm，幼时密被锈色长柔毛。叶互生；叶片坚纸质，边缘具粗锯齿及缘毛，两面被疏柔毛，尤以中脉为多，侧脉尾端直达齿尖；叶柄被锈色疏柔毛。亚伞形花序被锈色长柔毛；花萼仅基部连合，被锈色长柔毛，萼片披针形，具缘毛；花瓣淡紫色或红色。果实球形，暗红色。花期 5 ~ 6 月，果期 10 ~ 12 月。
生境分布	生于密林下、水旁、石缝间阴湿处。分布于广东乳源、仁化、连平、封开、阳春等。

| 资源情况 | 野生资源较少。药材来源于野生。 |

| 采收加工 | 全年均可采收，洗净，切段，晒干。 |

| 药材性状 | 本品根茎呈圆柱形，疏生须根，表面红棕色或棕褐色。茎类圆柱形，纤细，棕褐色，密被绣色长柔毛。叶片灰绿色或灰黄色，略卷曲，完整者呈长圆状卵形或椭圆状倒卵形，长 3 ~ 8 cm，边缘具粗锯齿，有腺点，两面被疏柔毛。气微，味淡。 |

| 功能主治 | 苦，微寒。归肺、肝经。止咳化痰，凉血止血，祛风通痹，清热解毒。用于肿毒，痢疾，咯血，吐血，黄疸，淋证等。 |

| 用法用量 | 内服煎汤，9 ~ 12 g。外用适量，捣敷。 |

| 凭证标本号 | 441322160725282LY。 |

| 附　注 | 本品为常用瑶药，微苦、涩，平，属风药，可活血止血、调经通络。 |

紫金牛科 Myrsinaceae 紫金牛属 Ardisia

虎舌红 *Ardisia mamillata* Hance

| **药 材 名** | 虎舌红（药用部位：全株。别名：红毛紫金牛、红毛毡、老虎脷）。 |

| **形态特征** | 矮小亚灌木。具粗壮匍匐横走根茎，外皮红褐色，直立茎不超过 15 cm，幼时被锈色卷曲长柔毛。叶互生或簇生于茎先端，坚纸质，边缘具疏圆齿，边缘腺点藏于毛中，两面呈绿色或暗紫红色，被基部隆起如小瘤的糙伏毛，具腺点。伞形花序，萼片与花瓣等长，具腺点，两面被长柔毛；花瓣粉红色或白色，具腺点。果实球形，鲜红色，被柔毛，具腺点。花期 6 ~ 7 月，果期 11 ~ 12 月。 |

| **生境分布** | 生于山谷密林下阴湿的地方。分布于广东除东部以外的地区。 |

| **资源情况** | 野生资源丰富。药材来源于野生。 |

| 采收加工 | 夏、秋季采收，晒干。

| 药材性状 | 本品根茎直径约 3 mm，褐红色，木质，匍匐状。幼枝被锈色长柔毛，老枝质地稍韧，几无毛。叶多生于茎中上部，近簇状；叶片纸质，展平后呈椭圆形或倒卵形，上下两面有黑色腺点和褐色长柔毛，边缘稍具圆齿；叶柄密被毛。有时具花序或球形果实。气微，味淡，略苦、涩。

| 功能主治 | 苦、微辛，凉。散瘀止血，清热利湿。用于风湿痹痛，黄疸，痢疾，吐血，便血，闭经，产后恶露不尽，跌打损伤，乳痛等。

| 用法用量 | 内服煎汤，9 ~ 15 g；或浸酒。外用适量，研末调敷。

| 凭证标本号 | 441825190411007LY、445222180719107LY、441523190403051LY。

紫金牛科 Myrsinaceae 紫金牛属 Ardisia

莲座紫金牛

Ardisia primulifolia Gardn. et Champ.

| 药 材 名 | 莲座紫金牛（药用部位：全株。别名：铺地罗伞、毛虫药、落地金牛）。

| 形态特征 | 矮小灌木或近草本。茎极短。叶互生或呈莲座状，坚纸质或近膜质，边缘具稀疏浅圆齿及腺点，两面有时呈紫红色，被卷曲的锈色长柔毛，具长缘毛。聚伞花序或亚伞形花序从莲座叶腋中抽出；萼片与花瓣近等长，具腺点和缘毛，外面被锈色长柔毛；花瓣粉红色，具腺点。果实球形，鲜红色，具疏腺点，被柔毛。花期 6 ~ 7 月，果期 11 ~ 12 月。

| 生境分布 | 生于山谷密林下阴湿的地方。分布于广东除南部以外的地区。

| 资源情况 | 野生资源丰富。药材来源于野生。

| 采收加工 | 夏、秋季采收，洗净，切段，晒干。

| 药材性状 | 本品茎极短。叶基生，呈莲座状，有时破碎，完整叶片长圆状倒卵形，表面有锈色长柔毛，边缘有波状圆齿，具腺点，坚纸质或近膜质。有时莲座叶中央可见伞形花序。气微，味淡，略苦、涩。

| 功能主治 | 辛、微苦，凉。祛风通络，散瘀止血，解毒消痈。用于风湿关节痛，咯血，吐血，肠风下血，闭经，恶露不尽，跌打损伤，乳痈，疔疮等。

| 用法用量 | 内服煎汤，15 ~ 30 g。外用适量，鲜品捣敷。

| 凭证标本号 | 441225180728060LY、445222180728002LY、441827180813039LY。

紫金牛科 Myrsinaceae 紫金牛属 Ardisia

九节龙 *Ardisia pusilla* A. DC.

| 药 材 名 | 九节龙（药用部位：全株。别名：五托莲、蛇药、毛茎紫金牛）。

| 形态特征 | 亚灌木，蔓生。具匍匐茎，直立茎高不超过 10 cm，幼时密被长柔毛。叶对生或近轮生，坚纸质，边缘具锯齿和疏腺点，叶面被糙伏毛，毛基部常隆起，背面被柔毛，尤以中脉为多。伞形花序被长柔毛；萼片披针状钻形，与花瓣近等长，外面被长柔毛，具腺点；花瓣白色，具腺点。果实球形，红色，具腺点。花期 5 ~ 7 月，果期与花期相近。

| 生境分布 | 成丛生于山间密林下、路旁或溪边阴湿的地方。分布于广东乳源、新丰、翁源、始兴、南雄、乐昌、曲江、和平、连平、大埔、龙门、连山、阳山、连州、英德、怀集、高州及阳江（市区）等。

| **资源情况** | 野生资源较丰富。药材来源于野生。

| **采收加工** | 全年均可采收，洗净，切段，晒干。

| **药材性状** | 本品茎长约 10 cm，上部被毛，下部无毛，有的在节处生根。叶坚纸质，皱缩，较脆，展平后呈椭圆形或倒卵形，长 2.5 ~ 6 cm，宽 1.5 ~ 3.5 cm，先端急尖或钝，基部广楔形或近圆形，边缘具明显锯齿，具疏腺点，叶面被糙伏毛，背面被柔毛，尤以中脉为多；叶柄被毛。有时具花序或球形果实。气微，味苦、涩。

| **功能主治** | 苦、辛，凉。归肝、肺经。清热解毒，消肿止痛，活血通络。用于跌打损伤，风湿痹痛，癥瘕积聚等。

| **用法用量** | 内服煎汤，3 ~ 9 g；或浸酒。

| **凭证标本号** | 441825190707027LY、441422190127412LY、440224180331016LY。

紫金牛科 Myrsinaceae 紫金牛属 Ardisia

罗伞树

Ardisia quinquegona Blume

| 药 材 名 | 罗伞树（药用部位：根、茎、叶。别名：高脚罗伞树、高脚罗伞、五角紫金牛）。

| 形态特征 | 灌木状小乔木，高约 2 m。小枝细，有纵纹，嫩时被锈色鳞片。叶片坚纸质，全缘，两面无毛，背面被鳞片，中脉明显，侧脉极多，不明显，无腺点。聚伞花序或亚伞形花序，腋生，花枝长达 8 cm；花萼仅基部连合，具疏缘毛及腺点，无毛；花瓣白色，具腺点，里面近基部处被细柔毛。果实扁球形，具 5 钝棱，无腺点，成熟时呈黑色。花期 5 ~ 6 月，果期 10 ~ 12 月。

| 生境分布 | 生于山坡疏林、密林中或溪边阴湿处。广东各地均有分布。

| 资源情况 | 野生资源丰富。药材来源于野生。

| 采收加工 | 全年均可采收，洗净，切段，鲜用或晒干。

| 药材性状 | 本品根近圆形，表面灰褐色，可见纵纹；质地坚硬，不易折断，断面皮部灰棕色，木部浅棕色，纹理致密。茎圆柱状，表面具明显纵皱纹或横纹；质地坚韧，断面皮部灰白色至灰棕色，木部黄白色或棕色，髓部淡红棕色。单叶互生，部分叶脱落或皱缩，完整叶展平后呈披针形，先端渐尖，基部楔形，全缘，灰绿色或棕褐色，侧脉多。气微，味微苦、微涩。

| 功能主治 | 苦、辛，平。清咽消肿，散瘀止痛。用于咽喉肿痛，疮疖痈肿，跌打损伤，风湿痹痛等。

| 用法用量 | 内服煎汤，15 ~ 30 g。外用适量，鲜叶捣敷。

| 凭证标本号 | 440783200102006LY、441825190711021LY、441225180611004LY。

紫金牛科 Myrsinaceae 紫金牛属 Ardisia

雪下红
Ardisia villosa Roxb.

| 药 材 名 | 雪下红（药用部位：全株。别名：矮脚罗伞、卷毛紫金牛、矮罗伞）。

| 形态特征 | 直立灌木，幼时全株被长柔毛，毛常卷曲，后渐无毛。叶片坚纸质，近全缘或边缘具波状细锯齿或圆齿，叶面中脉、背面和叶柄被长柔毛。伞形花序被锈色长柔毛；萼片长圆状披针形或舌形，与花瓣等长，被毛，具密腺点；花瓣淡紫色或粉红色，具腺点。果实球形，深红色或带黑色，具腺点，被毛。花期 5 ~ 7 月，果期 10 ~ 12 月。

| 生境分布 | 生于疏林、密林下石缝间，山坡边或路旁阳处，亦生于潮湿的地方。广东各地均有分布。

| 资源情况 | 野生资源稀少。药材来源于野生。

| 采收加工 | 夏、秋季采收，洗净，切段，晒干。

| 药材性状 | 本品根茎近圆柱形。茎圆柱形，长短不一，直径约 4 mm，表面有铁锈色长柔毛。叶互生；叶片椭圆状披针形，上面中脉有毛，下面密被锈色长柔毛，两面密布腺点，全缘或有微波状圆齿，坚纸质。有时可见伞形花序。气微，味苦、涩。

| 功能主治 | 苦、辛，平。活血散瘀，消肿止痛。用于风湿痹痛，咳嗽吐血，寒气腹痛，跌打损伤，痈疮肿毒等。

| 用法用量 | 内服煎汤，6 ~ 12 g。外用适量，捣敷。

| 凭证标本号 | 441823210713003LY、440882180626428LY。

紫金牛科 Myrsinaceae 酸藤子属 Embelia

酸藤子
Embelia laeta (L.) Mez.

| 药 材 名 | 酸藤木（药用部位：根、茎、叶）、酸藤果（药用部位：果实）。

| 形态特征 | 攀缘灌木。老枝具皮孔。叶片坚纸质，全缘，两面无毛，无腺点，背面常被薄白粉，中脉隆起，侧脉不明显。总状花序腋生或侧生；花萼基部连合达 1/3 或 1/2，萼片无毛，具腺点；花瓣白色或带黄色，具缘毛，里面密被乳头状突起，具腺点，开花时花瓣强烈展开。果实球形，腺点不明显。花期 12 月至翌年 3 月，果期 4 ~ 6 月。

| 生境分布 | 生于山坡疏林、密林下或疏林缘，或开阔的草坡、灌丛中。广东各地均有分布。

| 资源情况 | 野生资源丰富。药材来源于野生。

| 采收加工 | **酸藤木**：全年均可采收，洗净，切段，晒干。
酸藤果：夏季果实成熟时采收，蒸熟，晒干。

| 药材性状 | **酸藤木**：本品根长圆柱形，直径 0.5 ~ 3.5 cm，稍扭曲；表面棕褐色至红褐色，粗糙，具横裂纹及纵裂纹，皮部常横向断裂，有时与木部分离；质硬，不易折断，断面皮部棕褐色，木部黄棕色，具放射状纹理。茎表面红棕色至黑色，具纵直纹理，可见呈类圆形凸起的皮孔。叶片卷曲，展平后呈倒卵形至椭圆形，全缘；叶柄短，紫褐色。气微，味酸。
酸藤果：本品呈圆球形，黑褐色，直径 5 ~ 6 mm；表面具皱缩条纹及少数腺点。气微，味酸、甜。

| 功能主治 | **酸藤木**：酸、涩，凉。归心、脾、肝经。清热解毒，散瘀止血。用于咽喉红肿，齿龈出血，痢疾，泄泻，疮疖溃疡，皮肤瘙痒，痔疮肿痛，跌打损伤等。
酸藤果：甘、酸，平。补血，收敛止血。用于血虚，齿龈出血等。

| 用法用量 | **酸藤木**：内服煎汤，9 ~ 15 g。外用适量，捣敷；或煎汤洗。
酸藤果：内服煎汤，9 ~ 15 g。

| 凭证标本号 | 441523190402006LY、445224190330102LY、445222180401008LY。

| 附　注 | 本品为常用瑶药，酸、涩，平，属风打相兼药，可清热解毒、活血散瘀、祛风瘦脸、健脾安胎。

紫金牛科 Myrsinaceae 酸藤子属 Embelia

长叶酸藤子

Embelia longifolia (Benth.) Hemsl.

药材名

长叶酸藤子（药用部位：全株。别名：吊罗果、平叶酸藤子、酸盘子）。

形态特征

攀缘灌木，具明显的皮孔。叶片坚纸质，全缘，两面无毛，叶面中脉微凹，背面中、侧脉均隆起，侧脉多，常连成边缘脉；叶柄长 0.8 ~ 1 cm。总状花序；花萼基部连合达 1/3 或 1/2，萼片具疏缘毛，密布腺点；花瓣浅绿色或粉红色，分离，具腺点，里面及边缘密被乳头状突起。果实球形或扁球形，红色，有纵肋。花期 6 ~ 8 月，果期 11 月至翌年 1 月。

生境分布

生于山谷、山坡疏林、密林中或路边灌丛中。分布于广东乳源、翁源、始兴、南雄、乐昌、曲江、和平、连平、龙川、蕉岭、大埔、龙门、博罗、从化、连南、连山、阳山、连州、怀集、封开、郁南、恩平、信宜等。

资源情况

野生资源较丰富。药材来源于野生。

| **采收加工** | 全年均可采收，洗净，晒干。

| **功能主治** | 酸、涩，平。祛风利湿，消肿散瘀。用于水肿，泄泻，跌打瘀肿等。

| **用法用量** | 内服煎汤，30 ~ 60 g。外用适量，捣敷。

| **凭证标本号** | 440224181202013LY、441224180615021LY。

| **附　注** | 本种名称已修订为平叶酸藤子 *Embelia undulata* (Wall.) Mez。

紫金牛科 Myrsinaceae 酸藤子属 Embelia

当归藤 *Embelia parviflora* Wall. ex A. DC.

| 药 材 名 | 当归藤（药用部位：全株。别名：小花酸藤子、虎尾草、筛箕蔃）。

| 形态特征 | 攀缘灌木。老枝具皮孔，小枝常 2 列。小枝、叶面中脉、叶柄、花序及花梗密被锈色长柔毛。叶 2 列，坚纸质，全缘，具缘毛，中脉在叶面下凹，背面近先端具疏腺点。亚伞形花序或聚伞花序腋生，常下弯并藏于叶下；萼片先端具腺点，具缘毛；花瓣白色或粉红色，近先端具腺点。果实球形，暗红色，宿存萼反卷。花期 12 月至翌年 3 月，果期 5 ～ 7 月。

| 生境分布 | 生于山间密林、林缘或灌丛中。分布于广东乳源、新丰、翁源、乐昌、和平、蕉岭、大埔、龙门、从化、英德、德庆、怀集、信宜等。

| 资源情况 | 野生资源较丰富。药材来源于野生。

| 采收加工 | 全年均可采收，洗净，切片，晒干。

| 药材性状 | 本品根稍扭曲，表皮红棕色，易脱落，皮层内面有密集纵纹；质硬，不易折断，木质部棕黄色，射线白色，木质部与射线相间排列，呈菊花状。茎直径3～10 mm，灰褐色，具白色点状皮孔；质硬，不易折断，断面纤维性，髓部明显，红褐色，嫩枝密被锈色柔毛。叶多皱缩，完整者展开后呈卵形，长10～15 mm，宽5～7 mm，全缘，腹面无毛，中脉下陷，背面密被小凹点及短柔毛。气香，味微苦、涩。

| 功能主治 | 涩、苦，温。归肝、肾经。补血调经，强腰膝。用于血虚诸证，月经不调，闭经，产后虚弱，腰腿酸痛，跌打损伤，骨折等。

| 用法用量 | 内服煎汤，15～30 g。外用适量，鲜品捣敷。

| 凭证标本号 | 441523190403029LY、440224180401009LY、441324181216016LY。

紫金牛科 Myrsinaceae 酸藤子属 Embelia

白花酸藤果 *Embelia ribes* Burm. f.

药材名

白花酸藤果（药用部位：根、枝叶、果实。别名：碎米果、白花酸藤子、牛尾藤）。

形态特征

攀缘灌木。根粗壮，长而弯曲。老枝有皮孔。叶片坚纸质，全缘，两面无毛，背面被薄粉，中脉隆起，侧脉不明显；叶柄具狭翅。圆锥花序被乳头状突起或微柔毛；花萼基部连合达 1/2，萼片外被柔毛，具乳头状突起和腺点；花瓣淡绿色或白色，边缘和里面具乳头状突起和疏腺点。果实球形，红色或深紫色，干时具皱纹或隆起的腺点。花期 1 ~ 7 月，果期 5 ~ 12 月。

生境分布

生于林内、林缘灌丛或路边灌丛。分布于广东丰顺、博罗、龙门、宝安、从化、英德、德庆、封开、高要、恩平、台山、阳春、信宜及云浮（市区）、珠海（市区）等。

资源情况

野生资源丰富。药材来源于野生。

| **采收加工** | 根、枝叶，全年均可采收，根洗净，切片或段，晒干，叶晒干或鲜用。果实，夏末秋初果实近成熟时采收，蒸熟，晒干。 |

| **药材性状** | 本品根粗壮，弯曲，表面黑色；质硬，不易折断。茎圆柱形，表面赤褐色，具圆点状皮孔。叶皱缩或破碎，完整者展开后呈披针形，长 5 ~ 7 cm，宽约 2.5 cm，全缘，两面光滑；叶柄可见狭翅。果实球形，直径 2 ~ 6 mm，表面灰褐色至暗红色，具皱缩纹理，在放大镜下可见花柱先端呈圆点状，下端附有紧贴在果皮上且略凸起的宿存花萼。果皮质脆，较易剥落。种子质硬，种皮棕色，底部可见 1 椭圆形凹陷孔。气微，味微酸、甜。 |

| **功能主治** | 根、枝叶，酸，平，祛瘀止痛，消炎止泻。用于痢疾，肠炎，消化不良，咽喉肿痛，跌打损伤等。果实，甘、酸，平，补血，活血调经。用于闭经，贫血等。 |

| **用法用量** | 根、枝叶，内服煎汤，15 ~ 30 g。外用鲜叶适量，捣敷。 |

| **凭证标本号** | 441523200106009LY、440783200328012LY、440781190321008LY。 |

紫金牛科 Myrsinaceae 酸藤子属 Embelia

多脉酸藤子 *Embelia oblongifolia* Hemsl.

| 药 材 名 | 多脉酸藤子（药用部位：果实。别名：密齿酸藤子、马桂花、打虫果）。

| 形态特征 | 攀缘灌木。枝条具皮孔。叶片长圆状卵形至椭圆状披针形，坚纸质，上半部边缘具粗疏锯齿，两面无毛，叶面侧脉明显，背面中、侧脉及细脉均隆起，具两面均隆起的腺点，以近边缘处腺点为多。总状花序被细绒毛；花萼基部连合，萼片具缘毛，两面无毛；花瓣白色或粉红色，分离，舌状或近匙形，里面密被乳头状突起，具腺点。果实球形，红色，具腺点。花期 10 ~ 11 月，果期 10 ~ 12 月。

| 生境分布 | 生于山坡、山谷疏林、密林中或疏灌丛中。分布于广东大埔、博罗、从化、增城、英德、德庆、怀集、高要、新兴、恩平、开平、信宜

及深圳（市区）等。

| **资源情况** | 野生资源丰富。药材来源于野生。

| **采收加工** | 冬季果实近成熟时采收，晒干。

| **药材性状** | 本品呈球形，直径 4 ~ 8 mm；表面棕红色或灰紫色，平滑，有的略具网状纹，一端有刺状突起（柱头），具宿存萼片；果皮质脆易碎。种子扁圆球形，质坚硬，种皮淡红色，皱缩，种仁黄白色，有不规则凸起的小圆点。气微，味淡。

| **功能主治** | 甘、酸，平。驱虫，止泻。用于蛔虫病，绦虫病等。

| **用法用量** | 内服煎汤，3 ~ 9 g；或研末。

| **凭证标本号** | 441523190403027LY、441823190928006LY、441422190316410LY。

| **附　注** | 本种名称已修订为密齿酸藤子 *Embelia vestita* Roxb.。

紫金牛科 Myrsinaceae 酸藤子属 Embelia

厚叶白花酸藤果

Embelia ribes Burm. f. var. *pachyphylla* Chun ex C. Y. Wu et C. Chen

| 药 材 名 | 白花酸藤果（药用部位：根、叶、果实。别名：早禾酸）。

| 形态特征 | 攀缘灌木。枝条光滑，很少具皮孔，小枝被柔毛，极少无毛。叶片厚，革质或几肉质，叶面光滑，中脉凹陷，背面被白粉，中脉隆起，侧脉不明显。圆锥花序，被乳头状突起或微柔毛；花萼基部连合达1/2，萼片外被柔毛，具乳头状突起和腺点；花瓣淡绿色或白色，边缘和里面具乳头状突起和疏腺点。果实球形，红色或深紫色。花期1~7月，果期5~12月。

| 生境分布 | 生于林内、林缘灌丛或路边灌丛。分布于广东乐昌、丰顺、博罗、封开、广宁、信宜等。

| 资源情况 | 野生资源较丰富。药材来源于野生。

| 采收加工 | 根、叶，全年均可采收，根洗净，切片或段，晒干，叶晒干或鲜用。果实，夏末秋初果实近成熟时采收，蒸熟，晒干。

| 功能主治 | 根、叶，酸，平，祛瘀止痛，消炎止泻。用于痢疾，肠炎，消化不良，咽喉肿痛，跌打损伤等。果实，甘、酸，平，补血，活血调经。用于闭经，贫血等。

| 用法用量 | 内服煎汤，根 15 ~ 30 g，果实 9 ~ 15 g。外用鲜叶适量，捣敷。

| 凭证标本号 | 441422210224714LY、441225180607035LY、441623180628036LY。

紫金牛科 Myrsinaceae 酸藤子属 Embelia

网脉酸藤子

Embelia rudis Hand.-Mazz.

| **药 材 名** | 网脉酸藤子（药用部位：根、茎。别名：了哥脷、米汤果、马桂花）。

| **形态特征** | 攀缘灌木。分枝多，密布皮孔。叶片坚纸质，边缘具细或粗锯齿，两面无毛，叶面中脉下凹，背面中脉隆起，侧脉多数，直达齿尖，细脉网状，明显隆起。总状花序；萼片具缘毛和腺点；花瓣淡绿色或白色，边缘膜质，具缘毛，里面密被微柔毛或乳头状突起，具腺点。果实球形，蓝黑色或带红色，具腺点，宿存萼紧贴果实。花期10～12月，果期翌年4～7月。

| **生境分布** | 生于山坡、路边、丘陵或疏林中阳光充足处。分布于广东乳源、新丰、翁源、仁化、乐昌、和平、蕉岭、平远、五华、饶平、从化、连山、阳山、连州、英德、封开、新兴、信宜等。

| **资源情况** | 野生资源较丰富。药材来源于野生。 |

| **采收加工** | 全年均可采收，洗净，切段，晒干。 |

| **功能主治** | 辛，微温。活血通经。用于月经不调，闭经，风湿痹痛等。 |

| **用法用量** | 内服煎汤，9 ~ 15 g。 |

| **凭证标本号** | 440281190423025LY、441823201031043LY、440224181114040LY。 |

| **附　　注** | 本种名称已修订为密齿酸藤子 *Embelia vestita* Roxb.。 |

紫金牛科 Myrsinaceae 酸藤子属 Embelia

瘤皮孔酸藤子

Embelia scandens (Lour.) Mez

曾佑派提供

| 药 材 名 |

假刺藤（药用部位：根、叶。别名：乌肺叶）。

| 形态特征 |

攀缘灌木，密布瘤状皮孔。叶片坚纸质，全缘或上半部具疏锯齿，两面无毛，背面中、侧脉隆起，边缘及先端具密腺点。总状花序腋生；萼片三角形，具腺点；花瓣白色或淡绿色，分离，具明显腺点和疏缘毛，外面无毛，里面中央尤其是基部密被乳头状突起。果实球形，红色，花柱宿存，宿存萼反卷。花期 11 月至翌年 1 月，果期 3 ~ 5 月。

| 生境分布 |

生于山坡、山谷疏林、密林中或疏灌丛中。分布于广东封开、徐闻及广州（市区）、韶关（市区）、清远（市区）、河源（市区）等。

| 资源情况 |

野生资源一般。药材来源于野生。

| 采收加工 |

根，全年均可采收，洗净，切片，晒干。叶，夏季采收，鲜用或晒干。

| **功能主治** | 淡、涩，平；有小毒。疏经活络，敛肺止咳，灭虱。用于痹证，肺痨咳嗽等。

| **用法用量** | 内服煎汤，2 ~ 12 g。

| **凭证标本号** | 441623181017014LY。

紫金牛科 Myrsinaceae 酸藤子属 Embelia

大叶酸藤子

Embelia subcoriacea (C. B. Clarke) Mez

| 药 材 名 | 大叶酸藤子（药用部位：全株或果实。别名：吊罗果、平叶酸藤子、长叶酸藤子）。

| 形态特征 | 攀缘灌木。枝条具瘤或皮孔。叶片坚纸质，全缘，两面无毛，具腺点，有时腺点伸长，呈碎发状，并从中脉与侧脉平行向两侧放射；叶柄长 1 ~ 1.5 cm。总状花序基部具覆瓦状排列的苞片；萼片具缘毛和腺点；花瓣淡绿色或黄白色，分离，外面无毛，里面密被微柔毛，具缘毛和腺点。果实扁球形，深红色，具密腺点和纵肋。花期 4 ~ 5 月，果期 9 ~ 12 月。

| 生境分布 | 生于山谷、山坡密林或疏林中。分布于广东乳源、新丰、翁源、乐昌、曲江、和平、蕉岭、陆丰、龙门、从化、连山、阳山、连州、英德、

封开、信宜等。

| **资源情况** | 野生资源较丰富。药材来源于野生。

| **采收加工** | 全株，全年均可采收，洗净，切段，晒干。果实，秋季果实近成熟时采收，晒干。

| **药材性状** | 本品果实扁球形，棕绿色，直径约 1 cm，具密腺点及纵肋，可见反卷宿存萼。气微，味酸、甜。

| **功能主治** | 全株，酸、涩，平，祛风利湿，消肿散瘀。用于肾炎性水肿，肠炎，腹泻，跌打瘀肿。果实，甘、酸，平，驱虫。用于蛔虫病。

| **用法用量** | 全株，内服煎汤，30 ~ 60 g。果实，内服煎汤，6 ~ 9 g；或研末。

| **附　注** | 本种名称已修订为平叶酸藤子 *Embelia undulata* (Wall.) Mez。

紫金牛科 Myrsinaceae 杜茎山属 Maesa

毛穗杜茎山 *Maesa insignis* Chun

| **药 材 名** | 毛穗杜茎山（药用部位：根茎）。

| **形态特征** | 灌木。小枝纤细，密被长硬毛，髓部空心。叶片纸质，边缘具锐锯齿，两面被糙伏毛，叶面中脉微凹，背面中、侧脉隆起且密被长硬毛。总状花序长约 6 cm；总梗、苞片、花梗、花萼及小苞片均被长硬毛；花冠黄白色，钟形；裂片长约为花冠管的 1/2，具脉状腺条纹。果实球形，白色，被长硬毛，宿存萼包围果实先端。花期 1 ~ 2 月，果期 5 ~ 11 月。

| **生境分布** | 生于山坡或丘陵的疏林下。分布于广东乳源、阳山、德庆、封开、信宜等。

| **资源情况** | 野生资源稀少。药材来源于野生。 |

| **采收加工** | 夏、秋季采收，洗净，晒干。 |

| **功能主治** | 用于风湿痹痛，水肿，跌打损伤等。 |

| **用法用量** | 内服煎汤，15 ~ 30 g。 |

紫金牛科 Myrsinaceae 杜茎山属 Maesa

杜茎山

Maesa japonica (Thunb.) Moritzi et Zoll.

| 药 材 名 | 杜茎山（药用部位：根、茎、叶。别名：野胡椒、鱼子花、山茄子）。

| 形态特征 | 灌木。小枝具细条纹，疏生皮孔。叶片革质，几全缘或中部以上具锯齿，两面无毛，背面中脉明显隆起。总状花序或圆锥花序；萼片具脉状腺条纹和细缘毛；花冠白色，长钟形，具明显脉状腺条纹，裂片卵形或肾形，长约为花冠管的 1/3。果实球形，肉质，具脉状腺条纹，宿存萼包围果实先端。花期 1 ~ 3 月，果期 5 ~ 10 月。

| 生境分布 | 生于山坡、杂木林下阳处或路旁灌丛。广东各地均有分布。

| 资源情况 | 野生资源丰富。药材来源于野生。

| 采收加工 | 全年均可采收，洗净，切段，晒干或鲜用。

| **药材性状** | 本品茎类圆柱形，长短不一，表面黄褐色，具细条纹及疏生的皮孔。叶片多破碎，完整者展平后呈椭圆形、椭圆状披针形、倒卵形或长圆状卵形，长 5 ~ 15 cm，宽 2 ~ 5 cm，先端尖或急尖，基部楔形或圆形，边缘中部以上有疏齿。气微，微苦。

| **功能主治** | 苦，寒。祛风邪，解疫毒，消肿胀。用于热性传染病，寒热发歇不定，身痛，烦躁，口渴，水肿，跌打肿痛，外伤出血等。

| **用法用量** | 内服煎汤，15 ~ 30 g。外用适量，煎汤洗；或捣敷。

| **凭证标本号** | 441523191019007LY、441825190502018LY、441422190717409LY。

紫金牛科 Myrsinaceae 杜茎山属 Maesa

金珠柳 Maesa montana A. DC.

| 药 材 名 | 金珠柳（药用部位：根、叶。别名：山地杜茎山、白胡椒、观音茶）。

| 形态特征 | 灌木。小枝被长硬毛或柔毛。叶片坚纸质，边缘具粗锯齿，齿尖具腺点，背面脉上被疏硬毛，中脉隆起，侧脉尾端直达齿尖。总状花序或圆锥花序，被硬毛；萼片与萼管等长，具缘毛；花冠白色，钟形，具脉状腺条纹，裂片与花冠管近等长。果实球形，幼时褐红色，成熟后呈白色，具脉状腺条纹，宿存萼包围果实的2/3。花期2～4月，果期10～12月。

| 生境分布 | 生于山间杂木林下或疏林下。分布于广东连平、从化、开平、信宜及清远（市区）等。

| **资源情况** | 野生资源较少。药材来源于野生。

| **采收加工** | 根，全年均可采收，洗净，切段，晒干。叶，夏、秋季采收，鲜用或晒干。

| **功能主治** | 苦，寒。清热利湿。用于痢疾，泄泻等。

| **用法用量** | 内服煎汤，9 ~ 15 g。

| **凭证标本号** | 441825190503006LY、441823210204008LY、441284190718536LY。

紫金牛科 Myrsinaceae 杜茎山属 *Maesa*

鲫鱼胆 *Maesa perlarius* (Lour.) Merr.

| 药 材 名 |

鲫鱼胆（药用部位：全株。别名：空心花、嫩肉木、丁药）。

| 形态特征 |

小灌木。分枝多，小枝被长硬毛或短柔毛。叶片纸质，边缘从中下部以上具粗锯齿，下部常全缘，幼时两面均被长硬毛，成长后叶面除叶脉具硬毛外其余部位近无毛，背面被长硬毛，中脉隆起，尾端直达齿尖。总状花序或圆锥花序，被长硬毛和短柔毛；萼片、花冠及果实均具脉状腺条纹；花冠白色，钟形。果实球形，宿存萼片达果的 2/3 处。花期 3 ~ 6 月，果期 10 ~ 12 月。

| 生境分布 |

生于山坡、路边疏林或灌丛中湿润的地方。广东各地均有分布。

| 资源情况 |

野生资源丰富。药材来源于野生。

| 采收加工 |

全年均可采收，切段，晒干或鲜用。

| **功能主治** | 苦，平。归心、肝经。接骨消肿，生肌去腐。用于跌打损伤，骨折，刀伤，疔疮肿疡。

| **用法用量** | 外用适量，捣敷。

| **凭证标本号** | 441523190403041LY、440783190715029LY、441825190709004LY。

紫金牛科 Myrsinaceae 铁仔属 Myrsine

铁仔

Myrsine africana L.

| 药 材 名 | 铁仔（药用部位：根、茎、叶。别名：明立花、腺毛铁仔）。

| 形态特征 | 灌木。小枝在叶柄下延处具棱角，幼嫩时被锈色头状微柔毛及红色颗粒状腺体。叶片坚纸质，边缘中部以上具锯齿，齿端常具短刺尖，背面具小腺点，以边缘居多。花簇生或为近伞形花序，腋生；花4基数；萼片具缘毛及腺点；雌花花冠长为萼的2倍或更长，基部连合成管，管长约为花冠全长的1/2。果实球形，初呈红色，后呈紫黑色，光亮。花期3～6月，果期8～11月。

| 生境分布 | 生于山坡疏林中或林缘。分布于广东乳源、新丰、翁源、仁化、始兴、从化、德庆、连山及广州（市区）等。

| **资源情况** | 野生资源较少。药材来源于野生。 |

| **采收加工** | 根、茎，全年均可采收，洗净，切段，晒干。叶，夏、秋季采收，鲜用或晒干。 |

| **功能主治** | 根、茎，苦、涩、微甘，平，清热利湿，收敛止血。用于肠炎，痢疾，血崩，便血，肺结核咯血，牙痛等。叶，苦、涩、微甘，平，收敛止血。用于烫火伤等。 |

| **用法用量** | 根、茎，内服煎汤，15 ~ 30 g。叶，外用适量，煎汤洗。 |

紫金牛科 Myrsinaceae 铁仔属 *Myrsine*

针齿铁仔

Myrsine semiserrata Wall.

| **药 材 名** | 针刺铁仔（药用部位：果实。别名：齿叶铁仔）。

| **形态特征** | 大灌木。小枝在叶柄下延处具棱角。叶片坚纸质，边缘中部以上具刺状细锯齿，背面中脉隆起，侧脉连成边缘脉，细脉网状，具疏腺点。伞形花序或花簇生；花4基数；花萼基部连合成短管，萼片具腺点和缘毛；花冠白色至淡黄色，基部连合成短管，具腺点和缘毛。果实球形，初呈红色，后呈紫黑色，具密腺点。花期2～4月，果期10～12月。

| **生境分布** | 生于山坡疏、密林内或路旁、沟边、石灰岩山坡等阳处。分布于广东乳源、乐昌、饶平、从化、连山、阳山、连州、英德、信宜等。

| **资源情况** | 野生资源较少。药材来源于野生。 |

| **采收加工** | 秋季果实近成熟时采收，晒干。 |

| **药材性状** | 本品圆球形，直径 4 ~ 5 mm。表面紫黑色或棕红色，具腺点。内有种子1，有的具宿萼，萼片下半部连合。气微，味酸、苦。 |

| **功能主治** | 苦、酸，平。驱虫。用于绦虫病。 |

| **用法用量** | 内服煎汤，9 ~ 12 g。 |

| **凭证标本号** | 441225180728041LY。 |

紫金牛科 Myrsinaceae **铁仔属** Myrsine

光叶铁仔

Myrsine stolonifera (Koidz.) E. Walker

| 药 材 名 | 光叶铁仔（药用部位：全株或根。别名：匍匐铁仔、蔓竹杞）。

| 形态特征 | 灌木。分枝多。叶片坚纸质，全缘或中部以上具 1 ~ 2 对齿，两面
均无毛，叶面侧脉微隆起，背面中脉隆起，边缘具腺点，其余部位
密布小窝孔。伞形花序或花簇生，腋生或生于裸枝叶痕；花 5 基数；
萼片具明显腺点，无缘毛；花冠基部连合成极短的管，里面密被乳
头状突起，长约为萼片的 2 倍，具明显腺点。果实球形，初呈红色，
后呈蓝黑色，无毛。花期 4 ~ 6 月，果期 10 ~ 12 月。

| 生境分布 | 生于疏林、密林中潮湿的地方。分布于广东乳源、翁源、仁化、乐昌、
曲江、和平、大埔、饶平、海丰、龙门、从化、增城、花都、连山、
阳山、连州、英德、封开、怀集、广宁、阳春、信宜等。

| **资源情况** | 野生资源丰富。药材来源于野生。

| **采收加工** | 全年均可采收，洗净，切段，晒干。

| **功能主治** | 苦、涩，微平。清热利湿，收敛止血。用于肠炎，痢疾，便血，牙痛等。

| **用法用量** | 内服煎汤，15 ~ 30 g。

| **凭证标本号** | 441882180505056LY。

紫金牛科 Myrsinaceae 密花树属 Rapanea

密花树

Myrsine neriifolia (Siebold et Zucc.) Mez

| **药 材 名** | 密花树（药用部位：根皮、叶。别名：打铁树、鹅骨梢）。 |

| **形态特征** | 大灌木。小枝具皱纹，无毛。叶片革质，全缘，两面无毛，叶面中脉下凹，背面中脉隆起，侧脉不明显。伞形花序或花簇生，着生于具覆瓦状排列的苞片的短枝上，短枝腋生或生于无叶老枝叶痕上；萼片具缘毛；花瓣白色或淡绿色，偶有呈紫红色者，花时反卷，具腺点，里面和边缘密被乳头状突起。果实球形，灰绿色或紫黑色。花期 4 ~ 5 月，果期 10 ~ 12 月。 |

| **生境分布** | 生于混交林或苔藓林中，亦生于林缘、路旁等灌丛中。分布于广东除雷州半岛、湛江以外的地区。 |

| **资源情况** | 野生资源丰富。药材来源于野生。

| **采收加工** | 夏、秋季采收，洗净，晒干或鲜用。

| **功能主治** | 淡，寒。归肾、膀胱经。清热利湿，凉血解毒。用于乳痈，疮疖，膀胱结石等。

| **用法用量** | 内服煎汤，30 ～ 60 g。外用适量，鲜品捣敷。

| **凭证标本号** | 441523190516029LY、440281190627012LY、440781190321016LY。

安息香科 Styracaceae 赤杨叶属 Alniphyllum

赤杨叶

Alniphyllum fortunei (Hemsl.) Makino

| 药 材 名 | 豆渣树（药用部位：根、叶。别名：冬瓜木、红皮岭麻、鹿食）。

| 形态特征 | 乔木，高 15 ～ 20 m，胸径达 60 cm。树干通直。树皮灰褐色，有不规则细纵皱纹。小枝暗褐色。叶纸质，嫩时呈膜质，椭圆形，边缘具疏离硬质锯齿，两面被褐色星状短柔毛或星状绒毛，下面有时具白粉。总状花序或圆锥花序；花白色或粉红色。果实长圆形，疏被白色星状柔毛或无毛，成熟时 5 瓣开裂；种子多数。花期 4 ～ 7 月，果期 8 ～ 10 月。

| 生境分布 | 生于海拔 600 ～ 1 000 m 的常绿阔叶林中。分布于广东从化、曲江、始兴、仁化、翁源、乳源、新丰、乐昌、南雄、高州、信宜、怀集、封开、德庆、高要、龙门、大埔、五华、平远、蕉岭、兴宁、龙川、

连平、和平、阳春、阳山、连山、英德、连州及云浮（市区）、珠海（市区）。

| **资源情况** | 野生资源丰富。药材来源于野生。

| **采收加工** | 夏、秋季采收，洗净，晒干。

| **功能主治** | 辛，微温。祛风除湿，利尿消肿。用于风湿痹痛，水肿，小便不利。

| **用法用量** | 内服煎汤，3 ~ 10 g。外用适量，煎汤洗。

| **凭证标本号** | 441825191002008LY、440281190627044LY、440224180330013LY。

安息香科 Styracaceae 陀螺果属 Melliodendron

陀螺果
Melliodendron xylocarpum Hand.-Mazz.

| 药 材 名 | 冬瓜木（药用部位：根、叶。别名：水冬瓜、鸭头梨）。

| 形态特征 | 乔木，高 6 ~ 20 m，胸径达 20 cm。树皮灰褐色，有不规则条状裂纹。小枝红褐色，嫩时被星状短柔毛，成长后无毛。叶纸质，卵状披针形、椭圆形至长椭圆形，先端稍尾尖，基部楔形，边缘有细锯齿。花白色；花冠裂片长圆形，两面均密被细绒毛。果实形状、大小变化较大，常呈倒卵形、倒圆锥形或倒卵状梨形，外面密被星状绒毛，有 5 ~ 10 棱或脊。花期 4 ~ 5 月，果期 7 ~ 10 月。

| 生境分布 | 生于海拔 700 ~ 1 300 m 的林中。分布于广东乐昌、乳源、始兴、连山、连南、南雄、曲江、仁化、翁源、阳山、英德、平远、怀集、德庆。

| **资源情况** | 野生资源较丰富。药材来源于野生。

| **采收加工** | 根，全年均可采挖，洗净，晒干。叶，全年均可采收，洗净，晒干。

| **功能主治** | 清热，杀虫。用于口臭，口苦，蛔虫病。

| **用法用量** | 内服煎汤，6 ~ 15 g。外用适量，捣敷；或煎汤洗。

| **凭证标本号** | 440224180331004LY、441882180814050LY、441225190317014LY。

安息香科 Styracaceae 安息香属 Styrax

赛山梅
Styrax confusus Hemsl.

药 材 名	白山龙（药用部位：叶、果实、根。别名：乌蚊子、猛骨子）。
形态特征	小乔木，高 2 ~ 8 m，胸径达 12 cm。树皮灰褐色，平滑。嫩枝扁圆柱形，紫红色。叶革质或近革质，椭圆形、长圆状椭圆形或倒卵状椭圆形，边缘有细锯齿。总状花序顶生，有花 3 ~ 8，下部常有 2 ~ 3 花聚生于叶腋；花白色。果实近球形或倒卵形，果皮常具皱纹；种子倒卵形，褐色，平滑或具深皱纹。花期 4 ~ 6 月，果期 9 ~ 11 月。
生境分布	生于海拔 100 ~ 1 800 m 的丘陵、山地疏林中。分布于广东增城、始兴、仁化、翁源、乳源、新丰、乐昌、南雄、开平、高州、信宜、怀集、封开、高要、博罗、龙门、大埔、平远、蕉岭、兴宁、紫金、和平、阳春、阳山、英德、连州、新兴及深圳（市区）。

| 资源情况 | 野生资源丰富。药材来源于野生。

| 采收加工 | 叶，夏、秋季采收，晒干。果实，秋季采收，晒干。根，全年均可采收，晒干。

| 功能主治 | 叶，止血，止痛，祛风湿。用于外伤出血，风湿痹痛，跌打损伤。果实，清热解毒，消痈散疖。用于痈肿疮毒。根，止痛。用于胃脘痛。

| 凭证标本号 | 441825190412024LY、441523190404020LY、441823200708028LY。

安息香科 Styracaceae 安息香属 Styrax

白花龙 *Styrax faberi* Perkins

| 药 材 名 | 白花龙（药用部位：全株。别名：白龙条、扫酒树、棉子树）。

| 形态特征 | 灌木，高 1 ~ 2 m。嫩枝纤弱，具沟槽，扁圆形；老枝圆柱形，紫红色，直立或呈蜿蜒状。叶互生，纸质，椭圆形、倒卵形或长圆状披针形，边缘具细锯齿。总状花序顶生，有花 3 ~ 5；单花腋生，白色。果实倒卵形或近球形，外面密被灰色星状短柔毛，果皮厚约 0.5 mm，平滑。花期 4 ~ 6 月，果期 8 ~ 10 月。

| 生境分布 | 生于山地、丘陵、疏林中。分布于广东曲江、始兴、仁化、乳源、新丰、乐昌、南雄、台山、鹤山、恩平、高州、信宜、怀集、封开、德庆、高要、博罗、梅县、平远、蕉岭、连山、英德、连州、饶平、郁南、罗定及深圳（市区）、广州（市区）、河源（市区）、阳江（市区）。

| **资源情况** | 野生资源丰富。药材来源于野生。 |

| **采收加工** | 8 ~ 9 月采收全株，除去杂质，阴干。 |

| **功能主治** | 苦，寒。止泻，止痒，止血，生肌，消肿。用于腹泻，皮肤瘙痒，外伤出血等。 |

| **用法用量** | 内服煮散，3 ~ 5 g；或入丸、散剂。 |

| **凭证标本号** | 441523190516022LY、440783201003004LY、440281190424018LY。 |

台湾安息香
Styrax formosanus Matsum.

| 药 材 名 | 台湾安息香（药用部位：茎叶。别名：乌皮九苓、奋起湖野茉莉）。

| 形态特征 | 灌木，高 2 ～ 3 m。嫩枝密被黄褐色星状短柔毛，老枝无毛。叶互生，纸质，倒卵形、椭圆状菱形或椭圆形，长 2 ～ 5（～ 7）cm，宽 1.5 ～ 2.5 cm，先端尾尖或渐尖，中部以上边缘有不整齐粗锯齿。总状花序顶生，有花 3 ～ 5，下部常单花腋生；花白色；小苞片钻形；花萼膜质，浅杯状。果实卵形，先端有喙或具短尖头，外面有不规则纵皱纹；种子长卵形，褐色，有 3 浅沟纹。花期 3 ～ 4 月，果期 5 ～ 6 月。

| 生境分布 | 生于海拔 500 ～ 1 300 m 的丘陵或山地灌丛中。分布于广东乳源、

连山、博罗等。

| **资源情况** | 野生资源较少。药材来源于野生。

| **采收加工** | 全年均可采收，晒干。

| **功能主治** | 开窍醒神，行气活血，止痛。用于闭证神昏，疮疡肿毒，瘰疬痰核，咽喉肿痛，血瘀经闭，癥瘕，心腹暴痛，头痛，跌打损伤，风寒湿痹，难产，死胎，胞衣不下。

| **用法用量** | 内服研末，0.3 ~ 1.5 g；或入丸、散剂。

| **凭证标本号** | 441882190615003LY。

安息香科 Styracaceae 安息香属 Styrax

野茉莉

Styrax japonicus Siebold et Zucc.

| **药 材 名** | 安息香（药用部位：叶、果实。别名：白花榔）。

| **形态特征** | 灌木或小乔木。树皮暗褐色或灰褐色，平滑。叶互生，纸质或近革质，椭圆形至卵状椭圆形，常稍弯曲，近全缘或仅于边缘上半部具疏离锯齿，背面除脉腋具髯毛外其余部位无毛。总状花序顶生，具花 5 ~ 8，有时下部的花生于叶腋；花白色；花梗在开花时下垂，比花短，无毛；花萼膜质，漏斗状，无毛。果实卵形，先端具短尖头，有不规则皱纹；种子褐色，有深皱纹。花期 4 ~ 7 月，果期 9 ~ 11 月。

| **生境分布** | 生于海拔 100 ~ 1 500 m 的林中。分布于广东乳源、翁源及汕尾（市区）、揭阳（市区）、汕头（市区）、潮州（市区）、云浮（市区）、清远（市区）、韶关（市区）、河源（市区）、梅州（市区）、深圳（市

区）等。

| **资源情况** | 野生资源一般。药材来源于野生。

| **采收加工** | 叶，春、夏季采收。果实，果实成熟时采摘，鲜用或晒干。

| **功能主治** | 辛、苦，温；有小毒。开窍醒神，行气活血，止痛。用于祛风除湿，舒筋活络。

| **用法用量** | 内服煎汤，10 ~ 15 g。外用适量，与虫瘿内白色粉状物共研末，烧烟熏。

| **凭证标本号** | 441825190801068LY、440281200706003LY。

安息香科 Styracaceae 安息香属 Styrax

芬芳安息香
Styrax odoratissimus Champ. ex Benth.

| 药 材 名 | 芬芳安息香（药用部位：全株。别名：白木、野菱莉、郁香野茉莉）。

| 形态特征 | 小乔木，高 4 ~ 10 m，直径达 20 cm。树皮灰褐色，不开裂。嫩枝稍扁，疏被黄褐色星状短柔毛，老枝圆柱形，无毛。叶互生，薄革质至纸质，卵形或卵状椭圆形，全缘或边缘上部有疏锯齿，下面仅主脉与侧脉会合处被白色星状长柔毛。总状或圆锥花序，顶生；花白色。果实近球形，先端骤缩而具弯喙，密被灰黄色星状绒毛；种子卵形，密被褐色鳞片状毛和瘤状突起，稍具皱纹。花期 3 ~ 4 月，果期 6 ~ 9 月。

| 生境分布 | 生于海拔 100 ~ 1 400 m 的林中。分布于广东肇庆（市区）、江门（市

区）、惠州（市区）、云浮（市区）、清远（市区）、韶关（市区）、河源（市区）、梅州（市区）。

| 资源情况 | 野生资源丰富。药材来源于野生。

| 采收加工 | 全年均可采收，晒干。

| 功能主治 | 甘、苦，微寒。润肺生津，止痒，止咳，杀虫。用于肺燥咳嗽，干咳无痰，口燥咽干。

| 用法用量 | 内服煎汤，0.6 ~ 1.5 g；或入丸、散剂。

| 凭证标本号 | 441422190726421LY、441622190530004LY、441623180810028LY。

安息香科 Styracaceae 安息香属 Styrax

栓叶安息香
Styrax suberifolius Hook. et Arn.

| 药 材 名 | 红皮（药用部位：叶、根。别名：粘高树、赤血仔）。

| 形态特征 | 乔木，高 4 ～ 20 m，胸径达 40 cm。树皮红褐色或灰褐色，粗糙。嫩枝稍扁，被锈褐色星状绒毛；老枝无毛，圆柱形，紫褐色或灰褐色。叶互生；叶片革质，椭圆形、长椭圆形或椭圆状披针形，长 5 ～ 15 （～ 18）cm，宽 2 ～ 5（～ 8）cm，先端渐尖，尖头有时稍弯，叶背密被黄褐色至灰褐色星状绒毛，侧脉每边 5 ～ 12，中脉在上面凹陷，在下面隆起，近全缘。总状花序或圆锥花序，顶生或腋生；花白色。果实卵状球形，成熟时从先端向下 3 瓣开裂；种子褐色。花期 3 ～ 5 月，果期 9 ～ 11 月。

| 生境分布 | 生于海拔 100 ～ 1 300 m 的密林中。广东各地均有分布。

| 资源情况 | 野生资源丰富。药材来源于野生。

| 采收加工 | 夏、秋季采收，洗净，根切片，晒干，叶阴干。

| 药材性状 | 本品完整叶展平后呈椭圆形、长椭圆形或椭圆状披针形；叶柄上面具深槽或近四棱形，密被灰褐色或锈色星状绒毛。气微，味辛。

| 功能主治 | 辛，微温。祛风，除湿，理气止痛。用于胃气痛，风湿关节痛等。

| 用法用量 | 叶，外用适量，煎汤熏洗。根，内服研末，2.5 ～ 5 g。

| 凭证标本号 | 441422190303420LY、441623180914002LY。

安息香科 Styracaceae 安息香属 Styrax

越南安息香 *Styrax tonkinensis* (Pierre) Craib ex Hartwich

| 药 材 名 | 越南安息香（药用部位：叶、树脂。别名：老挝安息香、暹罗安息香、黑色库库）。

| 形态特征 | 乔木。树皮暗灰色或灰褐色，有不规则纵裂纹。枝稍扁，幼时被褐色绒毛，成长后无毛，暗褐色。叶互生，纸质至薄革质，椭圆形，近全缘，嫩叶有时具 2 ~ 3 齿裂。圆锥花序或渐缩小成总状花序；花白色；花冠裂片膜质；花萼杯状。果实近球形，外面密被灰色星状绒毛；种子卵形，密被小瘤状突起和星状毛。花期 4 ~ 6 月，果期 8 ~ 10 月。

| 生境分布 | 生于山地林中。分布于广东乳源、乐昌、高州、信宜、封开、阳春、英德及广州（市区）。广东各地均有栽培。

| 资源情况 | 野生资源一般。栽培资源一般。药材来源于野生和栽培。

| 采收加工 | 叶，夏、秋季采收洗净，阴干。树脂，选择自然受损的树干或于夏、秋季割裂树干，收集流出的树脂，阴干。

| 药材性状 | 本品干燥树脂为不规则的小块，稍扁平，常黏结成团块，表面橙黄色，具蜡样光泽；或呈不规则的圆柱状、扁平块状，表面灰白色至淡黄白色。质脆，断面平坦，白色，放置后逐渐变为淡黄棕色至红棕色，加热则软化熔融。气芳香，味微辛，嚼之有砂粒感。

| 功能主治 | 叶，苦、甘、平，润肺止咳。用于咳嗽。树脂，开窍醒神，行气活血，止痛。用于中风痰厥，气郁暴厥，中恶昏迷，心腹疼痛，产后血晕，小儿惊风。

| 用法用量 | 叶，内服研末，10 ~ 15 g。树脂，内服研末，0.6 ~ 1.5 g，多入丸、散剂。

山矾科 Symplocaceae 山矾属 Symplocos

薄叶山矾

Symplocos anomala Brand

| 药 材 名 |

薄叶冬青（药用部位：叶）。

| 形态特征 |

小乔木或灌木。顶芽、嫩枝被褐色柔毛；老枝通常呈黑褐色。叶薄革质，狭椭圆形、椭圆形或卵形，长 5 ～ 7 cm，宽 1.5 ～ 3 cm，全缘或具锐锯齿，中脉和侧脉在叶面均凸起，侧脉每边 7 ～ 10；叶柄长 4 ～ 8 mm。总状花序腋生；花萼 5 裂，裂片半圆形，与萼筒等长；花冠白色，有桂花香，5 深裂几达基部。核果褐色，长圆形，被短柔毛，有明显纵棱，3 室，先端宿萼裂片直立或向内伏。花果期 4 ～ 12 月。

| 生境分布 |

生于海拔 100 ～ 1 700 m 的山地杂木林中。分布于广东增城、曲江、翁源、乳源、乐昌、廉江、高州、信宜、怀集、封开、德庆、博罗、梅县、大埔、蕉岭、和平、阳春、连山、英德、罗定。

| 资源情况 |

野生资源较丰富。药材来源于野生。

| **采收加工** | 全年均可采收，晒干。 |

| **功能主治** | 苦，平。活血，消肿。 |

| **凭证标本号** | 440781190321022LY。 |

山矾科 Symplocaceae 山矾属 Symplocos

华山矾

Symplocos chinensis (Lour.) Druce

| 药 材 名 | 华山矾（药用部位：根、叶、果实。别名：土常山、白檀、狗屎木）。

| 形态特征 | 灌木。嫩枝、叶柄、叶背均被灰黄色皱曲柔毛。叶纸质，椭圆形或倒卵形，长 4 ~ 7（~ 10）cm，宽 2 ~ 5 cm，先端急尖或短尖，有时圆，基部楔形或圆形，边缘有细尖锯齿，叶面有短柔毛，中脉在叶面凹下，侧脉每边 4 ~ 7。圆锥花序顶生或腋生，长 4 ~ 7 cm；花序轴、苞片、萼外面均密被灰黄色皱曲柔毛；苞片早落；花萼长 2 ~ 3 mm。裂片长圆形，长于萼筒；花冠白色，芳香，长约 4 mm，5 深裂几达基部；雄蕊 50 ~ 60，花丝基部合生成五体雄蕊；花盘具凸起的腺点 5，无毛；子房 2 室。核果卵状圆球形，歪斜，长 5 ~ 7 mm，被紧贴的柔毛，成熟时呈蓝色，先端宿萼裂片向内伏。

花期 4 ~ 5 月，果期 8 ~ 9 月。

| **生境分布** | 生于海拔 1 200 m 以下的丘陵、荒坡灌丛中。广东各地均有分布。

| **资源情况** | 野生资源丰富。药材来源于野生。

| **采收加工** | 根，夏、秋季采挖，洗净，鲜用，或切片，晒干。叶，夏、秋季采收，切碎，晒干或鲜用。果实，8 ~ 9 月果实成熟时采收，晒干。

| **药材性状** | 本品根呈圆柱形，直或弯曲；表面具瘤状隆起，有不规则纵裂，有的有小支根痕，栓皮棕黄色，常片状剥离；质坚硬，难折断，断面皮部外侧棕黄色，内侧淡黄色，形成层清楚，木部灰白色至淡黄色，射线纤细，有环状年轮。气微，味苦、涩。

| **功能主治** | 根，苦，凉，有小毒，清热解毒，化痰截疟，通络止痛。用于感冒发热，泻痢，疮疡疔肿，毒蛇咬伤，疟疾，筋骨疼痛，跌打损伤。叶，苦，凉，有小毒，清热利湿，解毒，止血生肌。用于出血证。果实，苦，凉，有小毒，清热解毒。用于烂疮

| **用法用量** | 根，内服煎汤，9 ~ 15 g，大剂量可用 15 ~ 30 g；外用适量，煎汤洗，或鲜品捣敷。叶，内服煎汤，15 ~ 30 g，或捣汁，25 ~ 50 g。外用适量，捣敷，或研末调敷。果实，外用适量，研末撒。

| **凭证标本号** | 440281190423013LY、440281200710016LY、441422190222731LY。

山矾科 Symplocaceae 山矾属 Symplocos

十棱山矾
Symplocos chunii Merr.

| 药 材 名 | 十棱山矾（药用部位：枝叶。别名：鸟脚木、上身眉）。

| 形态特征 | 灌木或小乔木。嫩枝通常无毛。叶革质，干后呈黄绿色，椭圆形、倒卵状椭圆形或卵形，通常全缘或有细小的齿，两面均无毛，先端急尖、圆钝或短渐尖，中脉在叶面凹下，侧脉每边 6 ~ 10。团伞花序腋生于枝端或生于已落叶的叶痕之上；花白色，有臭味；花冠长约 4 mm，5 深裂几达基部，有短花冠筒。核果圆柱形或长圆形，先端宿萼裂片直立；核具 10 纵棱。花期 6 ~ 9 月，果期 10 月至翌年 2 月。

生境分布	生于海拔 400 m 以上的溪边、山坡的疏林或密林中。分布于广东廉江、徐闻及阳江（市区）。
资源情况	野生资源一般。药材来源于野生。
采收加工	全年均可采收，晒干。
功能主治	清热解毒。
凭证标本号	440982150123021LY。

山矾科 Symplocaceae 山矾属 Symplocos

越南山矾

Symplocos cochinchinensis (Lour.) S. Moore

| 药材名 | 火灰树（药用部位：根、花蕾）。

| 形态特征 | 乔木。小枝粗壮。芽、嫩枝、叶柄、叶背中脉均被红褐色绒毛。叶纸质，椭圆形、倒卵状椭圆形或狭椭圆形，先端急尖或渐尖，边缘有细锯齿或近全缘。穗状花序长 6 ～ 11 cm；花序轴、苞片、花萼均被红褐色绒毛；花芳香；花冠白色或淡黄色，长约 5 mm，5 深裂几达基部；花盘圆柱状，无毛。核果圆球形，核具 5 ～ 8 浅纵棱。花期 8 ～ 9 月，果期 10 ～ 11 月。

| 生境分布 | 生于海拔 1 200 m 以下的溪边、路旁及阔叶林中。广东各地均有分布。

| **资源情况** | 野生资源丰富。药材来源于野生。 |

| **采收加工** | 根，夏、秋季采挖，洗净，鲜用，或切片，晒干。花蕾，初夏采收，晒干。 |

| **功能主治** | 根，化痰止咳。用于咳嗽痰多。花蕾，清热，疏肝，解郁。用于肝郁证。 |

| **凭证标本号** | 441825190805005LY、440781190709017LY、440224181113027LY。 |

山矾科 Symplocaceae 山矾属 *Symplocos*

南岭山矾 *Symplocos confusa* Brand

| 药 材 名 | 南岭山矾（药用部位：叶）。

| 形态特征 | 常绿小乔木。芽、花序、苞片及花萼均被灰色或灰黄色柔毛。叶近革质，椭圆形、倒卵状椭圆形或卵形，长 5 ~ 12 cm，宽 2 ~ 4.5 cm，先端急尖或短渐尖而尖头钝，全缘或具疏圆齿，中脉在叶面凹下，侧脉每边 5 ~ 9。总状花序长 1 ~ 4.5 cm；花萼钟形，先端有 5 浅圆齿；花白色，5 深裂至中部；花柱长约 5 mm，粗壮，圆柱形，疏被细柔毛，柱头半球形。核果卵形，先端圆，外面被柔毛，先端宿萼裂片直立或内倾。花期 6 ~ 8 月，果期 9 ~ 11 月。

| 生境分布 | 生于海拔 100 ~ 1 200 m 的溪边、路旁、石山或山坡阔叶林中。分布于广东北部、东部和西南部。

资源情况	野生资源一般。药材来源于野生。
采收加工	全年均可采收，晒干。
功能主治	清热利湿，理气化痰。用于黄疸，咳嗽，关节炎。
凭证标本号	441225180728082LY。

山矾科 Symplocaceae 山矾属 Symplocos

密花山矾

Symplocos congesta Benth.

| **药 材 名** | 密花山矾（药用部位：根）。 |

| **形态特征** | 常绿乔木或灌木。幼枝和芽均被皱曲的褐色柔毛。叶片纸质，两面均无毛，椭圆形或倒卵形，通常全缘或很少疏生细尖锯齿。团伞花序腋生于近枝端的叶腋；花萼有时呈红褐色，有纵条纹，裂片卵形或阔卵形，覆瓦状排列；花冠白色，5 深裂几达基部。核果成熟时呈紫蓝色，多汁，圆柱形，先端宿萼裂片直立。花期 8 ~ 11 月，果期翌年 1 ~ 2 月。 |

| **生境分布** | 生于海拔 200 ~ 1 200 m 的密林中。广东各地均有分布。 |

| **资源情况** | 野生资源丰富。药材来源于野生。 |

| 采收加工 | 全年均可采挖，洗净，切片，晒干或鲜用。

| 功能主治 | 酸、微苦，平。消肿止痛。用于跌打损伤。

| 用法用量 | 内服煎汤，9 ~ 15 g。外用适量，煎汤洗；或捣敷。

| 凭证标本号 | 441523190920013LY、440781190321003LY、441622200923012LY。

山矾科 Symplocaceae 山矾属 Symplocos

厚皮灰木 *Symplocos crassifolia* Benth.

| 药 材 名 | 四川山矾（药用部位：根、茎、叶。别名：黄夹柴、灰灰树）。

| 形态特征 | 乔木。小枝无毛，黄褐色。叶纸质，长圆形或长圆状椭圆形，长 7 ~ 13 cm，宽 2 ~ 5 cm，先端渐尖，基部楔形，边缘具锯齿或近全缘，两面均无毛，中脉、侧脉、网脉在叶正面均凸起，侧脉每边 9 ~ 10；叶柄长 5 ~ 10 mm。总状花序腋生，长约 2 cm；花萼无毛，裂片圆形，绿色，稍长于萼筒；花冠白色。核果具 3 分核，核骨质。

| 生境分布 | 生于山地林中。分布于广东增城、从化、乳源、新丰、乐昌、台山、廉江、电白、信宜、广宁、高要、博罗、龙门、阳春、阳山、连山、英德、罗定及深圳（市区）、珠海（市区）。

| 资源情况 | 野生资源丰富。药材来源于野生。

| 采收加工 | 夏、秋季采收，洗净，切片或段，晒干。

| 药材性状 | 本品叶片多皱缩、破碎，黄褐色，纸质，完整者展平后呈长圆形或狭椭圆形，长 7 ~ 13 cm，宽 2 ~ 5 cm，先端渐尖，基部楔形，边缘具尖锯齿，中脉在叶正面凸起；叶柄长 5 ~ 10 mm。气微，味淡。

| 功能主治 | 苦，寒。清热解毒，行水，定喘。用于水湿胀满，咳嗽喘逆，火眼，疮癣。

| 用法用量 | 内服煎汤，9 ~ 15 g。

山矾科 Symplocaceae 山矾属 Symplocos

美山矾 *Symplocos decora* Hance

药材名	山矾（药用部位：叶。别名：坛果山矾、总状山矾、卵苞山矾）。
形态特征	乔木。嫩枝褐色。叶薄革质，卵形、狭倒卵形或倒披针状椭圆形，先端常尾状渐尖，边缘具浅锯齿或波状齿，有时近全缘，中脉在叶面凹下，侧脉和网脉在两面均凸起，侧脉每边 4 ~ 6。总状花序被展开的柔毛；花萼长 2 ~ 2.5 mm，萼筒倒圆锥形，无毛，裂片三角状卵形，与萼筒等长或稍短于萼筒，背面有微柔毛；花冠白色，5 深裂几达基部。核果卵状坛形，外果皮薄而脆，先端宿萼裂片直立。花期 2 ~ 3 月，果期 6 ~ 7 月。
生境分布	生于海拔 500 ~ 1 800 m 的杂木林或山谷边，或栽培于公园中。分布于广东西南部、西北部等。

| **资源情况** | 野生资源丰富。药材来源于野生。 |

| **采收加工** | 7 ~ 10 月采收，鲜用或晒干。 |

| **功能主治** | 清热解毒，收敛止血。用于久痢，风火赤眼，扁桃体炎，中耳炎，咯血，便血，鹅口疮。 |

| **用法用量** | 内服煎汤，15 ~ 30 g。外用适量，煎汤洗；或捣汁含漱、滴耳。 |

| **凭证标本号** | 440983180407047LY。 |

山矾科 Symplocaceae 山矾属 Symplocos

长毛山矾 *Symplocos dolichotricha* Merr.

| 药 材 名 | 长毛山矾（药用部位：根）。

| 形态特征 | 乔木，高 12 m。枝细长。嫩枝、叶面或叶面脉、叶背、叶柄均被展开的淡褐色长毛。叶纸质，榄绿色，椭圆形、长圆状椭圆形或卵状椭圆形，全缘或有稀疏细锯齿。团伞花序有花 6 ~ 8，腋生或腋生于叶脱落后的叶痕上；花冠长约 4 mm，5 深裂几达基部。核果绿色，近球形，先端宿萼裂片直立。花果期 7 ~ 11 月，边开花边结果。

| 生境分布 | 生于低海拔的路旁、山谷密林中。分布于广东恩平、高要、阳春、罗定、信宜、封开及肇庆（市区）等。

| 资源情况 | 野生资源较少。药材来源于野生。

| **采收加工** | 全年均可采挖，洗净，切片，晒干或鲜用。

| **功能主治** | 消炎，健脾，利水。用于黄疸，水肿，泄泻，脾虚证，消化不良，痧证。

| **用法用量** | 内服煎汤，10 ～ 15 g。

| **凭证标本号** | 441225180611006LY。

山矾科 Symplocaceae 山矾属 Symplocos

羊舌树

Symplocos glauca (Thunb.) Koidz.

药 材 名

羊舌树（药用部位：茎皮。别名：大叶山矾、狗舌头叶）。

形态特征

乔木。芽、嫩枝、花序均密被褐色短绒毛。小枝褐色。叶常簇生于小枝上端；叶片狭椭圆形或倒披针形，全缘，叶背通常呈苍白色，干后褐色。穗状花序基部通常分枝，花蕾时常呈团伞状；花冠长 4 ~ 5 mm，5 深裂几达基部，裂片椭圆形，先端圆。核果狭卵形，长 1.5 ~ 2 cm，近先端狭，宿萼裂片直立；核具浅纵棱。花期 4 ~ 8 月，果期 8 ~ 10 月。

生境分布

生于海拔 100 ~ 1 100 m 的密林或疏林中。分布于广东翁源、台山、恩平、大埔、蕉岭、和平、英德、饶平及珠海（市区）、深圳（市区）。

资源情况

野生资源较丰富。药材来源于野生。

| 采收加工 | 夏、秋季采收，晒干。

| 功能主治 | 清热解表。用于感冒头痛，口燥，身热。

| 用法用量 | 内服煎汤，9 ~ 15 g。

| 凭证标本号 | 441523190402029LY。

山矾科 Symplocaceae　山矾属 Symplocos

光叶山矾

Symplocos lancifolia Siebold et Zucc.

| 药 材 名 | 光叶山矾（药用部位：根、叶。别名：刀灰树、滑叶常山、广西山矾）。

| 形态特征 | 小乔木。芽、嫩枝、嫩叶背面脉、花序均被黄褐色柔毛。小枝细长，黑褐色，无毛。叶纸质或近膜质，干后呈红褐色，卵形至阔披针形，先端尾状渐尖，基部阔楔形或稍圆，边缘具稀疏浅钝锯齿。中脉在叶面平坦，侧脉纤细，每边 6 ~ 9，穗状花序长 1 ~ 4 cm；苞片椭圆状卵形，背面均被短柔毛，有缘毛；花冠淡黄色，5 深裂几达基部，裂片椭圆形。核果近球形。花期 3 ~ 11 月，果期 6 ~ 12 月，边开花边结果。

| 生境分布 | 生于中海拔至高海拔的疏林中。广东各地均有分布。

| 资源情况 | 野生资源丰富。药材来源于野生。

| 采收加工 | 全年均可采收，根洗净，切片，晒干，叶鲜用。

| 功能主治 | 甘，平。和肝健脾，止血生肌。用于外伤出血，吐血，咯血，疮疖，疳积，结膜炎等。

| 用法用量 | 内服煎汤，30 ~ 60 g。

| 凭证标本号 | 441523190403035LY、441825210313063LY、440783200328005LY。

山矾科 Symplocaceae 山矾属 Symplocos

黄牛奶树

Symplocos laurina (Retz.) Wall. ex G. Don

| 药 材 名 |

泡花子（药用部位：茎皮。别名：散风木、苦山矾、花香木）。

| 形态特征 |

乔木。小枝无毛；芽被褐色柔毛。叶革质，倒卵状椭圆形或狭椭圆形，边缘有细小锯齿。穗状花序长 3 ~ 6 cm，基部通常分枝，花序轴通常被柔毛，结果时毛渐脱落；花萼长约 2 mm，无毛，裂片半圆形，短于萼筒；花冠白色，长约 4 mm，5 深裂几达基部。核果球形，直径 4 ~ 6 mm，先端宿萼裂片直立。花期 8 ~ 12 月，果期翌年 3 ~ 6 月。

| 生境分布 |

生于山地林中。广东各地均有分布。

| 资源情况 |

野生资源丰富。药材来源于野生。

| 采收加工 |

全年均可采收，晒干。

| 功能主治 |

苦、涩，凉。清热，解表。用于感冒身热，

头昏口燥。

| **用法用量** | 内服煎汤，0.5 ~ 1 g。

| **凭证标本号** | 441825191002054LY、441523200106027LY、440281190626067LY。

山矾科 Symplocaceae 山矾属 Symplocos

白檀

Symplocos paniculata (Thunb.) Miq.

| 药 材 名 | 白檀（药用部位：叶、花、种子、根。别名：野荞面根、大撵药、地胡椒）。 |

| 形态特征 | 落叶灌木或小乔木。嫩枝有灰白色柔毛，老枝无毛。叶膜质或薄纸质，阔倒卵形、椭圆状倒卵形或卵形，边缘有细尖锯齿，叶面无毛或有柔毛，叶背通常有柔毛或仅脉上有柔毛。圆锥花序通常有柔毛；苞片早落，通常呈条形，有褐色腺点；花冠白色，5 深裂几达基部。核果成熟时呈蓝色，卵状球形，稍偏斜，先端宿萼裂片直立。 |

| 生境分布 | 生于海拔 900 m 以下的丘陵、荒坡灌丛中。广东各地均有分布。 |

| 资源情况 | 野生资源丰富。药材来源于野生。 |

采收加工	叶，春、夏季采摘，洗净，晒干。花、种子，5～7月花果期采收，晒干。根，秋、冬季采挖，洗净，切片，晒干。
功能主治	苦、涩，微寒。清热解毒，调气散结，祛风止痒。用于乳腺炎，淋巴结炎，肠痈，疮疖，疝气，荨麻疹，皮肤瘙痒。
用法用量	内服煎汤，9～24 g。外用适量，煎汤洗；或研末调敷。
凭证标本号	441825190503011LY、441523190517016LY、440783190715043LY。

山矾科 Symplocaceae 山矾属 Symplocos

珠仔树

Symplocos racemosa Roxb.

| 药 材 名 | 总序山矾（药用部位：根）。

| 形态特征 | 灌木或小乔木。芽、嫩枝、嫩叶背面、叶柄均被褐色柔毛。叶革质，卵形或长圆状卵形，全缘或有稀疏浅锯齿。总状花序密被黄褐色柔毛；苞片卵形或阔卵形，密被柔毛，早落；花冠白色，5 深裂几达基部。核果长圆形，先端宿萼裂片黄色，直立；核具 3 深纵棱和 9 浅纵棱。花期冬末春初，果期翌年 6 月。

| 生境分布 | 生于海拔 130 ~ 1 600 m 的林中。分布于广东遂溪、徐闻、廉江、雷州、茂名、阳江等。

| 资源情况 | 野生资源一般。药材来源于野生。

| **采收加工** | 全年均可采收，晒干。 |

| **功能主治** | 活血化瘀。用于血瘀证。 |

| **凭证标本号** | 440982150330002LY、440881180228432LY、440825150829005LY。 |

山矾科 Symplocaceae 山矾属 Symplocos

老鼠矢 *Symplocos stellaris* Brand

| 药 材 名 | 小药木（药用部位：根、叶。别名：佳崩、毛灰树、星状山矾）。

| 形态特征 | 常绿乔木。小枝粗，髓心中空，具横隔。芽、嫩枝、嫩叶柄、苞片和小苞片均被红褐色绒毛。叶厚革质，叶正面有光泽，叶背面粉褐色，披针状椭圆形或狭长圆状椭圆形，长 6 ~ 20 cm，宽 2 ~ 5 cm，先端急尖或短渐尖，通常全缘，很少有细齿，中脉在叶正面凹下，在叶背面明显凸起，侧脉每边 9 ~ 15；叶柄有纵沟。团伞花序着生于二年生枝的叶痕之上；花冠白色。核果狭卵状圆柱形，长约 1 cm，先端宿萼裂片直立；核具 6 ~ 8 纵棱。花期 4 ~ 5 月，果期 6 月。

| 生境分布 | 生于海拔 100 ～ 1 700 m 的林中。广东各地均有分布。

| 资源情况 | 野生资源较丰富。药材来源于野生。

| 采收加工 | 春、夏季采摘叶，秋、冬季采挖根，洗净，鲜用或晒干。

| 功能主治 | 辛、苦，微温。活血，止血。用于跌打损伤，内出血。

| 用法用量 | 内服煎汤，9 ～ 15 g。外用适量，捣敷。

| 凭证标本号 | 441825191002019LY、441623180812013LY。

山矾科 Symplocaceae 山矾属 Symplocos

山矾 *Symplocos sumuntia* Buch.–Ham. ex D. Don

| 药 材 名 | 山矾根（药用部位：根。别名：尾叶山矾）、山矾叶（药用部位：叶。别名：尾叶山矾）、山矾花（药用部位：花）。

| 形态特征 | 乔木。嫩枝褐色。叶薄革质，卵形、狭倒卵形、倒披针状椭圆形，长 3.5 ～ 8 cm，宽 1.5 ～ 3 cm，边缘具浅锯齿或波状齿，有时近全缘，中脉在叶正面凹下，侧脉和网脉在两面均凸起，侧脉每边 4 ～ 6。总状花序长 2.5 ～ 4 cm，被展开的柔毛；花萼筒倒圆锥形，无毛，裂片三角状卵形，背面有微柔毛；花冠白色，5 深裂几达基部，裂片背面有微柔毛；雄蕊 25 ～ 35，花丝基部稍合生；花盘环状，无毛；子房 3 室。核果卵状坛形，外果皮薄而脆，先端宿萼裂片直立，有时脱落。花期 2 ～ 3 月，果期 6 ～ 7 月。

| 生境分布 | 生于低海拔至中海拔的山林中。广东各地均有分布。

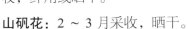

| 资源情况 | 野生资源较丰富。药材来源于野生。

| 采收加工 | **山矾根**：10 ~ 11 月采挖，洗净，切片，晒干。
山矾叶：7 ~ 10 月采收，鲜用或晒干。
山矾花：2 ~ 3 月采收，晒干。

| 药材性状 | **山矾叶**：本品叶片薄革质，多皱缩、破碎，棕褐色或黄褐色，完整者展平后呈卵形、狭倒卵形或倒披针状椭圆形，长 4 ~ 6 cm，宽约 2 cm，先端常尾状渐尖，基部楔形或圆形，边缘具浅锯齿或波状齿，有时近全缘，中脉在上面凹下，侧脉和网脉在两面均凸起，侧脉每边 4 ~ 6；叶柄长 2 ~ 7 mm。气微，味淡。
山矾花：本品总状花序长 2 ~ 4 cm，被展开的柔毛；苞片阔卵形至倒卵形，密被柔毛；小苞片和苞片同形；花萼筒倒圆锥形，无毛，裂片三角状卵形，背面有微柔毛；花冠黄褐色，5 深裂几达基部，长 4 ~ 6 mm，裂片背面有微柔毛；雄蕊 25 ~ 35，花丝基部稍合生；花盘环状；子房 3 室。气微，味淡。

| 功能主治 | **山矾根**：苦、辛，平。清热利湿，凉血止血，祛风止痛。用于黄疸，泄泻，痢疾，血崩，风火牙痛，头痛，风湿痹痛。
山矾叶：酸、涩、微甘。清热解毒，收敛止血。用于久痢，风火赤眼，扁桃体炎，中耳炎，咯血，便血，鹅口疮。
山矾花：苦、辛，平。化痰解郁，生津止渴。用于咳嗽胸闷，小儿消渴。

| 用法用量 | **山矾根**：内服煎汤，15 ~ 30 g。
山矾叶：内服煎汤，25 ~ 50 g。外用适量，煎汤洗；或捣汁含漱、滴耳。
山矾花：内服煎汤，9 ~ 12 g；或煎汤当茶饮，15 g。

| 凭证标本号 | 440783190811002LY、440281200707034LY、440224180403013LY。

山矾科 Symplocaceae 山矾属 Symplocos

微毛山矾 *Symplocos wikstroemiifolia* Hayata

| 药 材 名 | 月橘叶灰木（药用部位：根、叶）。

| 形态特征 | 灌木或乔木。嫩枝、叶背和叶柄均被紧贴的细毛。叶纸质或薄革质，椭圆形，全缘或有不明显的波状浅锯齿，基部狭楔形，下延至叶柄。

总状花序，有分枝，上部花无柄；花序轴、苞片和小苞片均被短柔毛；苞片长圆形或圆形，有缘毛；花冠长约 3 mm，5 深裂几达基部，裂片倒卵状长圆形。核果卵圆形，先端宿萼裂片直立，成熟时呈黑色或黑紫色。

| 生境分布 | 生于海拔 200 ~ 1 200 m 的密林中。分布于广东增城、乳源、乐昌、信宜、怀集、封开、高要、龙门、大埔、蕉岭、连山、英德及云浮（市区）、深圳（市区）、肇庆（市区）。

| 资源情况 | 野生资源较丰富。药材来源于野生。

| 采收加工 | 全年均可采收，晒干。

| 功能主治 | 辛、苦，凉。清热解表，解毒除烦。用于泻痢，疮疡肿毒，创伤出血，烫火伤等。

马钱科 Loganiaceae 醉鱼草属 *Buddleja*

白背枫 *Buddleja asiatica* Lour.

| 药 材 名 | 白背枫（药用部位：全株。别名：驳骨丹、独叶埔姜、白鱼号）。

| 形态特征 | 直立灌木或小乔木，高 1 ～ 8 m。嫩枝条四棱形，老枝条圆柱形。幼枝、叶下面、叶柄和花序均密被灰色或淡黄色星状短绒毛。叶对生；叶片膜质至纸质，披针形或长披针形，长 6 ～ 30 cm，宽 1 ～ 7 cm，先端渐尖或长渐尖，基部渐狭而呈楔形，有时下延至叶柄基部，侧脉每边 10 ～ 14，干后在上面凹陷，在下面凸起，全缘或有小锯齿。总状花序窄而长，由多个小聚伞花序组成；花冠芳香，白色，有时呈淡绿色，花冠管圆筒状，直立。蒴果椭圆状；种子灰褐色，椭圆形，两端具短翅。花期 1 ～ 10 月，果期 3 ～ 12 月。

| 生境分布 | 生于河岸沙石地、向阳山坡。广东各地均有分布。

| **资源情况** | 野生资源丰富。药材来源于野生。

| **采收加工** | 全年均可采收，鲜用或晒干。

| **药材性状** | 本品根呈圆柱形，外皮紫褐色，切面淡黄色，质稍硬。叶对生；叶片呈披针形，长 4 ～ 12 cm，宽 1 ～ 3.5 cm，叶腹面绿色，干后呈黑褐色，背面淡绿色，干后呈灰黄色，密被灰色或淡黄色星状毛，老叶无毛，偶有疏锯齿；叶柄密被短绒毛。果实卵形，暗绿色；种子多数，细小。气微，味淡。

| **功能主治** | 辛、苦，温；有小毒。祛风利湿，行气活血。用于妇女产后头痛，风湿关节痛，跌打损伤，骨折，皮肤湿痒，阴囊湿疹，无名肿毒。

| **用法用量** | 外用煎汤洗，15 ～ 25 g。

| **凭证标本号** | 441523190515010LY、441825190707024LY、441422190715425LY。

马钱科 Loganiaceae 醉鱼草属 Buddleja

大叶醉鱼草 *Buddleja davidii* Franch.

| **药 材 名** | 大叶醉鱼草（药用部位：枝叶、根皮。别名：紫花醉鱼草、大蒙花、酒药花）。

| **形态特征** | 灌木，高 1 ~ 5 m。小枝外展而下弯，略呈四棱形。幼枝、叶片下面、叶柄和花序均密被灰白色星状短绒毛。叶对生；叶片膜质至薄纸质，叶片狭卵形、狭椭圆形至卵状披针形，基部有时下延至叶柄基部，侧脉每边 9 ~ 14，在上面平坦，在下面微凸起，叶片下面和叶柄均密被灰白色星状短绒毛，边缘具细锯齿。总状或圆锥状聚伞花序顶生；花冠先呈淡紫色，后呈黄白色至白色，喉部呈橙黄色，芳香。蒴果狭椭圆形或狭卵形，2 瓣裂，淡褐色，无毛；种子长椭圆形，两端具尖翅。花期 5 ~ 10 月，果期 9 ~ 12 月。

| **生境分布** | 生于山谷、路旁旷野。分布于广东乐昌及清远（市区）。

| **资源情况** | 野生资源较少。药材来源于野生。

| **采收加工** | 春、秋季采收根皮，夏、秋季采收枝叶，晒干。

| **功能主治** | 辛、微苦，温；有毒。祛风散寒，活血止痛，解毒杀虫。用于风湿关节痛，跌打损伤，骨折，足癣。

| **用法用量** | 内服煎汤，1.5 ~ 3 g。外用适量，研末调敷；或煎汤洗。

馬钱科 Loganiaceae 醉鱼草属 Buddleja

醉鱼草 *Buddleja lindleyana* Fortune

| 药 材 名 | 醉鱼草（药用部位：全株。别名：闹鱼草、鱼尾草、痒见消）。

| 形态特征 | 灌木，高 1 ~ 3 m。茎皮褐色。小枝具 4 棱，棱上略有窄翅。幼枝、叶片下面、叶柄、花序、苞片及小苞片均密被星状短绒毛和腺毛。叶对生；叶片膜质，全缘或边缘具波状齿。穗状聚伞花序顶生；花紫色，芳香；花冠管弯曲；雄蕊着生于花冠管下部；子房无毛。果序穗状；蒴果长圆状或椭圆状，无毛，有鳞片，基部常有宿存花萼；种子淡褐色，小，无翅。花期 4 ~ 10 月，果期 8 月至翌年 4 月。

| 生境分布 | 生于山地、路旁或溪旁。分布于广东花都、乳源、乐昌、南雄、广宁、怀集、博罗、龙门、大埔、平远、蕉岭、龙川、连平、和平、阳山、连山、连州、饶平及云浮（市区）。

| **资源情况** | 野生资源较丰富。药材来源于野生。 |

| **采收加工** | 全年均可采收，洗净，晒干。 |

| **功能主治** | 苦、微辛，温；有毒。祛风除湿，止咳化痰，散瘀，杀虫。用于疟腮，痈肿，瘰疬，蛔虫病，钩虫病，诸鱼骨鲠。 |

| **用法用量** | 内服煎汤，15 ~ 25 g；或和食品炙食。外用适量，捣敷；或研末调敷。 |

| **凭证标本号** | 440281190701018LY、440281200707006LY、440281200708005LY。 |

马钱科 Loganiaceae 醉鱼草属 Buddleja

密蒙花 *Buddleja officinalis* Maxim.

| 药 材 名 | 密蒙花（药用部位：带花蕾的花序。别名：蒙花、蒙花珠、老蒙花）。

| 形态特征 | 灌木，高 1 ~ 4 m。小枝略呈四棱形，灰褐色。小枝、叶下面、叶柄和花序均密被灰白色星状短绒毛。叶对生；叶片纸质，通常全缘，稀有疏锯齿。花多密集，组成聚伞圆锥花序；花冠初呈紫堇色，后呈白色或淡黄白色，喉部橘黄色。蒴果椭圆状，2 瓣裂，外果皮被星状毛，基部有宿存花被；种子多数，狭椭圆形，两端具翅。花期 3 ~ 4 月，果期 5 ~ 8 月。

| 生境分布 | 广东广州有栽培。

| 资源情况 | 栽培资源较少。药材来源于栽培。

| **采收加工** | 春季花未开放时采收带花蕾的花序，除去杂质，干燥。

| **药材性状** | 本品由多数小花蕾簇生而成，形状、大小不一，表面灰黄色或淡褐色，密被茸毛。单个花蕾呈短棒状，上粗下细，长 3 ~ 6 ㎜，先端圆而略膨大；花萼钟状，4 裂；花冠筒状，裂瓣暗紫色，茸毛极稀疏。全体柔软而易碎，断面中央黑色。气微香，味甘而微苦、辛。

| **功能主治** | 甘，微寒。清热泻火，养肝明目，退翳。用于目赤肿痛，多泪畏光，目生翳膜，肝虚目暗，视物昏花。

| **用法用量** | 内服煎汤，3 ~ 9 g。

马钱科 Loganiaceae 灰莉属 Fagraea

灰莉
Fagraea ceilanica Thunb.

| 药 材 名 | 灰莉（药用部位：叶。别名：鲤鱼胆、灰刺木、箐黄果）。

| 形态特征 | 乔木，高达 15 m，有时附生于其他树上，呈攀缘灌木状。树皮灰色。全株无毛。叶片稍呈肉质，干后呈纸质或近革质，叶面深绿色，干后呈绿黄色，椭圆形、卵形、倒卵形或长圆形，长 5 ~ 25 cm，宽 2 ~ 10 cm，先端渐尖、急尖或圆而有小尖头，叶面中脉扁平，侧脉不明显。花单生或组成顶生二歧聚伞花序；花冠漏斗状，质薄，稍带肉质，白色，芳香。浆果卵状或近圆球状，先端有尖喙，淡绿色，有光泽；种子椭圆状肾形，藏于果肉中。花期 4 ~ 8 月，果期 7 月至翌年 3 月。

| **生境分布** | 生于山地疏林或密林中。分布于广东阳春、化州及广州（市区）、茂名（市区）。

| **资源情况** | 野生资源较少。栽培资源丰富。药材来源于野生和栽培。

| **采收加工** | 全年均可采收，晒干。

| **药材性状** | 本品干后呈纸质或近革质，绿黄色。

| **功能主治** | 清热解毒，去腐生肌。用于伤口溃烂、感染。

| **凭证标本号** | 440781190516041LY。

马钱科 Loganiaceae 蓬莱葛属 *Gardneria*

柳叶蓬莱葛

Gardneria lanceolata Rehder et E. H. Wilson

| 药 材 名 | 柳叶蓬莱葛（药用部位：根。别名：披针叶蓬莱葛、黑斤藤、窄叶血光藤）。

| 形 态 特 征 | 攀缘灌木。除花冠裂片内面被柔毛外，其余部位均无毛。枝条圆柱形，棕褐色，有明显叶痕。叶片坚纸质至近革质，披针形至长圆状披针形，上面深绿色，下面苍绿色。花 5 基数，白色，单生于叶腋内；花冠长约 1 cm，花冠管长约 2 mm，裂片披针形；花药合生，2 室。浆果圆球状，成熟后呈橘红色，先端常有宿存花柱。花期 6 ~ 8 月，果期 9 ~ 12 月。

| 生 境 分 布 | 生于山坡灌丛中或山地疏林下。分布于广东阳春、阳西、博罗、揭西及茂名（市区）、广州（市区）等。

| 资源情况 | 野生资源较少。药材来源于野生。

| 采收加工 | 全年均可采挖，洗净，切片，晒干或鲜用。

| 功能主治 | 苦、涩，温。祛风利湿，活络健脾。用于风湿痹痛，创伤出血。

| 用法用量 | 内服煎汤，15 ~ 30 g，鲜品 60 ~ 90 g。

| 凭证标本号 | 441322150805756LY。

马钱科 Loganiaceae 蓬莱葛属 *Gardneria*

蓬莱葛 *Gardneria multiflora* Makino

| 药 材 名 | 蓬莱葛（药用部位：根、种子。别名：多花蓬莱葛、红络石藤、大叶石塔藤）。

| 形态特征 | 木质藤本，长达 8 m。除花萼裂片边缘有睫毛外，其余部位均无毛。枝条圆柱形，有明显的叶痕。叶片纸质至薄革质，椭圆形、长椭圆形或卵形，少数呈披针形，上面绿色而有光泽，下面浅绿色。多花组成腋生的二至三歧聚伞花序；花冠辐状，黄色或黄白色。浆果圆球状，成熟时呈红色；种子圆球形，黑色。花期 3～7 月，果期 7～11 月。

| 生境分布 | 生于疏林中。分布于广东乳源、信宜、封开、龙门、阳山、丰顺及

深圳（市区）、潮州（市区）。

| **资源情况** | 野生资源较少。药材来源于野生。

| **采收加工** | 根，全年均可采挖，洗净，切片，晒干或鲜用。种子，果实成熟时采收，鲜用。

| **功能主治** | 辛、苦，温。祛风通络，止血。用于风湿痹痛，创伤出血。

| **用法用量** | 根，内服煎汤，15 ～ 30 g，鲜品 60 ～ 90 g。种子，外用适量，鲜品捣敷。

| **凭证标本号** | 440281200709035LY、441882180412020LY、440523190731015LY。

马钱科 Loganiaceae 钩吻属 Gelsemium

钩吻

Gelsemium elegans (Garder et Champ.) Benth.

药材名

钩吻（药用部位：全株。别名：断肠草、大茶药、葫蔓藤）。

形态特征

常绿木质藤本。除苞片边缘和花梗幼时被毛外，其余部位均无毛。小枝圆柱形，幼时具纵棱。叶片膜质。花密集，组成三歧聚伞花序；花冠黄色，漏斗状，内面有淡红色斑点。蒴果卵形或椭圆形，成熟时通常呈黑色，干后室间开裂为 2 裂果瓣 2；种子扁压状椭圆形或肾形，边缘具不规则齿裂状膜质翅。花期 5 ~ 11 月，果期 7 月至翌年 3 月。

生境分布

生于丘陵、疏林或灌丛。广东各地均有分布。

资源情况

野生资源丰富。药材来源于野生。

采收加工

全年均可采收，切段，晒干或鲜用。

药材性状

本品茎圆柱形，外皮灰黄色至黄褐色，幼茎

较光滑，黄绿色或黄棕色；质坚，不易折断，断面不整齐，皮部黄棕色，木部淡黄色，具放射状纹理，密布细孔，髓部褐色或中空；气微，味微苦，有毒。叶不规则皱缩，完整者展平后呈卵形或卵状披针形，长 4 ~ 8 cm，宽 2 ~ 4 cm，先端渐尖，基部阔楔形或钝圆，叶脉于下面凸起，侧脉 4 ~ 5 对，上面灰绿色至淡棕褐色，下面颜色较浅；气微，味微苦。

| **功能主治** | 苦、辛，温；有剧毒。祛风攻毒，散结消肿，止痛。用于疥癞，湿疹，瘰疬，痛肿，疔疮，跌打损伤，风湿痹痛，神经痛。

| **用法用量** | 外用适量，鲜品捣敷。

| **凭证标本号** | 441523190405017LY、441825191004008LY、440783190717007LY。

马钱科 Loganiaceae 尖帽草属 Mitrasacme

水田白 *Mitrasacme pygmaea* R. Br.

| 药 材 名 |

水田白（药用部位：全草。别名：矮形光巾草、小姬苗、姬苗）。

| 形态特征 |

一年生草本，高达 20 cm。茎圆柱形，直立，纤细，不分枝或从基部分枝，初被长硬毛，老时渐无毛或近无毛。叶对生，疏离，在茎基部呈莲座状或轮生；叶片草质，卵形、长圆形或线状披针形。花单生于侧枝先端或数朵组成稀疏而不规则的顶生或腋生伞形花序；花冠白色或淡黄色，钟状。蒴果近圆球状，先端 2 裂；种子小，狭椭圆形，表面有小瘤状突起。花期 6 ~ 7 月，果期 8 ~ 9 月。

| 生境分布 |

生于旷野草地。广东各地均有分布。

| 资源情况 |

野生资源较丰富。药材来源于野生。

| 采收加工 |

夏季采收，晒干。

| 功能主治 | 用于咳嗽，小儿疳积，小儿惊风。

| 凭证标本号 | 440781190708014LY。

马钱科 Loganiaceae 度量草属 Mitreola

大叶度量草 *Mitreola pedicellata* Benth.

| 药 材 名 |

毛度量草（药用部位：全草）。

| 形态特征 |

多年生草本，高达 60 cm。除幼叶下面、幼叶柄和花冠管喉部被短柔毛外，其余部位均无毛。茎下部匍匐状。幼枝四棱形，老枝圆柱形。叶片膜质至薄纸质，椭圆形、长椭圆形、披针形或倒披针形，先端渐尖至钝，基部楔形，侧脉每边 8 ~ 10；叶柄长 1 ~ 2 cm。三歧聚伞花序腋生或顶生，花多数；花冠白色，坛状。蒴果近圆球状，先端有 2 尖角；种子圆球形，淡褐色，表面具小瘤状突起。花期 3 ~ 5 月，果期 6 ~ 7 月。

| 生境分布 |

生于山谷水边或山地疏林下。分布于广东乳源、仁化、封开、阳春、丰顺。

| 资源情况 |

野生资源较少。药材来源于野生。

| 采收加工 |

夏季采收，晒干。

| 功能主治 | 用于跌打损伤，筋骨痛。 |

| 凭证标本号 | 441225180722014LY、440224180403011LY、441827190120028LY。 |

马钱科 Loganiaceae 马钱属 Strychnos

牛眼马钱
Strychnos angustiflora Benth.

| **药 材 名** | 牛眼马钱（药用部位：种子。别名：狭花马钱、狭花毒果、牛眼珠）。

| **形态特征** | 木质藤本，长达 10 m。除花序和花冠被毛外，其余部位均无毛。幼枝变态成为螺旋状曲钩，上部粗厚，老枝有时变成枝刺。叶片革质，卵形或椭圆形。花冠白色，花冠管与花冠裂片等长或近等长，花冠裂片长披针形，近基部和花冠管喉部被长柔毛。浆果圆球状，光滑，成熟时呈红色或橙黄色，内有种子 1 ~ 6；种子扁圆形。花期 4 ~ 6 月，果期 7 ~ 12 月。

| **生境分布** | 生于山地疏林或灌丛中。分布于广东翁源、南澳、徐闻、怀集、封开、德庆、高要、博罗及中山（市区）、深圳（市区）、珠海（市区）。

| **资源情况** | 野生资源较丰富。药材来源于野生。 |

| **采收加工** | 秋、冬季采收果实，取出种子，洗净附着的果肉，晒干，以油炸酥或用砂炒。 |

| **药材性状** | 本品扁圆形，直径 0.8 ~ 1.5 cm，厚 0.2 ~ 0.3 cm，一面稍凹，另一面稍凸起，表面灰棕绿色，被匐匍状短茸毛，由中央向四周辐射；子叶心形，叶脉 3，胚根长约 1.5 mm。气微，味微苦。 |

| **功能主治** | 苦，寒；有剧毒。通经络，消肿，止痛。用于风湿关节痛，手足麻木，半身不遂；外用于痈疽肿痛，跌打损伤。 |

| **用法用量** | 内服入丸、散剂，0.3 ~ 0.9 g。外用适量，鲜品捣敷。 |

| **凭证标本号** | 440923140831024LY、440404210724028LY、441323180925008LY。 |

马钱科 Loganiaceae 马钱属 Strychnos

华马钱 *Strychnos cathayensis* Merr.

| 药 材 名 | 华马钱（药用部位：根、种子。别名：三脉马钱、登欧梅罗、牛目椒）。

| 形态特征 | 木质藤本。幼枝被短柔毛，老枝被毛脱落；幼枝常变态成为成对的螺旋状曲钩。叶片近革质，长椭圆形至窄长圆形。聚伞花序顶生或腋生，着花稠密；花5基数；花冠白色。浆果圆球状，直径1.5～3 cm，果皮薄而呈脆壳质，内有种子2～7；种子圆盘状，宽2～2.5 cm，被短柔毛。花期4～6月，果期6～12月。

| 生境分布 | 生于密林中。分布于广东从化、翁源、怀集、封开、德庆、高要、博罗、惠东、龙门、阳春、英德、连州及深圳（市区）、河源（市区）。

| **资源情况** | 野生资源较丰富。药材来源于野生。 |

| **采收加工** | 根，全年均可采收，洗净，切段或片，晒干。 |

| **药材性状** | 本品种子圆盘状，宽 2 ~ 2.5 cm，被短柔毛。 |

| **功能主治** | 苦、辛，温；有大毒。祛风除湿，利水消肿。用于跌打损伤，骨折肿痛，痈疽疮毒，咽喉肿痛，风湿顽痹，肢体瘫痪。 |

| **凭证标本号** | 441825190731013LY、441523190516027LY、441225180722088LY。 |

马钱科 Loganiaceae 马钱属 Strychnos

山马钱 *Strychnos nux-blanda* A. W. Hill

| **药 材 名** | 山马钱（药用部位：根、种子）。

| **形态特征** | 乔木，高 4 ~ 15 m。枝条无毛或近无毛。叶片纸质，宽卵形、椭圆状卵形或近圆形。圆锥状聚伞花序腋生；萼裂片披针形，无毛；花冠白色。浆果圆球状，直径 6 ~ 8 cm，内有种子 4 ~ 15；种子呈卵形、近圆形或不规则椭圆形，长 1.5 ~ 2.2 cm，宽 1.3 ~ 2 cm，扁平。

| **生境分布** | 广东南部和西南部有栽培。

| **资源情况** | 栽培资源一般。药材来源于栽培。

| **采收加工** | 冬季采收成熟果实，取出种子，晒干。

黄健提供

| **药材性状** | 本品种子呈盘状椭圆形，长 1.6 ~ 2 cm，直径 1.5 ~ 1.7 cm，厚 0.5 ~ 0.7 cm，边缘有 1 隆起的脊和凸起的珠孔；表面密被淡黄色茸毛；质地坚硬，胚乳角质状，半透明，白色或灰白色。子叶广卵形，胚根长约 0.3 cm，叶脉 5 ~ 7。气微，味极苦。 |

| **功能主治** | 苦，寒；有大毒。祛风除湿，清热消肿。用于风热湿痹，关节屈伸不利，四肢关节疼痛，手足拘挛，腰膝疼痛，四肢麻木不仁等。 |

| **用法用量** | 内服入丸、散剂，0.3 ~ 0.9 g。外用适量，研末调涂。本品有毒，服用过量可致中毒，故须严格控制用量。 |

黄健提供

马钱科 Loganiaceae 马钱属 Strychnos

马钱子

Strychnos nux-vomica L.

| 药 材 名 |

马钱子（药用部位：种子。别名：番木别、番木鳖）。

| 形态特征 |

乔木，高 5 ～ 25 m。枝条幼时被微毛，老枝被毛脱落。叶片纸质，近圆形、宽椭圆形至卵形。圆锥状聚伞花序腋生；萼裂片卵形，密被短柔毛；花冠管比花冠裂片长，外面无毛，内面仅花冠管内壁基部被长柔毛，花冠裂片卵状披针形。浆果圆球状，直径 2 ～ 4 cm，成熟时呈橘黄色，内有种子 1 ～ 4；种子扁圆盘状，表面灰黄色，密被银色绒毛。花期春、夏两季，果期 8 月至翌年 1 月。

| 生境分布 |

广东广州（市区）、湛江（市区）有栽培。

| 资源情况 |

栽培资源一般。药材来源于栽培。

| 采收加工 |

果实成熟时采摘果实，取出种子，洗净附着的果肉，晒干。

| **药材性状** | 本品呈纽扣状圆板形，常一面隆起，一面稍凹下，直径 1.5 ~ 3 cm，厚 0.3 ~ 0.6 cm。表面密被灰棕色或灰绿色绢状茸毛，茸毛自中间向四周呈辐射状排列，有丝样光泽，种子边缘稍隆起，较厚，有凸起的珠孔，底面中心有凸起的圆点状种脐。质坚硬，平行剖面可见呈角质状的淡黄白色胚乳，子叶心形，叶脉 5 ~ 7。气微，味极苦。

| **功能主治** | 寒，苦；有大毒。通络散结，消肿止痛。

| **用法用量** | 内服入丸、散剂，每次 0.2 ~ 0.6 g，大剂量可用 0.9 g。外用适量，研末撒；或浸水、醋磨、煎油涂敷；或熬膏摊贴。

马钱科 Loganiaceae 马钱属 Strychnos

密花马钱 Strychnos ovata A. W. Hill

| 药 材 名 | 密花马钱（药用部位：全株）。

| 形态特征 | 木质大藤本，长达 10 m。茎粗壮，直径达 4 cm；枝条无毛，具刺。叶片纸质，卵形、长卵形或长椭圆形。聚伞花序腋生和顶生，着花稠密；花序梗、花梗、花萼外面、花冠外面和花冠管内面均被短柔毛；花 5 基数；花萼裂片宽卵形，先端钝；花冠黄绿色。浆果圆球状，直径 2 ~ 5.5 cm，成熟时呈红色。花期 3 ~ 6 月，果期 7 ~ 12 月。

| 生境分布 | 生于林中。分布于广东徐闻。

| 资源情况 | 野生资源稀少。药材来源于野生。

| **采收加工** | 夏季采收，晒干。

| **功能主治** | 通络止痛，散结消肿。用于目赤肿痛，多泪畏光，青盲翳障，风眩烂眼。

| **凭证标本号** | 441324180804026LY。

连翘

Forsythia suspensa (Thunb.) Vahl

| **药 材 名** | 连翘（药用部位：果实。别名：黄花杆、黄寿丹）。

| **形态特征** | 落叶灌木。枝开展或下垂，小枝略呈四棱形，节部具实心髓。叶为单叶或 3 裂至三出复叶，对生；叶片卵形、宽卵形或椭圆状卵形至椭圆形，叶缘除基部外均具锐锯齿或粗锯齿。花常单生或 2 至数朵着生于叶腋，先于叶开放；花萼绿色；花冠黄色。蒴果卵球形、卵状椭圆形或长椭圆形，先端喙状渐尖，表面疏生皮孔。花期 3 ~ 4 月，果期 7 ~ 9 月。

| **生境分布** | 生于海拔 250 ~ 2 200 m 的山坡灌丛、林下或草丛中，或山谷、山沟疏林中。广东广州（市区）有栽培。

| **资源情况** | 栽培资源一般。药材来源于栽培。

| **采收加工** | 秋季果实初熟呈青色时采收，除去杂质，蒸熟，晒干，习称"青翘"；果实熟透时采收，晒干，除去杂质，习称"老翘"或"黄翘"。

| **药材性状** | 本品呈长卵形至卵形，稍扁，长 1.5 ~ 2.5 cm，直径 0.5 ~ 1.3 cm；表面有不规则的纵皱纹和多数凸起的小斑点，两面各有 1 明显纵沟。青翘大多不开裂，表面绿褐色，凸起的灰白色小斑点较少，质硬，种子多数；老翘自先端开裂或裂为 2 瓣，表面红棕或黄棕色，内面多呈浅黄棕色，平滑，有 1 纵隔，质脆，种子棕色，多脱落。气微香，味苦。

| **功能主治** | 苦，微寒。归肺、心、胃经。清热解毒，消肿散结，疏散风热。用于痈疽，瘰疬，乳痈，丹毒，风热感冒，温病初起，温热入营，高热烦渴，神昏发痉，热淋涩痛。

| **用法用量** | 内服煎汤，6 ~ 15 g。

木樨科 Oleaceae 梣属 Fraxinus

白蜡树

Fraxinus chinensis Roxb.

| 药 材 名 | 秦皮（药用部位：枝皮、干皮。别名：梣木、鸡糠树、白荆树）。 |

| 形态特征 | 落叶乔木，高 10 ~ 12 m。奇数羽状复叶；小叶 5 ~ 7，硬纸质，卵形、倒卵状长圆形至披针形。圆锥花序顶生或腋生于枝梢；花雌雄异株；雄花密集，花萼钟状；雌花花萼桶状，4 浅裂，花柱细长，柱头 2 裂。翅果匙形，先端锐尖，常呈犁头状，基部渐狭，翅平展；宿存萼紧贴于坚果基部，常在一侧开口深裂。花期 4 ~ 5 月，果期 7 ~ 9 月。 |

| 生境分布 | 生于海拔 800 ~ 1 600 m 的山地杂木林中。分布于广东仁化、乐昌、南海、顺德、新会、封开、高要、英德及广州（市区）、肇庆（市区）。 |

| 资源情况 | 野生资源一般。栽培资源较丰富。药材来源于栽培。 |

孙庆文提供

| 采收加工 | 春、秋季剥取，晒干。

| 药材性状 | 本品枝皮呈卷筒状或槽状，长 10 ~ 60 cm，厚 1.5 ~ 3 mm；外表面灰白色、灰棕色至黑棕色或相间呈斑状，平坦或稍粗糙，并有灰白色圆点状皮孔及细斜皱纹，有的具分枝痕，内表面黄白色或棕色，平滑；质硬而脆，断面纤维性，黄白色；无臭，味苦。干皮为长条状块片，厚 3 ~ 6 mm；外表面灰棕色，具龟裂状沟纹及呈红棕色的圆形或横长皮孔；质坚硬，断面纤维性较强。

| 功能主治 | 苦，微寒。归肝、胆、大肠经。清热燥湿，收涩止痢，止带，明目。用于湿热泻痢，赤白带下，目赤肿痛，目生翳膜。

| 用法用量 | 内服煎汤，6 ~ 12 g。外用适量，煎汤洗。

木樨科 Oleaceae 素馨属 Jasminum

扭肚藤

Jasminum elongatum (P. J. Bergius) Willd.

| 药 材 名 | 白花茶（药用部位：茎、叶。别名：青藤、毛毛茶）。

| 形态特征 | 攀缘灌木，高 1 ~ 7 m。小枝圆柱形。单叶对生；叶片纸质，卵形、狭卵形或卵状披针形，先端短尖或锐尖，基部圆形、截形或微心形。聚伞花序密集，顶生或腋生，通常着生于侧枝先端；花萼裂片 6 ~ 8，锥形，边缘具睫毛；花冠白色，高脚碟状，裂片 6 ~ 9，披针形，先端锐尖。浆果长圆形或卵圆形，呈黑色。花期 4 ~ 12 月，果期 8 月至翌年 3 月。

| 生境分布 | 生于海拔 850 m 以下的灌丛、混交林及沙地。分布于广东番禺、花都、南海、台山、鹤山、徐闻、雷州、高州、怀集、封开、德庆、高要、博罗、阳春、英德及东莞（市区）、肇庆（市区）、阳江（市区）、

珠海（市区）、茂名（市区）、清远（市区）。

| **资源情况** | 野生资源丰富。药材来源于野生。

| **采收加工** | 茎，夏、秋季采收，晒干。叶，夏、秋季采收，晒干。

| **药材性状** | 本品干燥茎圆柱形，长 3 ~ 5 cm，直径 1 ~ 5 mm；表面绿棕色或淡褐色，粗枝光滑，幼枝茶褐色，被疏毛，或近光滑，节部稍膨大；质坚，断面粗糙，木部白色，中央具明显的髓或形成空洞。叶对生，具柄；叶片卵状披针形，绿褐色，稍有光泽，基部钝圆，略呈心形，全缘；质薄而脆，易碎。气香，味微涩。

| **功能主治** | 微苦，凉。清热解毒，利湿消滞。用于肝火过旺引起的身体不适、消化功能障碍等。

| **用法用量** | 内服煎汤，15 ~ 30 g。外用适量，煎汤洗；研末撒；或捣敷。

| **凭证标本号** | 440781190516005LY、440783190715018LY、440781190319016LY。

木樨科 Oleaceae 素馨属 Jasminum

素馨花 *Jasminum grandiflorum* L.

| 药 材 名 | 素馨花（药用部位：花蕾）。

| 形态特征 | 攀缘灌木，高 1 ~ 4 m。小枝圆柱形，具棱或沟。叶对生，羽状深裂或具 5 ~ 9 小叶；叶轴常具窄翼；小叶片卵形或长卵形，顶生小叶片常为窄菱形，先端急尖、渐尖、钝或圆，有时具短尖头，基部楔形、钝或圆。聚伞花序顶生或腋生；花芳香；花萼无毛，裂片锥状线形；花冠白色，高脚碟状，花冠管裂片多为 5，长圆形。果实未见。花期 8 ~ 10 月。

| 生境分布 | 生于海拔约 1 800 m 的石灰岩山地。广东中部以南地区有栽培。

| 资源情况 | 栽培资源较丰富。药材来源于栽培。

| **采收加工** | 夏、秋季采收，清晨太阳未出时采摘花蕾，隔水蒸约 20 分钟，取出，晒干。 |

| **药材性状** | 本品略呈笔头状，长 2 ~ 3 cm，表面金黄色或淡黄褐色，皱缩；花冠筒细管状，长 1 ~ 2 cm，直径 1 ~ 1.5 mm，花冠裂片 5，覆瓦状裹紧，直径 2 ~ 3 mm，剖开后可见着生于花冠筒上部的 2 雄蕊；花丝短；花药狭长圆形，中央常有花柱残存。质稍脆，遇潮变软。气香，味微苦、涩。以色金黄、气香浓者为佳。 |

| **功能主治** | 甘，平。疏肝解郁，行气止痛。用于肝郁气滞所致的胁肋、脘腹作痛，下痢腹痛。 |

| **用法用量** | 内服煎汤，3 ~ 9 g。 |

木樨科 Oleaceae 素馨属 Jasminum

清香藤
Jasminum lanceolaria Roxb.

| 药 材 名 | 破骨风（药用部位：根、藤茎。别名：破膝风、川滇茉莉）。

| 形态特征 | 大型攀缘灌木。小枝圆柱形，稀具棱，节处稍压扁。三出复叶对生或近对生，有时花序基部侧生小叶退化成线状而为单叶；小叶片椭圆形、卵形至披针形，稀近圆形。圆锥状复聚伞花序顶生或腋生；花冠白色，高脚碟状，裂片 4 ~ 5。浆果球形或椭圆形，黑色，干时呈橘黄色。花期 4 ~ 10 月，果期 6 月至翌年 3 月。

| 生境分布 | 生于海拔 150 ~ 1 500 m 的山地、河边杂木林或灌丛中。广东各地均有分布。

| 资源情况 | 野生资源丰富。药材来源于野生和栽培。

| 采收加工 | 根，秋、冬季采挖，洗净，切片，晒干或鲜用。藤茎，夏、秋季采收，切段，鲜用或晒干。

| 药材性状 | 本品根呈长圆锥形，稍扭曲，长 15 ~ 20 cm，直径 1 ~ 1.5 cm；表面黄白色，有残存的黄褐色栓皮；质坚硬，不易折断，横断面有放射状纹理，皮部浅黄色，木部黄色；气微，味淡。茎圆柱形，长短不一，直径多为 0.5 ~ 2 cm；表面黄褐色，有细纵纹和横向皮孔，有对生小枝或叶痕；质坚硬，断面浅黄色，髓部黄棕色，占茎的 1/2 ~ 2/3；气微，味淡。

| 功能主治 | 苦，温。归脾经。祛风除湿，凉血解毒。用于风湿痹痛，跌打损伤，头痛，外伤出血，无名毒疮，蛇咬伤。

| 用法用量 | 内服浸酒，30 ~ 60 g。外用适量，鲜品捣敷。

| 凭证标本号 | 441523190920055LY、440224181115012LY、440781190713018LY。

木樨科 Oleaceae 素馨属 Jasminum

野迎春

Jasminum mesnyi Hance

| 药 材 名 | 云南黄素馨（药用部位：叶、花、根。别名：云南黄馨、云南迎春、南迎春）。

| 形态特征 | 常绿直立亚灌木。小枝四棱形，具沟，光滑无毛。叶对生，三出复叶或小枝基部具单叶；叶柄长 0.5 ～ 1.5 cm，具沟；小叶片长卵形或长卵状披针形；单叶叶片宽卵形或椭圆形，有时几近圆形。花通常单生于叶腋；花萼钟状，裂片 5 ～ 8；花冠黄色，漏斗状，裂片 6 ～ 8，宽倒卵形或长圆形，栽培品有重瓣者。浆果椭圆形。花期 11 月至翌年 8 月，果期 3 ～ 5 月。

| 生境分布 | 生于海拔 500 ～ 2 600 m 的峡谷、林中。广东各地园林有栽培。

| **资源情况** | 栽培资源一般。药材来源于栽培。

| **采收加工** | 春季采收花，夏季采收叶，秋、冬季采挖根，切段，鲜用或晒干。

| **功能主治** | 苦、微辛；凉。清热散结，活血止痛，行气。用于发热头痛，咽喉肿痛等。

| **用法用量** | 内服煎汤，1 ~ 3 g。

木樨科 Oleaceae 素馨属 *Jasminum*

青藤仔
Jasminum nervosum Lour.

| 药 材 名 | 牛腿虱（药用部位：茎、叶、花。别名：鸡香骨、蟹鱼胆藤）。

| 形态特征 | 攀缘灌木，高 1 ～ 5 m。小枝圆柱形，光滑无毛或微被短柔毛。单叶对生；叶片纸质，卵形至披针形，基出脉 3 或 5，两面无毛或下面脉疏被短柔毛；叶柄具关节。花常单生，或为具 3 ～ 5 花的聚伞花序；花芳香；花萼常呈白色，裂片 7 ～ 8，线形，果时常增大；花冠白色，高脚碟状，裂片 8 ～ 10，披针形。浆果球形或长圆形，成熟时由红色变为黑色。花期 3 ～ 7 月，果期 4 ～ 10 月。

| 生境分布 | 生于海拔 1 000 m 以下的山坡、沙地、灌丛及混交林中。分布于广东开平、恩平、徐闻、雷州、高州、信宜、怀集、阳山及清远（市区）、东莞（市区）、广州（市区）、阳江（市区）、云浮（市区）、

茂名（市区）。

| **资源情况** | 野生资源较丰富。药材来源于野生。

| **采收加工** | 茎、叶，全年均可采收，切段，晒干或鲜用。花，3 ~ 7 月采收，晒干或鲜用。

| **功能主治** | 微苦，凉。清热利湿，拔脓生肌，涩肠止泻，祛风止痛，续筋接骨。用于小便热涩疼痛，尿血，腹痛，腹泻，赤白下痢，便血，痔疮肿痛，出血，食物中毒，呕吐，头昏目眩，风寒湿痹，肢体关节酸痛、屈伸不利，跌打损伤，骨折，疮疡脓肿等。

| **用法用量** | 内服煎汤，9 ~ 15 g。外用适量，煎汤洗；捣敷；或研末撒。

| **凭证标本号** | 440882180430226LY。

木樨科 Oleaceae 素馨属 Jasminum

厚叶素馨

Jasminum pentaneurum Hand.-Mazz.

| **药材名** | 樟叶茉莉（药用部位：全株。别名：鲫鱼胆、厚叶茉莉、青竹藤）。

| **形态特征** | 攀缘灌木，高 1 ~ 9 m。小枝黄褐色，节处稍压扁，枝中空。单叶对生；叶片厚革质，宽卵形、卵形或椭圆形，有时几近圆形，稀披针形，基出脉 5，最外面 1 对叶常不明显或缺而成三出脉；叶柄扭转，下部具关节。聚伞花序顶生或腋生，花序基部有 1 ~ 2 对小叶状苞片，近无柄，其余苞片呈线形；花梗果时增粗，被短柔毛；花萼裂片 6 ~ 7，线形；花冠白色，裂片 6 ~ 9，披针形或长圆形；花柱异长。浆果球形、椭圆形或肾形，呈黑色。花期 8 月至翌年 2 月，果期 2 ~ 5 月。

| **生境分布** | 生于海拔 800 m 以下的山谷、灌丛或混交林中。分布于广东乳源、

恩平、信宜、广宁、怀集、封开、德庆、高要、博罗、龙门、阳春、英德、新兴、郁南、罗定及广州（市区）、从化（市区）、云浮（市区）、茂名（市区）、清远（市区）。

| **资源情况** | 野生资源丰富。栽培资源一般。药材来源于野生。

| **采收加工** | 全年均可采收，洗净，切碎，鲜用或晒干。

| **功能主治** | 淡，凉。清热解毒，祛瘀生肌。用于跌打损伤，喉痛，口疮，疮疖，蛇咬伤。

| **用法用量** | 内服煎汤，9 ~ 15 g。

| **凭证标本号** | 440785180325138LY、440783200103017LY、441284191201172LY。

木樨科 Oleaceae 素馨属 Jasminum

茉莉花
Jasminum sambac (L.) Aiton

| 药 材 名 | 茉莉（药用部位：花、叶、根）。

| 形态特征 | 直立或攀援灌木。小枝被疏柔毛。单叶对生；叶片纸质，圆形或卵状椭圆形，长 4 ~ 12.5 cm，两端圆或钝，基部有时微心形，下面脉腋常具簇毛；叶柄较短，具关节。聚伞花序顶生，通常有 3 花；苞片锥形，长 4 ~ 8 mm；花极芳香，有明显的花梗；花萼无毛或疏被柔毛，裂片 8 ~ 10，线形，长 5 ~ 7 mm；花冠白色，花冠筒长 0.7 ~ 1.5 cm，裂片长圆形或近圆形，栽培品常为重瓣；雄蕊 2。果实球形，直径约 1 cm，成熟时紫黑色。花期 5 ~ 8 月，果期 7 ~ 9 月。

| 生境分布 | 全省各地均有栽培，以广州、顺德、南海、中山等地栽培较多。

| **资源情况** | 栽培资源较丰富。药材来源于栽培。

| **采收加工** | 花，夏季花初开时采收，晒干或烘干。叶，夏、秋季采收，洗净，鲜用或晒干。根，秋、冬季采挖，洗净，切片。鲜用或晒干。

| **药材性状** | 花多呈扁缩团状，长 1.5 ~ 2 cm，直径约 1 cm，花萼管状，有细长的裂齿 8 ~ 10，花冠裂片展平后呈椭圆形，长约 1 cm，宽约 5 mm，黄棕色至棕褐色，表面光滑无毛，基部连合成管状，内有雄蕊 2；质脆；气芳香，味涩。叶多卷曲皱缩，展平后呈阔卵形或椭圆形，长 4 ~ 12 cm，宽 2 ~ 7 cm，两端较钝，下面脉腋有黄色簇生毛；叶柄短，长 2 ~ 6 mm，微有柔毛；气微香，味微涩。

| **功能主治** | 花，辛、微甘，温，理气止痛，辟秽开郁。用于胸膈不舒，泻痢腹痛，头晕头痛，目赤疮毒。叶，辛、微苦，温。疏风解表，消肿止痛。用于外感发热、泻痢腹胀，脚气肿痛，毒虫蜇伤。根，辛、甘、凉，有毒。麻醉，镇痛。用于跌打损伤，龋齿疼痛，头痛，失眠。

| **用法用量** | 花，内服煎汤，3 ~ 10 g；或代茶饮。外用适量，煎汤洗目；或浸菜油滴耳。叶，内服煎汤，6 ~ 10 g。外用适量，煎汤洗；或捣敷。根，内服研末，1 ~ 1.5 g；或磨汁。外用适量，捣敷或塞龋齿洞。

| **凭证标本号** | 441284190817675LY、445224190728021LY、441422190730152LY。

木樨科 Oleaceae 素馨属 Jasminum

华素馨 *Jasminum sinense* Hemsl.

| 药 材 名 | 华清香藤（药用部位：全株。别名：九龙藤、吊三角）。

| 形态特征 | 缠绕藤本，高 1 ~ 8 m。小枝圆柱形，密被锈色长柔毛。三出复叶对生；小叶片纸质，卵形、宽卵形或卵状披针形，顶生小叶片较大。聚伞花序常呈圆锥状排列，顶生或腋生，花多数，稍密集，稀单花腋生；花芳香；花萼被柔毛，裂片线形或尖三角形，果时稍增大；花冠白色或淡黄色，高脚碟状，裂片 5，长圆形或披针形；花柱异长。浆果长圆形或近球形，呈黑色。花期 6 ~ 10 月，果期 9 月至翌年 5 月。

| 生境分布 | 生于海拔 300 ~ 900 m 的山坡、灌丛或林中。分布于广东始兴、仁化、翁源、乳源、乐昌、怀集、蕉岭、龙川、平远、连平、和平、

阳山、连山、连州及广州（市区）、东莞（市区）、潮州（市区）等。

| **资源情况** | 野生资源一般。药材来源于野生。

| **采收加工** | 全年或夏、秋季采收，除去泥土等杂质，切片或段，鲜用或晒干。

| **药材性状** | 本品藤茎呈类圆柱形，多扭曲成团，直径 3 ~ 5 mm，表面有柔毛；质稍硬，断面纤维性较强，黄白色，中央有黄棕色髓。叶对生或脱落；小叶展平后呈长卵形，长 3 ~ 12 cm，宽 2 ~ 8 cm，先端钝或尖，基部圆形或楔形，叶缘反卷，两面有柔毛，侧脉 3 ~ 6 对；小叶柄长短不一。有时可见聚伞花序。气微香。味微苦、涩。

| **功能主治** | 苦，寒。归肝经。清热解毒，消炎。

| **用法用量** | 内服煎汤，15 ~ 30 g。外用适量，捣敷。

| **凭证标本号** | 440281200714006LY、441823190115015LY、441882180813050LY。

木樨科 Oleaceae 女贞属 Ligustrum

日本女贞 *Ligustrum japonicum* Thunb.

| 药 材 名 | 苦茶叶（药用部位：叶。别名：台湾女贞、小白蜡、苦味散）。

| 形态特征 | 常绿灌木，高达 3 m。小枝圆柱形，节处稍压扁。单叶对生；叶片革质或厚革质，椭圆形至近圆形，叶缘明显反卷。圆锥花序顶生，塔形，被短柔毛，稀无毛；苞片线形或披针形，不久脱落；花冠裂片卵形，先端内折，呈盔状；雄蕊伸出，花丝与花冠裂片近等长或较花冠裂片稍短；花柱伸出花冠管外，柱头长卵形。果实近球形或卵形。花期 5 月，果期 11 ～ 12 月。

| 生境分布 | 广东广州有栽培。

| 资源情况 | 栽培资源较少。药材来源于栽培。

| 采收加工 | 夏、秋季采收，鲜用或晒干。 |

| 功能主治 | 微甘、苦，凉。清肝火，解热毒。用于头目眩晕，火眼，口疮，齿䘌，无名肿毒，烫火伤。 |

| 用法用量 | 内服煎汤，10 ～ 15 g；代茶饮；或熬膏。外用适量，熬膏贴；煎汤洗；研末撒或调敷。 |

| 凭证标本号 | 441622200923056LY。 |

木樨科 Oleaceae 女贞属 Ligustrum

女贞
Ligustrum lucidum W. T. Aiton

| 药 材 名 | 女贞子（药用部位：果实。别名：爆格蚤、冬青子、大叶女贞）。

| 形态特征 | 灌木或乔木，高可达 25 m。单叶对生；叶片卵形、长卵形或椭圆形至宽椭圆形。圆锥花序顶生；花序轴及分枝轴无毛，果时具棱；花序基部苞片常与叶同型，小苞片披针形或线形，凋落；花萼无毛，齿不明显或近截形；花冠裂片反折；花柱柱头棒状。果实肾形或近肾形，深蓝黑色，成熟时呈红黑色，被白粉。花期 5 ～ 7 月，果期7 月至翌年 5 月。

| 生境分布 | 生于海拔 1 700 m 以下的疏林、密林中。分布于广东曲江、始兴、仁化、翁源、乳源、乐昌、南雄、信宜、怀集、封开、博罗、大埔、紫金、和平、阳春、阳山、连山、英德、连州、郁南。

| **资源情况** | 野生资源丰富。栽培资源一般。药材来源于野生和栽培。 |

| **采收加工** | 冬季果实成熟时采收，稍蒸或置沸水中略烫后干燥，或直接干燥。 |

| **药材性状** | 本品呈卵形、椭圆形或肾形，长 6 ~ 8.5 mm，直径 3.5 ~ 5.5 mm。表面黑紫色或棕黑色，皱缩不平，基部有果梗痕或具宿萼及短梗。外果皮薄，中果皮稍厚而松软，内果皮木质，黄棕色，有数条纵棱，破开后通常可见呈椭圆形的种子1，种子一侧扁平或微弯曲，紫黑色，具油性。气微，味微酸、涩。 |

| **功能主治** | 苦，平。归肝、肾经。滋补肝肾，乌发明目。用于肝肾阴虚，眩晕耳鸣，腰膝酸软，须发早白，目暗不明，内热消渴，骨蒸潮热。 |

| **用法用量** | 内服煎汤，6 ~ 15 g；或入丸剂。外用适量，熬膏点眼。 |

| **凭证标本号** | 441523190919042LY、441224180827025LY、441623180812019LY。 |

木樨科 Oleaceae 女贞属 Ligustrum

小蜡
Ligustrum sinense Lour.

| 药 材 名 | 小蜡树（药用部位：叶。别名：板子茶、蚊仔树、花叶女贞）。

| 形态特征 | 落叶灌木或小乔木，高 2 ～ 4（～ 7）m。单叶对生；叶片纸质或薄革质、卵形、长圆形、椭圆形、披针形或近圆形。圆锥花序顶生或腋生；花序轴密被淡黄色短柔毛或柔毛以至近无毛；花梗被短柔毛或无毛；花萼无毛，先端呈截形或具浅波状齿；花冠裂片长圆状椭圆形或卵状椭圆形；花丝与裂片近等长或长于裂片，花药长圆形。果实近球形。花期 3 ～ 6 月，果期 9 ～ 12 月。

| 生境分布 | 生于海拔 200 ～ 1 600 m 的山坡、山谷、溪边、河旁、路边的密林、疏林或混交林中。广东各地均有分布。

| **资源情况** | 野生资源丰富。药材来源于野生。

| **采收加工** | 夏、秋季采收，鲜用或晒干。

| **功能主治** | 苦，寒。清热解毒，抑菌，杀菌，消肿止痛，去腐生肌。用于感冒发热，肺热咳嗽，咽喉肿痛，口舌生疮，湿热黄疸，痢疾，痈肿疮毒，湿疹，皮炎，跌打损伤，烫伤。

| **用法用量** | 内服煎汤，10 ~ 15 g，鲜品加倍。外用适量，煎汤含漱；或熬膏涂；捣烂或绞汁涂敷。

| **凭证标本号** | 440783190715017LY、441825190411016LY、445222180414009LY。

木樨科 Oleaceae 女贞属 Ligustrum

光萼小蜡

Ligustrum sinense Lour. var. *myrianthum* (Diels) Hofker

| 药 材 名 | 毛女贞（药用部位：枝叶。别名：苦味散）。

| 形态特征 | 本变种与原变种的区别在于：本变种的幼枝、花序轴和叶柄均密被锈色、黄棕色柔毛或硬毛，稀被短柔毛；叶片革质，长椭圆状披针形、椭圆形至卵状椭圆形，上面疏被短柔毛，下面密被锈色或黄棕色柔毛，尤以叶脉为密，稀近无毛；花序腋生，基部常无叶。花期 5 ～ 6 月，果期 9 ～ 12 月。

| 生境分布 | 生于海拔 130 ～ 1 500 m 的山坡、山谷、溪边密林、疏林或灌丛中。分布于广东曲江、始兴、仁化、翁源、乳源、乐昌、德庆、大埔、丰顺、蕉岭、阳山、英德。

| **资源情况** | 野生资源丰富。药材来源于野生。 |

| **采收加工** | 夏、秋季采收，鲜用或晒干。 |

| **功能主治** | 苦，寒。归心、肺经。清肺利咽，清热泻火。用于咽喉炎，口腔炎，痈肿疮毒，跌打损伤，烫火伤。 |

| **用法用量** | 内服煎汤，10 ~ 15 g，鲜品加倍。外用适量，煎汤洗；或捣敷。 |

| **凭证标本号** | 440224180401007LY、440224181112016LY。 |

木樨科 Oleaceae 木樨榄属 Olea

异株木樨榄 *Olea dioica* Roxb.

| **药 材 名** | 白茶木（药用部位：茎皮。别名：水扫把）。

| **形态特征** | 灌木或小乔木，高 2 ~ 12 m。枝灰白色或灰色，圆柱形；小枝具圆形皮孔，节处压扁。单叶对生；叶片革质，披针形、倒披针形或长椭圆状披针形，叶缘稍反卷。聚伞花序圆锥状，有时呈总状或伞状，腋生；花杂性，异株；雄花序较长，两性花序较短；花白色或浅黄色；雄蕊几无花丝，花药椭圆形；子房卵状圆锥形，柱头头状。核果椭圆形或卵形，先端短尖，成熟时呈黑色或紫黑色。花期 3 ~ 7 月，果期 5 ~ 12 月。

| **生境分布** | 生于海拔 800 m 以下的山谷密林或平地、海边杂木林中。分布于广东翁源、乐昌、始兴、连州、英德、新丰、仁化、博罗、大埔、蕉岭、

丰顺、怀集、封开、信宜、阳春。

| **资源情况** | 野生资源较丰富。药材来源于野生。

| **采收加工** | 全年均可采收，晒干。

| **功能主治** | 苦、寒。清热利湿。用于膀胱湿热之小便不利、淋沥涩痛等。

| **用法用量** | 内服煎汤，9 ~ 15 g。

| **凭证标本号** | 440882180331036LY。

木樨科 Oleaceae 木樨榄属 Olea

木樨榄
Olea europaea L.

| 药 材 名 | 油橄榄（药材来源：由果肉榨取的油。别名：洋橄榄、齐墩果）。

| 形态特征 | 常绿小乔木，高可达 10 m。树皮灰色。小枝密被银灰色鳞片，节处稍压扁。单叶对生；叶片革质，披针形，有时呈长圆状椭圆形或卵形，全缘，叶缘反卷，叶背浅绿色，密被银灰色鳞片；叶柄密被银灰色鳞片。圆锥花序腋生或顶生；花序梗被银灰色鳞片；花芳香，白色，两性；花萼杯状，浅裂或几近截形；花冠裂几达基部，裂片长圆形，边缘内卷；花丝扁平，花药卵状三角形；子房球形，花柱短，柱头头状，2 裂。核果椭圆形，成熟时呈蓝黑色。花期 4 ~ 5 月，果期 6 ~ 9 月。

| 生境分布 | 生于疏、密林及灌丛中。广东从化、深圳等地有栽培。

| **资源情况** | 栽培资源较少。药材来源于栽培。

| **采收加工** | 果实成熟后采收果实，压榨果肉，提取油。

| **功能主治** | 苦，寒。平肝潜阳，清热解毒。用于肝阳上亢证，烫火伤。

| **用法用量** | 内服煎汤，9 ~ 15 g。

木樨科 Oleaceae 木樨属 Osmanthus

宁波木樨 *Osmanthus cooperi* Hemsl.

| **药 材 名** | 宁波木樨（药用部位：根、花、果实）。

| **形态特征** | 常绿小乔木或灌木，高 3 ~ 5（~ 8）m。单叶对生；叶片革质，椭圆形或倒卵形，全缘，腺点在两面呈针尖状凸起。花序簇生于叶腋，每叶腋有花 4 ~ 12；苞片宽卵形，先端渐尖；花萼裂片圆形；花冠白色，花冠管与裂片几等长，稀略短于裂片；雄蕊着生于花冠管下部，药隔延伸成明显的小尖头。核果呈蓝黑色。花期 9 ~ 10 月，果期翌年 5 ~ 6 月。

| **生境分布** | 生于海拔 400 ~ 800 m 的山坡、山谷林中阴湿地或沟边。分布于广东乳源。

| 资源情况 | 野生资源稀少。栽培资源较丰富。药材来源于栽培。

| 采收加工 | 根，全年均可采挖，晒干。花，9 ~ 10 月花开时采收，阴干，除去杂质，密闭贮藏，防止香气走失及受潮发霉。果实，冬季采收，晒干。

| 功能主治 | 根，祛风湿，散寒。用于风湿病。花，化痰，散瘀。用于痰饮咳喘，肠风血痢，牙痛，口臭等。果实，暖胃，平肝，散寒。用于肝胃不和，胃气阻滞。

| 用法用量 | 内服煮散，3 ~ 5 g。

| 凭证标本号 | 441422190928424LY、441882180505063LY。

木樨科 Oleaceae 木樨属 Osmanthus

木樨

Osmanthus fragrans (Thunb.) Lour.

| **药 材 名** | 丹桂（药用部位：花、根、果实。别名：刺桂、桂花、四季桂）。

| **形态特征** | 常绿乔木或灌木，高 3 ~ 5（~ 18）m。单叶对生；叶片革质，椭圆形、长椭圆形或椭圆状披针形，全缘或通常上半部具细锯齿，两面无毛。聚伞花序簇生于叶腋，或近帚状，每叶腋有多花；花梗细弱，无毛；花极芳香；花冠黄白色、淡黄色、黄色或橘红色；雄蕊着生于花冠管中部，花丝极短，药隔在花药先端稍延伸成不明显的小尖头。核果歪斜，椭圆形，紫黑色。花期 9 月至 10 月上旬，果期翌年 3 月。

| **生境分布** | 生于海拔 800 m 以下的山谷密林中。分布于广东北部、中部。广东各地均有栽培。

| 资源情况 | 野生资源一般。栽培资源丰富。药材来源于栽培。

| 采收加工 | 花，9 ～ 10 月花开时采收，阴干，除去杂质，密闭贮藏，防止香气散失及受潮发霉。根，全年均可采挖，晒干。果实，冬季采收，晒干。

| 药材性状 | 本品花小，具细柄，花萼细小，4 浅裂，膜质，花冠 4 裂，裂片矩圆形，多皱缩，长 3 ～ 4 mm，淡黄色至黄棕色，气芳香，味淡；以身干、色淡黄、有香气者为佳。干燥根呈灰褐色。果实黑色或紫黑色，长卵形，长 1.5 ～ 2 cm，直径 0.7 ～ 0.9 cm，有隆起的不规则网状皱纹；外果皮菲薄，易脱落，露出淡黄棕色果核（内果皮），表面有不规则纵沟纹，具韧性，易剥开，内含种子 1；种子圆锥形，长约 1.2 cm，直径约 0.5 cm，味苦，种皮黄色，种仁类白色，油性；微有香气。

| 功能主治 | 花，辛，温，散寒破结，化痰止咳。用于痰饮咳喘，肠风血痢，牙痛，口臭等。根，甘、微涩，平，祛风湿，散寒。用于风湿病。果实，辛、甘，温，暖胃，平肝，散寒。用于脾病。

| 用法用量 | 花，内服煎汤，3 ～ 9 g；或泡茶。外用适量，煎汤含漱；或蒸热外熨。根，内服煎汤，15 ～ 25 g，鲜品 50 ～ 150 g。外用适量，研末调敷。果实，内服煎汤，5 ～ 10 g。

| 凭证标本号 | 440783190715012LY、441823190117019LY、445224210307005LY。

木樨科 Oleaceae 木樨属 Osmanthus

牛屎果

Osmanthus matsumuranus Hayata

| 药 材 名 | 木樨（药用部位：叶）。

| 形态特征 | 常绿灌木或乔木，高 2.5 ~ 10 m。叶片薄革质或厚纸质，倒披针形，稀为倒卵形或狭椭圆形，先端渐尖，具尖头，基部狭楔形，下延至叶柄，全缘或上半部有锯齿，两面无毛。聚伞花序组成短小圆锥花序，着生于叶腋；花冠淡绿白色或淡黄绿色，裂片反折，边缘具极短睫毛；雄蕊着生于花冠管上部，花药椭圆形，药隔不延伸；柱头头状，2 浅裂。果实椭圆形，绿色，成熟时呈紫红色至黑色。花期 5 ~ 6 月，果期 11 ~ 12 月。

| 生境分布 | 生于海拔 50 ~ 1 200 m 的山坡密林、山谷林中和灌丛。广东各地均有分布。

| 资源情况 | 野生资源丰富。药材来源于野生。

| 采收加工 | 全年均可采收，鲜用或晒干。

| 功能主治 | 苦，寒。杀菌，消炎。用于蛇虫咬伤，食物中毒，咽喉肿痛。

| 用法用量 | 外用适量，鲜品捣敷。

| 凭证标本号 | 441523190920011LY、441224180717040LY。

夹竹桃科 Apocynaceae 黄蝉属 Allamanda

软枝黄蝉 Allamanda cathartica L.

| 药 材 名 | 金蝉（药用部位：全株）。

| 形态特征 | 藤状灌木，植株高 2 m。枝条柔软，披散。全株具透明的乳汁。叶对生或 3 ~ 5 叶轮生，纸质，椭圆形、卵圆形或倒卵形。花序着 4 ~ 5 花；花萼裂片叶片状，椭圆形至卵圆形，长 1 ~ 2 cm，宽 0.3 ~ 1 cm；花冠比原变种大，橙黄色，长 10 ~ 14 cm，直径 9 ~ 14 cm，花冠喉部具发亮的斑点 5。花期春、夏两季，有时秋季亦能开花，果期冬季至翌年春季。

| 生境分布 | 广东各地均有栽培。

| 资源情况 | 栽培资源丰富。药材来源于栽培。

| **采收加工** | 夏、秋季采收，晒干。 |

| **功能主治** | 苦，寒；有毒。疏风散热，透疹，息风止痉，明目退翳。用于外感风热，发热，头昏，咽痛，麻疹初期。 |

| **用法用量** | 内服煎汤，3～6g。 |

| **凭证标本号** | 440523191003025LY。 |

夹竹桃科 Apocynaceae 黄蝉属 Allamanda

黄蝉
Allamanda schottii Pohl

| 药 材 名 | 黄兰蝉（药用部位：全株）。

| 形态特征 | 直立灌木，高达 2 m，具透明水液。3 ~ 5 叶轮生，近无柄；叶片椭圆形或窄倒卵形，叶面深绿色，叶背浅绿色，沿脉被糙硬毛，侧脉在叶背明显凸起。伞房花序顶生或腋生；花萼 5 深裂，裂片披针形；花冠漏斗状，黄色，内面具红褐色条纹，花冠筒基部膨大，花冠裂片卵形或圆形，先端钝；雄蕊着生于花冠筒喉部；子房卵圆形。蒴果圆球形，密被长刺；种子扁平。花期 5 ~ 8 月，果期 10 ~ 12 月。

| 生境分布 | 广东各地均有栽培。

| 资源情况 | 栽培资源丰富。药材来源于栽培。

| **采收加工** | 夏、秋季采收，晒干。

| **功能主治** | 苦，寒；有毒。消肿，杀虫。用于蛇虫咬伤。

| **用法用量** | 内服煎汤，3 ~ 6 g。

| **凭证标本号** | 445224190728017LY。

夹竹桃科 Apocynaceae 鸡骨常山属 Alstonia

糖胶树 *Alstonia scholaris* (L.) R. Br.

| 药 材 名 | 象皮木（药用部位：茎皮、嫩枝、叶。别名：面条树、面架木、盆架子）。

| 形态特征 | 乔木，高达 40 m，除花序外，全株无毛。茎皮灰色。枝条轮生，具皮孔。3 ~ 10 叶轮生；叶片革质，窄倒卵形至窄匙形，基部楔形，先端通常呈圆形，有时钝或微凹。聚伞花序密集，顶生；花冠白色，高脚碟状，花冠裂片阔卵形或阔倒卵形，向左覆盖；雄蕊长圆形，着生于花冠筒喉部；子房 2 裂，被短柔毛，花柱丝状，柱头棍棒状，先端 2 裂。蓇葖果双生，条形，下垂；种子长圆形，两端具缘毛。花期 6 ~ 11 月，果期 10 ~ 12 月。

| 生境分布 | 生于海拔 650 m 的山地疏林中、路旁或水沟边。广东中部、南部有

栽培。

| **资源情况** | 栽培资源丰富。药材来源于栽培。

| **采收加工** | 夏、秋季采收，晒干。

| **功能主治** | 淡，平；有毒。消炎，化痰止咳，止痛，清热解毒，止血，消肿。用于感冒发热，肺热咳喘，百日咳，黄疸性肝炎，胃痛吐泻，疟疾，疮疡痈肿，跌打肿痛，外伤出血。

| **用法用量** | 内服煎汤，9 ~ 12 g。外用适量，鲜叶捣敷。

| **凭证标本号** | 441284190812524LY。

夹竹桃科 Apocynaceae 鸡骨常山属 Alstonia

盆架树

Alstonia rostrata C. E. C. Fisch.

| 药 材 名 | 盆架树（药用部位：叶、茎皮。别名：岭刀柄、灯架、山苦常）。

| 形态特征 | 常绿乔木。树皮淡黄色至灰黄色，具纵裂条纹。枝轮生；小枝绿色，具纵沟，老时呈圆筒形，落叶痕明显。3～4叶轮生，间有对生者，薄草质，长圆状椭圆形。多花集成顶生聚伞花序；花萼裂片卵圆形，外面无毛，具缘毛；花冠高脚碟状。蓇葖合生，外果皮暗褐色，有纵浅沟；种子长椭圆形，扁平。花期4～7月，果期8～12月。

| 生境分布 | 生于热带和亚热带山地常绿林或山谷热带雨林中。广东中部、南部有栽培。

| 资源情况 | 栽培资源一般。药材来源于栽培。

| 采收加工 | 全年均可采收，茎皮切块，晒干，叶晒干。

| 药材性状 | 本品茎皮呈板片状、条状或不规则块状；外表面灰黄色，具不规则纵裂纹，易层状剥落，内表面较光滑，易折断。叶片呈长圆状椭圆形，先端渐尖，基部楔形，全缘，叶面绿色，主脉明显，侧脉较多，近平行横出。气微腥，味微甜而苦、涩。

| 功能主治 | 苦，平；有小毒。止咳平喘。用于新久咳嗽，气喘。

| 用法用量 | 内服煎汤，9 ～ 12 g。

| 凭证标本号 | 441900180815006LY、44522419033021LY。

夹竹桃科 Apocynaceae 链珠藤属 Alyxia

海南链珠藤 *Alyxia hainanensis* Merr. et Chun

| **药 材 名** | 白骨藤（药用部位：茎、叶。别名：乐东链珠藤、卫矛叶链珠藤、茉莉链珠藤）。

| **形态特征** | 攀缘灌木，长达 4 m。嫩枝稍具棱；老枝圆柱状，具稀疏皮孔。叶对生或 3 叶轮生；叶片纸质，椭圆形或长圆形；中脉在叶背凸起，侧脉在叶面明显。聚伞花序簇生于叶腋或顶生，被灰色短柔毛；萼裂片长圆状披针形；花冠淡黄绿色，无毛，花冠筒上部膨大，喉部缢缩，花冠裂片卵形；雄蕊着生于花冠筒上部；子房被疏长柔毛，花柱丝状，柱头 2 裂。核果链珠状，具近圆球状或长椭圆形的果节 1 ～ 3。花期 3 ～ 8 月，果期 6 月至翌年 2 月。

| **生境分布** | 生于海拔 250 ～ 900 m 的山谷疏林中。分布于广东连南、仁化、

化州、花都、曲江、始兴、乳源、乐昌、南雄、新会、台山、恩平、电白、信宜、怀集、封开、德庆、高要、阳春、阳山、连山、罗定及阳江（市区）、云浮（市区）等。

| 资源情况 | 野生资源较丰富。药材来源于野生。

| 采收加工 | 全年均可采收，洗净，切片，晒干。

| 功能主治 | 微苦，凉。清热解毒，养血补虚，活血通经。用于气血虚弱，月经不调，闭经，遗精，盗汗，带下，腰膝酸软，风湿痹痛，肢体麻木，脊髓灰质炎后遗症，放射治疗引起的白细胞减少症。

| 用法用量 | 内服煎汤，15 ~ 30 g；或浸酒。

| 凭证标本号 | 441125180728105LY、440783200425030LY、441882180814040LY。

夹竹桃科 Apocynaceae 链珠藤属 Alyxia

筋藤
Alyxia levinei Merr.

| **药 材 名** | 瓜子藤（药用部位：全株。别名：念珠藤、阿利藤、三托藤）。

| **形态特征** | 攀缘灌木，具乳汁，全株无毛。小枝和老枝皆柔弱，小枝稍具棱角和条纹，老枝圆柱状，淡红褐色。叶对生或 3 叶轮生，椭圆形或长圆形；叶面侧脉不明显，向下凹陷。聚伞花序单生于叶腋，短；花萼裂片长圆形；花冠淡绿白色，无毛，花冠裂片宽椭圆形；子房被长柔毛。果实链珠状，具椭圆形或圆形的果节 1 ~ 3。花期 3 ~ 8 月，果期 9 ~ 12 月。

| **生境分布** | 生于疏林或灌丛中。分布于广东仁化、信宜、怀集、德庆、高要、阳春及云浮（市区）、茂名（市区）。

| **资源情况** | 野生资源较丰富。药材来源于野生。 |

| **采收加工** | 全年均可采收，洗净，切片，晒干或鲜用。 |

| **功能主治** | 辛、微苦，温。祛风除湿，活血止痛。用于风湿痹痛，血瘀经闭，胃痛，泄泻，跌打损伤，脚气。 |

| **用法用量** | 内服煎汤，15 ~ 30 g；或浸酒。 |

| **凭证标本号** | 441825190802013LY、440224180403028LY、440224181202019LY。 |

夹竹桃科　Apocynaceae　链珠藤属　*Alyxia*

链珠藤
Alyxia sinensis Champ. ex Benth.

| 药 材 名 | 过山香（药用部位：全株。别名：满山香、春根藤）。

| 形态特征 | 木质藤本，长达 3 m，除花序外，其余部位均无毛。叶对生或 3 叶轮生；叶片革质，圆形、椭圆形、卵形或倒卵形，先端圆或凹缺，边缘反卷，侧脉不明显。聚伞花序簇生于叶腋或近顶生，着花密集；萼裂片卵形，先端钝，外面被短柔毛；花冠淡红色至白色，花冠筒近喉部缢缩，花冠裂片卵形；子房被长柔毛。核果链珠状，具椭圆形的果节 2 ~ 3。花期 4 ~ 9 月，果期 5 ~ 11 月。

| 生境分布 | 生于矮林或灌丛中。分布于广东增城、从化、始兴、仁化、翁源、乳源、新丰、乐昌、台山、廉江、博罗、惠东、龙门、大埔、丰顺、五华、平远、蕉岭、海丰、紫金、连平、和平、英德、连州、

饶平及深圳（市区）、珠海（市区）、清远（市区）、梅州（市区）、河源（市区）。

| 资源情况 | 野生资源丰富。药材来源于野生。

| 采收加工 | 夏、秋季采收，洗净，切段，晒干。

| 功能主治 | 辛、微苦，温。入肺、肝、脾经。祛风活血，通经活络。用于风湿病，腹痛，毒蛇咬伤。

| 用法用量 | 内服煎汤，15 ~ 24 g；或酒水炖服。

| 凭证标本号 | 441523190921012LY、440781190516040LY、440781190517009LY。

夹竹桃科 Apocynaceae 长春花属 *Catharanthus*

长春花 *Catharanthus roseus* (L.) G. Don

药材名

日日新（药用部位：全草。别名：雁来红）。

形态特征

多年生草本，高达 60 cm，直立或外倾。嫩茎被微毛，老茎无毛。单叶对生；叶片倒卵形或椭圆形，两面无毛。花单生或 2 ~ 3 花组成顶生或腋生的聚伞花序；萼裂片披针形；花冠红色或紫红色，花冠筒长 2.5 ~ 3 cm，内面被疏柔毛，喉部被长柔毛，花冠裂片阔倒卵形；雄蕊着生于花冠筒喉部；子房被短柔毛。蓇葖果双生，直立，有条纹，被柔毛；种子黑色，长圆形，具颗粒状小瘤。花果期几乎全年。

生境分布

生于热带地区。广东各地均有栽培。

资源情况

栽培资源丰富。药材来源于栽培。

采收加工

夏、秋季采收，晒干。

| 药材性状 | 本品长 30 ～ 50 cm。主根圆锥形，略弯曲。茎枝绿色或红褐色，类圆柱形，有棱，折断面纤维性，髓部中空。叶对生，皱缩，展平后呈倒卵形或长圆形，长 3 ～ 6 cm，宽 1.5 ～ 2.5 cm，先端钝圆，具短尖，基部楔形，深绿色或绿褐色，羽状脉明显；叶柄甚短。枝端或叶腋有花。花冠高脚碟形，长约 3 cm，淡红色或紫红色。气微，味微甘、苦。

| 功能主治 | 微苦，凉；有毒。归肝、肾经。抗癌，降血压。用于恶性肿瘤，痈肿疮毒，高血压，烫伤。

| 用法用量 | 内服煎汤，5 ～ 10 g。外用适量，捣敷；或研末调敷。

| 凭证标本号 | 445224190728001LY、441422190730588LY、440523190714024LY。

海杧果 *Cerbera manghas* L.

| 药 材 名 |

海檬果（药用部位：果实、树皮、叶、乳汁。别名：海芒果、黄金茄、牛心荔）。

| 形态特征 |

乔木，高达 8 m。树皮灰褐色。枝条轮生，具皮孔和叶痕。叶片厚纸质，长倒卵形、倒卵状披针形或长圆形，两面无毛。聚伞花序顶生；花萼裂片长圆形，黄绿色；花冠白色，高脚碟状，花冠筒内面被长柔毛，喉部淡红色，花冠裂片倒卵状镰刀形；雄蕊着生在花冠筒喉部，花丝黄色；子房卵形，无毛，柱头基部环状，先端 2 裂。核果通常单生，稀双生，阔卵形或球形，平滑，未成熟时呈绿色，成熟后呈橙黄色；种子通常为 1。花期 3 ~ 10 月，果期 6 ~ 12 月。

| 生境分布 |

生于海边或近海边湿润的地方。分布于广东台山、徐闻及肇庆（市区）、阳江（市区）、茂名（市区）、珠海（市区）、广州（市区）、深圳（市区）。

| 资源情况 |

野生资源较丰富。栽培资源一般。药材来源

于野生和栽培。

| **采收加工** | 果实，秋季果实成熟时采收，晒干。树皮，全年均可采收，切段，晒干。叶，全年均可采收，晒干。乳汁，割破树皮，收集流出的乳汁，鲜用。

| **功能主治** | 果实，麻醉。树皮、叶、乳汁，催吐，泻下。

| **凭证标本号** | 440781190515026LY、440781191103001LY、440882180406767LY。

夹竹桃科 Apocynaceae 鹿角藤属 Chonemorpha

鹿角藤 *Chonemorpha eriostylis* Pitard

| 药 材 名 | 毛柱鹿角藤（药用部位：茎）。

| 形态特征 | 粗壮木质大藤本，长达 20 m，具丰富乳汁，除花冠和叶面外，其余部位均被粗长毛。单叶对生；叶片倒卵形或宽长圆形。聚伞花序着花 7 ~ 15；花萼筒状，被绒毛，内面基部具腺体；花冠白色，近高脚碟状；雄蕊着生在花冠筒的近基部，花药箭头状，花丝短，被微毛；花盘环状，先端波状；花柱被长硬毛。蓇葖果 2，近木质，箸状披针形；种子倒卵形，扁平。花期 5 ~ 7 月，果期 8 月至翌年 4 月。

| 生境分布 | 生于疏林、山地及湿润山谷中。分布于广东茂名（市区）、肇庆（市

区）。

| **资源情况** | 野生资源较少。栽培资源一般。药材来源于野生和栽培。

| **采收加工** | 全年均可采收，切段，晒干。

| **功能主治** | 祛风通络，活血止痛。用于风寒湿痹，腰膝冷痛，跌打损伤，外伤出血。

| **用法用量** | 内服煎汤，9 ~ 15 g；或浸酒。外用适量，研末撒；或捣敷。

夹竹桃科 Apocynaceae 鹿角藤属 *Chonemorpha*

大叶鹿角藤 *Chonemorpha fragrans* (Moon) Alston

| 药 材 名 | 大叶鹿角藤（药用部位：茎叶）。

| 形态特征 | 粗壮木质大藤本，长达 30 m，具丰富乳汁，除花外其余部位均被粗硬毛。叶片纸质，近圆形或宽卵形，先端圆，具短尖头，基部心形。聚伞花序顶生；花萼具明显的萼筒，先端齿裂，几无毛；花冠白色，近高脚碟状，花冠筒圆筒状，基部膨大，外面无毛，内面喉部被长柔毛，花冠裂片倒卵形，向右覆盖；雄蕊着生于花冠筒近基部，花药箭头状，包围柱头，腹部粘生在柱头上，花丝被短柔毛。菁荚果叉生，长圆状披针形；种子长圆形，基部较宽，先端具白色绢质种毛。花期 5 ~ 7 月，果期 7 ~ 12 月。

| **生境分布** | 生于山地阔叶密林中较潮湿的地方，常攀缘于树上。广东南部有栽培。 |

| **资源情况** | 栽培资源一般。药材来源于栽培。 |

| **采收加工** | 全年均可采收，切段，晒干。 |

| **功能主治** | 祛风活络，止血。用于风寒湿痹，腰膝冷痛，跌打损伤，外伤出血。 |

| **用法用量** | 内服煎汤，9 ~ 15 g；或浸酒。外用适量，研末撒；或捣敷。 |

尖蕾狗牙花 *Ervatamia bufalina* (Lour.) Pichon

| 药 材 名 | 尖蕾狗牙花（药用部位：根。别名：海南狗牙花、澄江狗牙花、单根木）。

| 形态特征 | 灌木，高1～3m，全株光滑，有丰富的乳汁。根直而粗长，很少分枝。幼枝有棱角，灰绿色，干时具纵条纹。叶对生，每对叶大小不等；叶片长卵形，长5～10cm，宽2～4cm，先端急尖，基部楔形，具柄。聚伞花序腋生；萼5裂，内有腺体；花白色；花冠高脚碟状，管圆柱形，中部或中部以上稍膨大，裂片5，扩展；雄蕊着生于冠管的中部或中部以上，内藏，花药与柱头分离；心皮2，分离。蓇葖果2，呈叉开的牛角形，有尖长的弯喙，状如辣椒，成熟时呈红色。花果期3～12月。

| **生境分布** | 生于海南、广西、云南等地的山地林中或灌丛中。中国科学院华南植物园有栽培。

| **资源情况** | 栽培资源较少。

| **采收加工** | 全年均可采挖，洗净，切片，晒干。

| **药材性状** | 本品圆柱形或圆锥形，长可达 30 cm，直径约 8 cm。表面灰棕色或黄棕色，具纵裂纹，皮部易剥落而露出棕黄色木部，鲜时有乳汁溢出，乳汁干后呈棕色。质坚硬，不易折断，断面中央木部占大部分，呈淡黄色。气微，味微苦。

| **功能主治** | 苦、辛，凉；有毒。清热解毒，散结利咽，降血压，止痛。用于咽喉肿痛，高血压，跌打损伤，痈疽疮毒等。

| **用法用量** | 内服煎汤，10 ~ 15 g。

夹竹桃科 Apocynaceae 狗牙花属 *Ervatamia*

药用狗牙花

Ervatamia officinalis Tsiang

| 药 材 名 | 药用狗牙花（药用部位：根。别名：山辣椒树、狗牙花）。

| 形态特征 | 灌木，仅花有毛。枝和小枝淡灰色。叶坚纸质，椭圆状长圆形，中脉凸起；叶柄长 3 ~ 7 mm。聚伞花序腋生，生于小枝先端，呈假二叉式；花萼钟状，萼片梅花式，不等长，透明；花冠白色，裂片长圆状披针形，两面具微柔毛。蓇葖果双生，或有 1 蓇葖果不发育，线状长圆形，基部有柄；种子呈不规则卵圆形。花期 5 ~ 7 月，果期 8 月至翌年 4 月。

| 生境分布 | 生于海南、云南海拔 800 m 以下的山地疏林。中国科学院华南植物园有栽培。

| **资源情况** | 野生资源较少。栽培资源较少。

| **采收加工** | 全年均可采挖，洗净，切片，晒干。

| **药材性状** | 本品呈圆柱形或圆锥形，长 8 ~ 30 cm，直径 1 ~ 8 m。表面黄棕色，外皮较松软，具纵裂纹，皮部易剥落而露出棕黄色木部，鲜时有乳汁溢出，故于根皮部剥落处常可见棕色稠状物附着。不易折断，断面中央木部多呈偏心性。气微，味微苦。

| **功能主治** | 苦，凉；有毒。清热，降血压，消肿止痛。用于高血压，咽喉肿痛，腹痛。

| **用法用量** | 内服煎汤，10 ~ 15 g。

夹竹桃科 Apocynaceae 狗牙花属 *Ervatamia*

狗牙花 *Ervatamia divaricata* (L.) Burkill

| 药 材 名 | 狗牙花（药用部位：根、叶。别名：白狗牙、狮子花、豆腐花）。

| 形态特征 | 灌木，高达 1 m，具乳汁，全株无毛。枝和小枝淡灰色，有皮孔。叶常聚生于上部小枝的先端，早落；叶片椭圆状长圆形，长 5 ~ 12 cm，宽 1.5 ~ 3.5 cm；叶柄长 5 ~ 10 mm。聚伞花序腋生或假顶生，单花或双花，无总花梗或总花梗长不超过 5 mm；萼片长约 4 mm，内面基部多腺体；花冠白色，单瓣或重瓣。蓇葖果长圆形，叉开或外弯。花期 4 月，果期秋季。

| 生境分布 | 生于海南海拔 1 000 ~ 1 600 m 的山地灌丛中。广东各地均有栽培。

| 资源情况 | 栽培资源丰富。药材来源于栽培。

| 采收加工 | 根，夏、秋季采挖，洗净，切片，晒干。叶，全年均可采收，鲜用。

| 功能主治 | 苦、辛，凉；有毒。清热，降血压，解毒消肿。用于高血压，咽喉肿痛，痈疽疮毒，跌打损伤。

| 用法用量 | 内服煎汤，10 ~ 30 g。外用适量，鲜品捣敷。

| 凭证标本号 | 441226170612031LY、440183210417004LY、440523191002011LY。

夹竹桃科 Apocynaceae 止泻木属 Holarrhena

止泻木

Holarrhena pubescens Wall. ex G. Don

| **药 材 名** | 止泻木皮（药用部位：茎皮）。

| **形态特征** | 乔木，高达 10 m，全株具乳汁。树皮浅灰色。枝条灰绿色，具皮孔，被短柔毛。叶膜质，对生，阔卵形，两面被短柔毛。伞房状聚伞花序顶生和腋生，被短柔毛，着花稠密；花萼裂片长圆状披针形，外面被短柔毛；花冠白色，向外展开。蓇葖果双生，长圆柱形，向内弯，无毛，具白色斑点；种子浅黄色，中部凹陷。花期 4 ~ 7 月，果期 6 ~ 12 月。

| **生境分布** | 生于云南海拔 500 ~ 1 000 m 的山地疏林中、山坡路旁或山谷水沟边。广东广州（市区）、深圳（市区）有栽培。

资源情况	栽培资源较少。药材来源于栽培。
采收加工	春、秋季采收，晒干。
功能主治	苦，凉。止痢，行气。用于痢疾，肠胃胀气。
用法用量	内服煎汤，9 ~ 15 g。

夹竹桃科 Apocynaceae 腰骨藤属 Ichnocarpus

腰骨藤 *Ichnocarpus frutescens* (L.) W. T. Aiton

| 药 材 名 |

腰骨藤（药用部位：种子。别名：羊角藤、勾临链、犁田公藤）。

| 形态特征 |

木质藤本，长达 8 m，仅幼枝上有短柔毛，具乳汁。叶卵圆形，长 5 ~ 10 cm。花白色；花序长 3 ~ 8 cm；花冠筒喉部被柔毛；花药箭头状；花盘 5 深裂，裂片线形，比子房微长；子房被毛。蓇葖果双生，叉开，一长一短，细圆筒状，被短柔毛。花期 5 ~ 8 月，果期 8 ~ 12 月。

| 生境分布 |

生于山地疏林或灌丛中。分布于广东乐昌、徐闻、大埔、阳春、阳山、封开、博罗及广州（市区）、珠海（市区）、茂名（市区）、云浮（市区）、深圳（市区）、肇庆（市区）等。

| 资源情况 |

野生资源丰富。药材来源于野生。

| 采收加工 |

秋季果实成熟时采收，晒干，取出种子。

| 功能主治 | 苦，平。祛风除湿，通络止痛。用于风湿痹痛，跌打损伤。

| 用法用量 | 内服煎汤，6 ~ 9 g。

| 凭证标本号 | 441825190502030LY。

夹竹桃科 Apocynaceae 山橙属 Melodinus

尖山橙 *Melodinus fusiformis* Champ. ex Benth.

| 药 材 名 |

尖山橙（药用部位：枝叶。别名：竹藤、乳汁藤、藤皮黄）。

| 形态特征 |

粗壮木质藤本，具乳汁。茎皮灰褐色。幼枝、嫩叶、叶柄、花序被短柔毛。叶近革质，椭圆形，中脉在叶面平坦，在叶背略凸起。聚伞花序生于侧枝的先端；花萼裂片卵圆形，边缘薄膜质；花冠白色，花冠裂片倒披针形，偏斜不正。浆果橙红色，椭圆形；种子压扁，近圆形，边缘呈不规则波状。花期 4 ~ 9 月，果期 6 月至翌年 3 月。

| 生境分布 |

生于疏林中或山坡路旁、山谷水沟边。广东各地均有分布。

| 资源情况 |

野生资源丰富。药材来源于野生。

| 采收加工 |

全年均可采收，切段，晒干。

| **功能主治** | 苦、辛，平。活血，祛风，补肺，通乳。用于风湿性心脏病。 |

| **用法用量** | 内服煎汤，6 ~ 9 g。 |

| **凭证标本号** | 441523190514025LY、441422190501036LY、441622190530018LY。 |

夹竹桃科 Apocynaceae 山橙属 Melodinus

思茅山橙 *Melodinus suaveolens* (Hance) Champ. ex Benth.

| 药 材 名 | 山橙（药用部位：果实。别名：猢狲果、马骝藤、猴子果）。

| 形态特征 | 攀缘木质藤本，长达 10 m，具乳汁，仅花序被稀疏的柔毛。小枝褐色。叶近革质，椭圆形。聚伞花序顶生和腋生；花萼长约 3 mm，被微毛，裂片卵圆形，先端圆形或钝，边缘膜质；花冠筒外披微毛，裂片约为花冠筒的 1/2，或与之等长，上部向一边扩大而呈镰刀状或呈斧形；种子多数，犬齿状或两侧扁平。花期 5 ~ 11 月，果期 8 月至翌年 1 月。

| 生境分布 | 生于向阳山坡，常攀缘于树顶。广东各地均有分布。

| 资源情况 | 野生资源丰富。药材来源于野生。

| 采收加工 | 秋季果实成熟时采收，晒干。

| 药材性状 | 本品圆球形，直径 3.5 ~ 6 cm，外表面橙红色，具深棕色斑纹，有光泽。果皮坚韧，果肉干缩，呈海绵状，白色与棕色相间，有多数种子镶嵌于果肉内。种子扁圆形，长约 5 mm，棕褐色至黑褐色，表面密布斜细孔；种仁黄色，富油质。气微香，味苦。

| 功能主治 | 苦、微甘，平；有小毒。行气，止痛，除湿，杀虫。用于胃气痛，食管癌，疝气，瘰疬，湿癣疥癞。

| 用法用量 | 内服煎汤或煮肉，1 ~ 2 枚。

| 凭证标本号 | 440781190519013LY、445224190511001LY、440523190720004LY。

夹竹桃科 Apocynaceae 夹竹桃属 Nerium

夹竹桃
Nerium oleander L.

| 药 材 名 | 夹竹桃（药用部位：叶、枝皮。别名：红花夹竹桃、柳叶桃）。

| 形态特征 | 常绿直立大灌木，全株含水液，无毛。枝条灰绿色。3～4叶轮生，下枝叶对生；叶片窄披针形，表面深绿色，背面淡绿色。聚伞花序顶生，着花数朵；花萼5深裂，红色；花冠深红色或粉红色，单瓣或重瓣。蓇葖果2，离生，平行或并连，长圆形，绿色，无毛，具细纵条纹；种子长圆形，褐色。花期几乎全年，果期冬、春季。

| 生境分布 | 栽培于公园、道路旁或河旁、湖旁。广东各地均有栽培。

| 资源情况 | 栽培资源丰富。药材来源于栽培。

| 采收加工 | 选择生长2～3年的植株，结合整枝修剪，采集叶及枝皮，晒干或炕干。

| 药材性状 | 本品叶片窄披针形，先端渐尖，基部楔形，全缘，稍反卷，上面深绿色，下面淡绿色，主脉于下面凸起，侧脉细密而平行；叶柄长约 5 mm。厚革质而硬。气特异，味苦；有毒。

| 功能主治 | 辛、苦、涩，温；有大毒。强心利尿，祛痰定喘，镇痛，祛瘀。用于心力衰竭，喘息咳嗽，癫痫，跌打损伤，闭经。

| 用法用量 | 内服煎汤，1 ~ 3 g；或研末，3 ~ 5 g。外用捣敷。

| 凭证标本号 | 440781190516043LY、441225180730043LY、445222191026041LY。

夹竹桃科 Apocynaceae 杜仲藤属 Parabari

红杜仲藤 *Parabarium hainanense* Tsiang

| 药 材 名 | 杜仲藤（药用部位：茎皮、根皮。别名：华南杜仲藤、红杜仲藤、海南杜仲藤）。

| 形态特征 | 藤状灌木，仅花序有毛。叶腋间及叶腋内腺体微小，暗紫色。叶近革质，椭圆状披针形，边缘外卷，背面散生黑色乳头状腺点。花冠近坛状，外面具长柔毛。蓇葖果双生，成熟后水平开展，基部膨大，外果皮栗褐色，内果皮黄色；种子斜纺锤形，具锈色绒毛，种毛黄白色，绢质。花期 1 ～ 6 月，果期 8 ～ 10 月。

| 生境分布 | 生于海拔 200 ～ 800 m 的密林中。分布于广东英德、从化、信宜、封开、阳春及肇庆（市区）。

| 资源情况 | 野生资源较丰富。药材来源于野生。

| 采收加工 | 秋季采收，切片，晒干。

| 药材性状 | 本品茎皮呈不规则卷筒状或槽状，厚 1 ~ 3 mm。外表面紫褐色或黑褐色，有皱纹及横向裂纹，皮孔稀疏，呈点状，刮去栓皮显紫红色或红褐色；内表面紫红褐色，具细密纵纹。折断面有白色胶丝相连，稍有弹性。气微，味微苦、涩。

| 功能主治 | 苦、微酸、涩，平；有小毒。祛风湿，强筋骨。用于风湿痹痛，腰膝酸软，跌打损伤。

| 用法用量 | 内服煎汤，6 ~ 9 g；或浸酒。外用适量，捣敷；或研末撒。

| 凭证标本号 | 441825190805015LY。

| 附　　注 | 内服过量时可出现头晕、呕吐等中毒症状。

夹竹桃科 Apocynaceae 杜仲藤属 Parabarium

杜仲藤 *Parabarium micranthum* (Wall. ex G. Don) Pierre

| 药 材 名 | 杜仲藤（药用部位：茎皮、根皮。别名：土杜仲、白杜仲）。

| 形态特征 | 木质藤本，长达35 m，全株含白色乳汁，除花冠被毛外其余部位无毛。茎皮棕褐色，密被白色圆形皮孔。叶薄革质，卵状披针形，先端渐尖，基部锐尖。聚伞花序顶生；花萼杯状，先端5裂，内面基部具小腺体5；花冠近钟状，裂片5，花蕾时具褶，开花后伸直。蓇葖果双生，基部膨大，向先端狭尖；种子长圆形，扁平，先端具长达4 cm的白色绢质种毛。花期8～11月，果期11月至翌年1月。

| 生境分布 | 生于海拔300～800 m的山地疏林、密林中。分布于广东徐闻、阳春、新兴、和平及韶关（市区）、肇庆（市区）、佛山（市区）。

| **资源情况** | 野生资源较丰富。药材来源于野生。 |

| **采收加工** | 秋季采收,切片,晒干。 |

| **药材性状** | 本品茎皮呈卷筒状或槽状,厚 1 ～ 2.5 mm。外表面带栓皮,灰棕色或灰黄色,有皱纹及横长皮孔,黄白色,刮去栓皮后显红棕色,较平坦;内表面红棕色或黄棕色,有细纵纹。折断面有白色胶丝相连,稍有弹性。气微,味微苦、涩。 |

| **功能主治** | 苦、微辛,微温。祛风湿,强筋骨。用于风湿痹痛,腰膝酸软,跌打损伤。 |

| **用法用量** | 内服煎汤,6 ～ 9 g;或浸酒。外用适量,捣敷;或研末撒。 |

| **凭证标本号** | 440781190828005LY、441225180609015LY。 |

夹竹桃科 Apocynaceae 杜仲藤属 Parabarium

毛杜仲藤 *Parabarium huaitingii* Chun et Tsiang

| 药 材 名 |

藤杜仲（药用部位：根、茎及茎皮。别名：引汁藤、银花藤、鸡头藤）。

| 形态特征 |

攀缘多枝灌木，具乳汁，除花冠裂片外，其余部位均具灰色或红色短绒毛。叶生于枝的先端，薄纸质，卵状椭圆形。花序近顶生，伞房状，多花；花萼近钟状，外面有绒毛，裂片长圆状披针形；花冠黄色。蓇葖果双生或 1 蓇葖果不发育，卵圆状披针形；种子线状长圆形，暗黄色，有柔毛，种毛长约 3 cm。花期 4 ~ 6 月，果期 7 月至翌年 6 月。

| 生境分布 |

生于海拔 200 ~ 1 000 m 的山地疏林或山谷隐蔽地。分布于广东英德、连山、阳山、怀集、郁南。

| 资源情况 |

野生资源较少。药材来源于野生。

| 采收加工 |

秋季采收，切片，晒干。

| **药材性状** | 本品茎皮呈卷筒状或槽状，厚 2 ~ 5 mm。外表面灰棕色，稍粗糙，无横向裂纹，皮孔稀疏且细小，灰白色，刮去栓皮后呈棕红色或黄棕色。折断面有白色胶丝相连，稍有弹性。气微，味微苦、涩。 |

| **功能主治** | 苦、微辛，平；有小毒。祛风湿，强筋骨。用于风湿痹痛，腰膝酸软，跌打损伤。 |

| **用法用量** | 内服煎汤，10 ~ 15 g；或浸酒。 |

| **附　　注** | 本品有小毒，过量服用可导致头晕、呕吐等。 |

夹竹桃科 Apocynaceae 鸡蛋花属 Plumeria

鸡蛋花 *Plumeria rubra* L.

| **药 材 名** | 鸡蛋花（药用部位：花、茎皮。别名：缅栀子）。

| **形态特征** | 落叶小乔木。枝条粗壮，具丰富乳汁，绿色，无毛。叶厚纸质，长圆状倒披针形。聚伞花序顶生，无毛，总花梗3歧，肉质，绿色；花萼裂片小，卵圆形，先端圆；花冠外面白色，内面黄色。蓇葖果双生，广歧，圆筒形，向端部渐尖，绿色，无毛；种子斜长圆形，扁平。花期5～10月，果期一般为7～12月，栽培者极少结果。

| **生境分布** | 生于高温高湿、阳光充足、排水良好的环境。广东各地均有栽培。

| **资源情况** | 栽培资源丰富。药材来源于栽培。

| **采收加工** | 夏、秋季采收茎皮，花开时采花，晒干或鲜用。

药材性状	本品花多皱缩成条状或扁平三角状，淡棕黄色或黄褐色，展开后可见花萼；花萼较小；花冠裂片 5，倒卵形，长约 3 cm，宽约 1.5 cm，向右旋转排列，下部合生成细管，长约 1.5 cm；雄蕊 5，花丝极短；有时可见卵状子房。气香，味微苦。
功能主治	甘、微苦，凉。清热解毒，利湿，止咳。用于中暑，肠炎，细菌性痢疾，消化不良，小儿疳积，病毒性肝炎，支气管炎。
用法用量	内服煎汤，8 ~ 20 g。
凭证标本号	445224210307003LY、440523191002003LY。

夹竹桃科 Apocynaceae 帘子藤属 Pottsia

帘子藤 *Pottsia laxiflora* (Blume) Kuntze

| 药 材 名 | 花拐藤根（药用部位：根茎。别名：腰骨藤、长角胶藤）。

| 形态特征 | 常绿攀缘灌木。枝条柔弱，平滑，无毛，具乳汁。叶薄纸质，卵圆形，两面无毛，叶面中脉凹入，侧脉扁平，叶背中脉和侧脉略凸起。总状聚伞花序腋生和顶生；花冠紫红色，花冠筒圆筒形，无毛。蓇葖果双生，线状长圆形，下垂，绿色，无毛，外果皮薄；种子线状长圆形，先端具白色绢质种毛。花期 4 ~ 8 月，果期 8 ~ 10 月。

| 生境分布 | 生于海拔 100 ~ 1 000 m 的山地疏林、密林或山坡路旁、水沟边灌丛中。分布于广东翁源、乐昌、台山、开平、徐闻、电白、高州、信宜、怀集、封开、德庆、高要、博罗、惠东、龙门、五华、平远、海丰、和平、阳春、连山、英德、新兴、郁南、罗定及广州（市区）、

深圳（市区）。

| **资源情况** | 野生资源丰富。药材来源于野生。

| **采收加工** | 本品全年均可采挖，洗净，切片，晒干或鲜用。

| **药材性状** | 本品呈圆柱形。外表面灰褐色，皮孔横向凸起，并有微凸起的横纹。质硬，折断时皮部有稀疏的白色胶丝，无弹性。气微，味苦。

| **功能主治** | 苦、微辛，微温。祛风除湿，活血通络。用于风湿痹痛，跌打损伤，闭经。

| **用法用量** | 内服煎汤，9 ~ 15 g，鲜品 90 ~ 120 g；或浸酒。

| **凭证标本号** | 440281200708040LY、440781190829001LY、441882180914012LY。

夹竹桃科 Apocynaceae 萝芙木属 Rauvolfia

蛇根木

Rauvolfia serpentina (L.) Benth. ex Kurz.

| 药 材 名 | 蛇根木（药用部位：根、茎皮、叶。别名：印度萝芙木、印度蛇根木）。

| 形态特征 | 灌木，除花冠筒内上部被长柔毛外，其余部位皆无毛。茎麦秆色，具纵条纹。叶集生于枝的上部，对生或轮生，稀互生，椭圆状披针形。聚伞花序具单条总花梗，上部多分枝；花冠高脚碟状，花冠筒圆筒状，中部膨大。核果成对，红色，近球形。花期第一次 2 ~ 5月，第二次 6 ~ 10 月；果期第一次 5 ~ 8 月，第二次 10 月至翌年春季。

| 生境分布 | 生于云南的山坡、山谷林中或路旁灌丛中。广东广州（市区）有栽培。

| 资源情况 | 栽培资源较少。

| **采收加工** | 全年均可采收，洗净，晒干。

| **功能主治** | 苦，凉。清热，凉血解毒，降血压。用于高血压。

| **用法用量** | 内服煎汤，9 ~ 15 g。

夹竹桃科 Apocynaceae 萝芙木属 Rauvolfia

四叶萝芙木 *Rauvolfia tetarphylla* L.

药 材 名	四叶萝芙木（药用部位：树汁。别名：异叶萝芙木、灰萝芙木）。
形态特征	灌木。4 叶轮生，稀 3 或 5 叶轮生；叶片大小不等，膜质，卵圆形。花序顶生或腋生，总花梗长 1 ~ 4 cm，幼时被长柔毛，老时无毛；花冠坛状，白色。果实球形或近球形，由 2 核果合生而成，从绿色变为红色、黑色；种子 2，卵圆形，腹面扁平，背面凸起，具明显皱纹，胚倒而弯生。花期 5 月，果期 5 ~ 8 月。
生境分布	广东中部、西部、南部有栽培。
资源情况	栽培资源较丰富。药材来源于栽培。
采收加工	全年均可采收，割开树皮，使胶汁流出，收集胶汁。

| **功能主治** | 催吐，泻下，祛痰，利尿，消肿。

| **用法用量** | 内服适量。

夹竹桃科 Apocynaceae 萝芙木属 Rauvolfia

萝芙木
Rauvolfia verticillata (Lour.) Baill.

| 药 材 名 | 萝芙木（药用部位：根。别名：台湾萝芙木、云南萝芙木、风湿木）。

| 形态特征 | 灌木，除花冠筒内被柔毛外，其余部位均无毛。茎土灰色，被稀疏皮孔。叶薄纸质，干时呈淡绿色，对生或 3 叶轮生，广卵形。聚伞花序腋生；花萼钟状，裂片卵圆形；花冠白色，冠筒圆筒状，中间膨大，内被柔毛，裂片卵圆形；雄蕊着生于花冠筒中部膨大处，花药背部着生。核果成熟时呈紫黑色，离生，椭圆形。花期 5 ~ 8 月，果期 7 ~ 12 月。

| 生境分布 | 生于山坡、山谷林中或路旁灌丛中。分布于广东新会、台山、徐闻、雷州、电白、高要、博罗、龙门、梅县、阳春及清远（市区）、云浮（市

区）、广州（市区）、深圳（市区）、珠海（市区）。

| **资源情况** | 野生资源较丰富。栽培资源一般。药材来源于野生和栽培。

| **采收加工** | 全年均可采挖，洗净，晒干。

| **药材性状** | 本品呈圆柱形，略弯曲，长短不一，主根下常有分枝。表面灰棕色，有不规则纵沟和棱线，栓皮松软，极易脱落。质坚硬，切断面皮部极窄，淡棕色，木部占极大部分，黄白色，具明显的年轮和细密的放射状纹理。气微，皮部极苦，木部微苦。

| **功能主治** | 苦、微辛，凉。镇静，降血压，活血止痛，清热解毒。用于高血压，头痛，眩晕，失眠，高热不退；外用于跌打损伤，毒蛇咬伤。

| **用法用量** | 内服煎汤，25 ~ 50 g。外用适量，鲜品捣敷。

夹竹桃科 Apocynaceae 萝芙木属 *Rauvolfia*

海南萝芙木 *Rauvolfia verticillata* (Lour.) Baill. var. *hainanensis* Tsiang

| 药 材 名 | 萝芙木（药用部位：根。别名：台湾萝芙木、云南萝芙木、风湿木）。

| 形态特征 | 本种与原变种萝芙木的区别在于本种叶片干后呈榄绿色，侧脉具缝纫机轧状整齐皱纹，核果成熟时呈红色。

| 生境分布 | 生于山坡、山谷林中或路旁灌丛中。分布于广东新会、台山、徐闻、雷州、电白、高要、博罗、龙门、梅县、阳春及清远（市区）、云浮（市区）、广州（市区）、深圳（市区）、珠海（市区）。

| 资源情况 | 野生资源较丰富。栽培资源一般。药材来源于野生和栽培。

| 采收加工 | 全年均可采挖，洗净，晒干。

| **功能主治** | 苦、微辛，凉。镇静，降血压，活血止痛，清热解毒。用于高血压，头痛，眩晕，失眠，高热不退；外用于跌打损伤，毒蛇咬伤。

| **用法用量** | 内服煎汤，25 ~ 50 g。外用适量，鲜品捣敷。

夹竹桃科 Apocynaceae 萝芙木属 Rauvolfia

催吐萝芙木 Rauvolfia vomitoria Afzel.

| **药 材 名** | 催吐萝芙木（药用部位：根、茎皮）。

| **形态特征** | 灌木，具乳汁。叶膜质或薄纸质，3 ～ 4 叶轮生，稀对生，广卵形。聚伞花序顶生；花淡红色；花冠高脚碟状，冠筒喉部膨大，内面被短柔毛；雄蕊着生于花冠筒喉部；花盘环状；心皮离生，花柱基部膨大，被短柔毛，柱头棍棒状。核果离生，圆球形。花期 8 ～ 10 月，果期 10 ～ 12 月。

| **生境分布** | 广东广州（市区）有栽培。

| **资源情况** | 栽培资源一般。药材来源于栽培。

| **采收加工** | 夏、秋季采收，切段，晒干或鲜用。

| **功能主治** | 根，苦、微辛，清热，降血压，宁神。用于高血压。茎皮，苦，凉，清热解毒，活血消肿，降血压。用于高热，消化不良，疥癣。

| **用法用量** | 内服煎汤，15 ～ 50 g。外用适量，鲜品捣敷。

夹竹桃科 Apocynaceae 羊角拗属 Strophanthus

羊角拗
Strophanthus divaricatus (Lour.) Hook. et Arn.

| 药 材 名 | 羊角拗（药用部位：根、茎、叶。别名：羊角藤、羊角扭、黄葛扭）、羊角拗子（药用部位：种子）。

| 形态特征 | 灌木，全株无毛。小枝圆柱形，棕褐色或暗紫色，密被圆形的灰白色皮孔。叶薄纸质，椭圆状长圆形或椭圆形。聚伞花序顶生，无毛；花黄色；萼片披针形；花冠漏斗状，花冠筒淡黄色，花冠裂片先端长尾带状。蓇葖果广叉开，木质，椭圆状长圆形，外果皮绿色，干时呈黑色，具纵条纹；种子纺锤形，扁平，中部略宽。花期 3 ~ 7 月，果期 6 月至翌年 2 月。

| 生境分布 | 生于丘陵、山地的疏林或灌丛中。分布于广东从化、始兴、翁源、乳源、乐昌、宝安、新会、台山、开平、徐闻、高州、化州、信宜、封开、

德庆、高要、博罗、龙门、大埔、陆丰、紫金、阳春、英德、饶平、郁南及珠海（市区）。

| **资源情况** | 野生资源丰富。药材来源于野生。

| **采收加工** | **羊角拗：** 全年均可采收，根洗净，切片，晒干，茎、叶晒干或鲜用。

羊角拗子： 秋、冬季采收未开裂的成熟果实，晒裂，取出种子，除去丝状白毛，晒干。

| **药材性状** | **羊角拗：** 本品茎枝圆柱形，略弯曲；表面棕褐色，有明显的纵沟及纵皱纹，粗枝皮孔灰白色，横向凸起；质硬脆，断面黄绿色，木质，中央可见髓部。叶对生，皱缩，展平后呈椭圆状长圆形或椭圆形，长 3 ~ 8 cm，宽 2.5 ~ 3.5 cm，全缘，中脉于下面凸起。气微，味苦，有大毒。

羊角拗子： 本品呈纺锤形而扁，长约 2 cm，宽约 5 mm，基部钝，先端尖，顶部留有着白色丝状细长毛的痕迹；脐点在种毛附近稍下方；种脊位于一侧，白色线状，微凸起，表面棕褐色，有纵纹，并微扭曲。易折断，断面灰白色，角质，用手指挤压时有油脂溢出。气微，味苦。

| **功能主治** | 苦，寒；有大毒。活血消肿，止痒杀虫。用于风湿病，疥癣，跌打损伤，疮肿。

| **用法用量** | 外用适量，捣敷；煎汤洗；或研末调敷。

| **凭证标本号** | 441523190406001LY、441825190708018LY、440783190715028LY。

夹竹桃科 Apocynaceae 黄花夹竹桃属 *Thevetia*

黄花夹竹桃

Thevetia peruviana (Pers.) K. Schum.

| 药 材 名 | 黄花夹竹桃（药用部位：叶、果实。别名：酒杯花、台湾柳、柳木子）。

| 形态特征 | 乔木，全株无毛，具丰富乳汁。树皮棕褐色，皮孔明显。枝柔软，小枝下垂。叶互生，近革质，无柄，线形或线状披针形，两端长尖。顶生聚伞花序；花大，黄色，具香味；花萼绿色，5 裂，裂片三角形；花冠漏斗状。核果扁三角状球形，内果皮木质，绿色而亮，干时呈黑色；种子 2 ~ 4。花期 5 ~ 12 月，果期 8 月至翌年春季。

| 生境分布 | 广东各地均有栽培。

| 资源情况 | 栽培资源较丰富。药材来源于栽培。

| 采收加工 | 叶，全年均可采收，晒干或鲜用。果实，秋季果实成熟时采收，晒干。

| 药材性状 | 本品叶无柄，线形或线状披针形，两端长尖。果实呈扁三角状球形，直径 2.5 ~ 4 cm，表面皱缩，黑色，先端微凸起，基部有宿萼及果梗，外果皮稍厚，中果皮肉质，内果皮坚硬，破碎后内有种子 2 ~ 4；种子卵形，先端稍尖，两面凸起，一侧有圆形种脐，种脐贴附于果壳内侧面。气微，味极苦。 |

| 功能主治 | 辛、苦，温；有大毒。强心，利尿，消肿。用于心力衰竭，阵发性室上性心动过速，阵发性心房纤颤。 |

| 用法用量 | 制成片剂口服，1.5 ~ 2 mg；或制成注射液静脉注射。 |

| 凭证标本号 | 445224190728002LY、440523190722001LY、445222191026035LY。 |

夹竹桃科 Apocynaceae 络石属 Trachelospermum

贵州络石 *Trachelospermum bodinieri* (H. Lév.) Woodson

| 药 材 名 | 络石藤（药用部位：根、茎。别名：云南络石、乳儿绳、长花络石）。

| 形态特征 | 攀缘灌木，除幼花被短柔毛外其余部位均无毛。叶长圆形，中脉在两面均凸起，侧脉在两面均平坦，纤细；叶腋内外具腺体。聚伞花序圆锥状，顶生和腋生；花蕾顶部钝形；萼片渐尖；花冠白色；雄蕊着生于近花喉部，花药先端不伸出花喉之外，花丝短，被短柔毛；子房由2离生心皮组成，每心皮胚珠多数，花柱丝状，柱头卵状。花期5月。

| 生境分布 | 生于山地林中。分布于广东乳源、乐昌、龙门、饶平、罗定。

| 资源情况 | 野生资源较少。药材来源于野生。

| 采收加工 | 夏、秋季采收根和老茎，洗净，切段，晒干。

| 功能主治 | 苦、辛，微寒。祛风通络，凉血消肿。用于风湿热痹，筋脉拘挛，腰膝酸痛，喉痹，痈肿，跌扑损伤。

| 用法用量 | 内服煎汤，6 ～ 12 g。外用鲜品适量，捣敷。

| 凭证标本号 | 441226170610010LY。

夹竹桃科 Apocynaceae 络石属 Trachelospermum

紫花络石
Trachelospermum axillare Hook. f.

| 药 材 名 |

紫花络石（药用部位：藤茎。别名：车藤）。

| 形态特征 |

粗壮木质藤本，无毛或幼时具微长毛。茎具多数皮孔。叶厚纸质，倒披针形。聚伞花序近伞形，腋生或近顶生；花紫色；花萼裂片紧贴花冠筒，卵圆形；花冠高脚碟状。蓇葖果圆柱状长圆形，平行，粘生，无毛；种子暗紫色，倒卵状长圆形或宽卵圆形。花期 5 ~ 7 月，果期 8 ~ 10 月。

| 生境分布 |

生于山地疏林中或山谷水沟边。分布于广东从化、乳源、乐昌、龙门、连山、连州及潮州（市区）。

| 资源情况 |

野生资源一般。药材来源于野生。

| 采收加工 |

夏、秋季采收，洗净，切段，晒干。

| 药材性状 |

本品圆柱形。外表面灰褐色，皮孔横向凸

起，并有微凸起的横纹。质硬，折断时皮部有稀疏的白色胶丝，无弹性。气微，味微苦。

| **功能主治** | 辛、微苦，温；有毒。祛风解表，活络止痛，强筋骨，降血压。用于感冒头痛，咳嗽，风湿痹痛，跌打损伤。

| **用法用量** | 内服煎汤，9 ~ 15 g；研末，3 ~ 5 g；或浸酒。

夹竹桃科 Apocynaceae 络石属 Trachelospermum

络石
Trachelospermum jasminoides (Lindl.) Lem.

| 药 材 名 | 络石藤（药用部位：藤茎。别名：石龙藤、感冒藤、爬墙虎）。

| 形态特征 | 常绿木质藤本，具乳汁。茎赤褐色，圆柱形，有皮孔。小枝被黄色柔毛，老时渐无毛。叶革质，椭圆形，叶背初被稀疏短柔毛，老时渐无毛，叶面中脉微凹，侧脉扁平，叶背中脉凸起。二歧聚伞花序腋生或顶生；花白色，芳香。蓇葖果双生，叉开，无毛，线状披针形；种子多数，褐色，线形，先端具白色绢质种毛。花期 3 ~ 7 月，果期 7 ~ 12 月。

| 生境分布 | 生于树干、岩石或墙上，攀附生长。分布于广东从化、始兴、仁化、翁源、乳源、乐昌、宝安、信宜、广宁、高要、博罗、龙门、大埔、平远、蕉岭、紫金、龙川、连平、阳春、阳山、英德、连州、罗定。

| **资源情况** | 野生资源丰富。药材来源于野生。 |

| **采收加工** | 秋季落叶前采收，晒干。 |

| **药材性状** | 本品呈圆柱形，弯曲，多分枝，长短不一，直径 1 ～ 5 mm。表面红褐色，有点状皮孔和不定根。质硬，断面淡黄白色，常中空。气微，味微苦。 |

| **功能主治** | 苦，微寒。归心、肝、肾经。祛风通络，凉血消肿。用于风湿热痹，筋脉拘挛，腰膝酸痛，喉痹，跌扑损伤。 |

| **用法用量** | 内服煎汤，6 ～ 12 g。外用鲜品适量，捣敷。 |

| **凭证标本号** | 441825190412035LY、441523190404013LY、440281190427047LY。 |

夹竹桃科 Apocynaceae 水壶藤属 Urceola

酸叶胶藤
Urceola rosea (Hook. et Arn.) D. J. Middleton

| 药 材 名 |

酸叶胶藤（药用部位：根、叶。别名：石酸藤、细叶榕藤、斑鸪藤）。

| 形态特征 |

高攀木质大藤本，具乳汁。茎皮深褐色。枝条上部淡绿色，下部灰褐色。叶片纸质，阔椭圆形，两面无毛。聚伞花序圆锥状，着多数花，总花梗略具白粉并被短柔毛；花小，粉红色；花萼裂片卵圆形。蓇葖果 2，叉开成一直线，圆筒状披针形，外果皮有明显斑点；种子长圆形，先端具白色绢质种毛。花期 4 ~ 12 月，果期 7 月至翌年 1 月。

| 生境分布 |

生于山地杂木林中。分布于广东始兴、翁源、宝安、电白、封开、博罗、惠东、龙门、梅县、大埔、阳山、连山、新兴、郁南及广州（市区）、珠海（市区）。

| 资源情况 |

野生资源丰富。药材来源于野生。

| 采收加工 |

全年均可采收，根晒干，叶多鲜用。

| **功能主治** | 酸、微涩，凉。利尿消肿，止痛。用于咽喉肿痛，慢性肾炎，肠炎，风湿关节痛，跌打瘀肿。 |

| **用法用量** | 内服煎汤，50 ~ 100 g。外用适量，捣敷。 |

| **凭证标本号** | 441421180430257LY、440224180530007LY、440923150128003LY。 |

夹竹桃科 Apocynaceae 倒吊笔属 Wrightia

蓝树
Wrightia laevis Hook. f.

| 药材名 | 蓝树（药用部位：根、叶、茎皮。别名：羊角汁、野蓝靛树、大蓝木）。

| 形态特征 | 乔木，除花外其余部位均无毛，具乳汁。树皮深灰色。小枝棕褐色，具皮孔。叶片膜质，长圆状披针形。花白色或淡黄色，多花组成顶生聚伞花序；花萼短而厚，卵形；花冠漏斗状。2 蓇葖果离生，圆柱状，顶部渐尖，外果皮具斑点；种子线状披针形，先端具白色绢质种毛。花期 4 ~ 8 月，果期 7 月至翌年 3 月。

| 生境分布 | 生于山地疏林中或山谷向阳处。分布于广东信宜、高要、博罗、新兴及阳江（市区）、清远（市区）。

| 资源情况 | 野生资源一般。药材来源于野生。

| **采收加工** | 全年均可采收，洗净，根、茎皮切片，晒干或鲜用，叶直接晒干或鲜用。 |

| **药材性状** | 本品叶片长圆状披针形，先端渐尖，基部楔形，全缘，具羽状网脉，侧脉具缝纫机轧孔状皱纹。气微，味微苦、涩。 |

| **功能主治** | 微苦、微涩，凉；有毒。止血。用于刀伤，跌打肿痛。 |

| **用法用量** | 内服浸酒，适量饮。外用适量，鲜品捣敷。 |

| **凭证标本号** | 441322161004649LY。 |

夹竹桃科 Apocynaceae 倒吊笔属 Wrightia

倒吊笔 Wrightia pubescens R. Br.

| 药 材 名 | 倒吊笔（药用部位：根或根皮、叶。别名：九龙木、墨柱根、章表根）。

| 形 态 特 征 | 乔木，含乳汁。树皮黄灰褐色，浅裂。枝圆柱状，小枝被黄色柔毛，每小枝有叶 3 ~ 6 对。叶片坚纸质，长圆状披针形，叶面深绿色，被微柔毛，叶背浅绿色，密被柔毛。聚伞花序；花冠漏斗状，白色或粉红色。2 蓇葖果粘生，线状披针形，灰褐色；种子线状纺锤形，黄褐色，先端具淡黄色绢质种毛。花期 4 ~ 8 月，果期 8 月至翌年 2 月。

| 生 境 分 布 | 生于海拔 500 m 以下的热带雨林和亚热带山麓疏林中，密林中不常见。分布于广东南海、顺德、台山、恩平、徐闻、廉江、雷州、高州、阳春、新兴及广州（市区）、肇庆（市区）、清远（市区）。

| **资源情况** | 野生资源较丰富。药材来源于野生。

| **采收加工** | 全年均可采收。晒干。

| **药材性状** | 本品根皮淡黄褐色,浅裂。叶片坚纸质,卵状长圆形或长圆状披针形,先端短渐尖,基部急尖至钝,叶正面微被柔毛,叶背面密被柔毛。

| **功能主治** | 根或根皮,甘,平,祛风利湿,化痰散结。用于颈淋巴结结核,风湿性关节炎,腰腿痛,慢性支气管炎,黄疸性肝炎,肝硬化腹水,带下。叶,甘、微苦,祛风解表。用于感冒发热。

| **用法用量** | 内服煎汤,根 25 ~ 50 g,根皮 15 ~ 25 g,叶 10 ~ 15 g。

| **凭证标本号** | 440781190826014LY、440882180602014LY、440785180713002LY。

萝藦科 Asclepiadaceae 马利筋属 *Asclepias*

马利筋
Asclepias curassavica L.

| 药 材 名 | 莲生桂子花（药用部位：全草。别名：竹林标、刀口药、水羊角）。

| 形态特征 | 多年生直立草本。茎淡灰色，被微柔毛至无毛。叶片披针形或长圆状披针形，先端渐尖或急尖，叶背沿脉上被微柔毛至无毛。聚伞花序顶生或腋生，约与叶等长；花冠紫红色至红色，副花冠裂片黄色或橙黄色。菁葖果双生，叉开，纺锤形，两端渐尖，无毛；种子卵形。花期几乎全年，果期 8 ～ 12 月。

| 生境分布 | 逸生于旷野和村庄附近。广东各地均有栽培。

| 资源情况 | 野生资源一般。栽培资源较丰富。药材来源于栽培。

| 采收加工 | 全年均可采收，晒干或鲜用。

| **功能主治** | 苦，寒；有毒。调经止血，清火退热，消肿止痛，止咳化痰，驱虫。

| **用法用量** | 内服煎汤，6～9 g。外用鲜品适量，捣敷；或干品研末敷。

| **凭证标本号** | 441621180926049LY、441624180725006LY、440608190731039LY。

萝藦科 Asclepiadaceae 牛角瓜属 *Calotropis*

牛角瓜 *Calotropis gigantea* (L.) W. T. Aiton

| 药 材 名 |

哮喘树（药用部位：叶。别名：羊浸树、断肠草、五狗卧花）。

| 形态特征 |

直立常绿灌木，高 1 ~ 5 m。茎黄白色。枝粗壮，幼枝被灰白色绒毛。叶片倒卵形或长圆形，先端急尖，基部浅心形，嫩时具绵毛状绒毛，老时几无毛，苍绿色。聚伞花序伞状，具柔细的绵毛；花冠通常呈淡紫色或紫蓝色，基部呈淡灰绿色，副花冠短于合蕊冠。蓇葖果通常单生，弯月形或长圆状披针形，两端内弯，无毛；种子宽卵形。花果期几乎全年。

| 生境分布 |

生于海边和旷野较干燥的地方。分布于广东徐闻、揭东。

| 资源情况 |

野生资源较少。药材来源于野生。

| 采收加工 |

夏、秋季采摘，晒干。

| **功能主治** | 微苦、涩，平；有毒。祛痰定喘。用于咳嗽痰多，气喘。 |

| **用法用量** | 内服煎汤，1 ~ 3 g；或入散剂。 |

| **凭证标本号** | 445224210307010LY、440882180603060LY、445222190921003LY。 |

吊灯花 *Ceropegia trichantha* Hemsl.

| 药 材 名 | 吊灯花（药用部位：全株。别名：灯笼花）。

| 形态特征 | 多年生草质藤本。块茎纺锤形，肉质。叶片膜质，长圆状披针形或椭圆状长圆形，先端渐尖，叶面被短柔毛。聚伞花序伞状，腋生，着花 3 ～ 5；花冠棍棒状，无毛，花冠裂片细长，与花冠筒近等长，匙形，深紫色，先端黏合，花冠外轮杯状，先端具 10 齿。蓇葖果双生，长条形，无毛；种子长卵形。花期 8 ～ 10 月，果期 10 ～ 12 月。

| 生境分布 | 生于山谷密林下。分布于广东信宜、怀集、德庆、连山、罗定及阳江（市区）、肇庆（市区）。

| 资源情况 | 野生资源较少。药材来源于野生。

| **采收加工** | 夏、秋季采收，晒干或鲜用。 |

| **功能主治** | 微酸，平。杀虫。 |

| **用法用量** | 内服煎汤，5 ~ 15 g。 |

| **凭证标本号** | 441825190711012LY、441823200901029LY、441225180730103LY。 |

萝摩科 Asclepiadaceae 白叶藤属 Cryptolepis

白叶藤
Cryptolepis sinensis (Lour.) Merr.

| **药 材 名** | 红藤仔（药用部位：全株。别名：飞扬藤）。

| **形态特征** | 柔弱木质藤本，具乳汁。小枝通常呈红褐色，直径约 1 mm，无毛。叶长圆形，两端圆形，先端具小尖头，无毛，叶面深绿色，叶背苍白色。聚伞花序顶生或腋生，比叶长；花冠淡黄色或白色，花冠筒圆筒状，副花冠裂片卵圆形。蓇葖果长披针形或圆柱状；种子长圆形，棕色，先端具白色绢质种毛。花期 4 ~ 9 月，果期 6 月至翌年 2 月。

| **生境分布** | 生于丘陵、山地灌丛中。广东各地均有分布。

| **资源情况** | 野生资源丰富。药材来源于野生。

| **采收加工** | 夏、秋季采收，鲜用或晒干。

| **功能主治** | 甘、淡，凉；有小毒。清热解毒，散瘀止痛，止血。用于肺热，肺痨咯血，胃出血，痈肿疮毒，跌打损伤，蛇虫咬伤。

| **用法用量** | 内服煎汤，9 ~ 15 g。外用鲜品适量，捣敷。

| **凭证标本号** | 441825190801009LY、440781190712001LY、441823200721013LY。

萝摩科 Asclepiadaceae 鹅绒藤属 Cynanchum

白薇

Cynanchum atratum Bunge

| 药 材 名 |

白马尾（药用部位：根。别名：三百根、牛角胆草）。

| 形态特征 |

直立多年生草本。根须状，有香气。叶卵形或卵状长圆形，先端渐尖或急尖，基部圆形，两面均被白色绒毛，尤以叶背及脉上为密。伞状聚伞花序无总花梗，生于茎的四周，着花 8 ~ 10；花深紫色；花冠辐状，外面有短柔毛，并具缘毛。蓇葖果单生，向端部渐尖，基部钝形，中间膨大；种子扁平，种毛白色。花期 4 ~ 8 月，果期 6 ~ 8 月。

| 生境分布 |

生于低海拔的林下草地或荒地。分布于广东乳源、台山、英德、连州及阳江（市区）等。

| 资源情况 |

野生资源较少。药材来源于野生。

| 采收加工 |

春、秋季采挖，洗净，干燥。

| 药材性状 | 本品长 10 ～ 25 cm， 直径 0.1 ～ 0.2 cm。表面棕黄色。质脆，易折断，断面皮部黄白色，木部黄色。气微，味微苦。

| 功能主治 | 苦、咸，寒。归胃、肝、肾经。清热凉血，利尿通淋，解毒疗疮。用于温邪伤营发热，阴虚发热，骨蒸劳热，产后血虚发热，热淋，血淋，痈疽肿毒。

| 用法用量 | 内服煎汤，9 ～ 15 g；或研末；或浸酒。外用鲜品适量，捣敷。

萝摩科 Asclepiadaceae 鹅绒藤属 Cynanchum

牛皮消 *Cynanchum auriculatum* Royle ex Wight

| 药 材 名 | 隔山消（药用部位：全株或块根。别名：飞来鹤、耳叶牛皮消、白首乌）。

| 形态特征 | 多年生草质缠绕藤本。茎被 1 列微柔毛，有时被毛脱落，干后中空。叶对生；叶腋内有时具托叶状小叶 2；叶片纸质，卵形，基部心形，凹缺处圆形，先端渐尖，两面被微柔毛，叶背脉上被毛较密。伞状聚伞花序腋生；花冠初时呈白色或淡黄色，后呈紫红色，辐状，花冠筒短。蓇葖果通常双生，长圆状披针形；种子卵形，先端具种毛。

| 生境分布 | 生于山坡林缘、路旁灌丛中或河流、水沟边潮湿地。分布于广东仁化、乳源、乐昌、惠阳、梅县、封开、台山、和平、阳春及肇庆（市区）等。

| 资源情况 | 野生资源较丰富。药材来源于野生。 |

| 采收加工 | 春、秋季采挖，洗净，干燥。鲜品随采随用。 |

| 药材性状 | 本品根呈长圆柱形、长纺锤形或结节状圆柱形，稍弯曲，长 7 ～ 15 cm，直径 1 ～ 4 cm。表面浅棕色，有明显的纵皱纹及横长皮孔，栓皮易层层剥离，栓皮脱落处呈土黄色或浅黄棕色，具网状纹理。质坚硬，断面类白色，粉性，可见众多呈放射状排列的黄色小孔。气微，味微甘而后苦。 |

| 功能主治 | 甘、微苦，微温；有小毒。补肝肾，强筋骨，益精血，健脾消食，解毒疗疮。 |

| 用法用量 | 内服煎汤，9 ～ 15 g。外用适量，鲜品捣敷。 |

| 凭证标本号 | 441523190920003LY、441882180814006LY。 |

萝藦科 Asclepiadaceae 鹅绒藤属 Cynanchum

蔓剪草

Cynanchum chekiangense M. Cheng

| 药 材 名 | 四叶对剪草（药用部位：根。别名：蔓白薇）。

| 形态特征 | 多年生草质藤本。根须状，簇生。单茎，被稀疏微柔毛。叶对生；叶片薄纸质，椭圆形，先端急尖或渐尖，叶正面略被微柔毛。伞状聚伞花序腋生或腋外生，有时有分枝；萼裂片卵状披针形，边缘有缘毛；花冠紫色或淡紫色，辐状，副花冠裂片三角状卵形，短或与合蕊柱等长；花药近方形，先端具呈圆形的膜质附属体。蓇葖果常单生，线状披针形；种子宽卵形，种毛白色，长约3.5 cm。花期5～6月，果期6～9月。

| 生境分布 | 生于山谷或溪旁密林中潮湿处。分布于广东乳源。

| 资源情况 | 野生资源稀少。药材来源于野生。 |

| 采收加工 | 夏、秋季采挖，鲜用，或切片，晒干。 |

| 功能主治 | 辛，温。理气健胃，活血散瘀。用于胃痛，跌打损伤，疥疮。 |

| 用法用量 | 内服煎汤，15 g。外用适量，绞汁涂。 |

刺瓜

Cynanchum corymbosum Wight

| **药 材 名** | 乳蚕（药用部位：全株或果实。别名：小刺瓜、野苦瓜、刺果牛皮消）。 |

| **形态特征** | 多年生草质藤本。块根粗壮。茎淡灰绿色。叶对生；叶片薄纸质，卵形或卵状圆形，先端渐尖或具细尖。伞状或总状聚伞花序，腋生或腋外生，花序被微柔毛；花梗被短柔毛；萼裂片卵形；花冠淡绿白色，近辐状，花冠筒极短，花冠裂片长圆状披针形。蓇葖果通常单生，纺锤状，外果皮密被软刺，刺先端弯曲；种子卵形，褐色，基部具齿裂，先端具种毛。花期 5 ~ 10 月，果期 8 ~ 12 月。 |

| **生境分布** | 生于低海拔的溪边、河边灌丛及疏林中。分布于广东惠阳、博罗、从化、翁源、乐昌、怀集、梅县、连山、英德及佛山（市区）、 |

肇庆（市区）、深圳（市区）、珠海（市区）等。

| **资源情况** | 野生资源较丰富。栽培资源较少。药材来源于野生和栽培。

| **采收加工** | 全年均可采收，晒干。

| **功能主治** | 甘、淡，平。益气补虚，催乳，解毒。用于神经衰弱，肺结核，慢性胃炎，慢性肾炎，乳汁不足，疮疖。

| **用法用量** | 内服煎汤，15 ~ 30 g。

| **凭证标本号** | 441825191004005LY、441523190403037LY、441422210224663LY。

萝藦科 Asclepiadaceae 鹅绒藤属 Cynanchum

山白前
Cynanchum fordii Hemsl.

| 药 材 名 | 山白前（药用部位：根）。

| 形态特征 | 多年生草质藤本。叶纸质，长圆形或卵状长圆形，先端短渐尖。伞房状或伞状聚伞花序，腋生；花冠黄白色，无毛，花冠筒极短。菁葵果通常单生，披针形，无毛；种子卵形，扁平。花期 5 ~ 8 月，果期 8 ~ 12 月。

| 采收加工 | 夏、秋季采挖，置烈日下晒干。

| 生境分布 | 生于山地林缘、山谷疏林下或路边灌丛中。分布于广东翁源、乳源、新丰、乐昌、惠阳、博罗、梅县、从化、阳春、英德及肇庆（市区）、湛江（市区）等。粤北有栽培。

| 资源情况 | 野生资源丰富。栽培资源一般。药材来源于野生和栽培。

| 药材性状 | 本品根茎短小，结节状，先端有残茎。须根多数，簇生，细长而弯曲，长 14 ～ 24 cm，直径 0.5 ～ 1.5 mm；表面黄白色；质脆，易折断，断面皮部白色，木部黄白色。气微，味微苦。

| 功能主治 | 消疳积，助消化，开胃，去肝火。

| 用法用量 | 内服煎汤，9 ～ 15 g。

| 凭证标本号 | 441623180912006LY。

萝藦科 Asclepiadaceae 鹅绒藤属 Cynanchum

白前 *Cynanchum glaucescens* (Decne.) Hand.-Mazz.

| **药 材 名** | 芫花叶白前（药用部位：根及根茎。别名：水竹消、溪瓢羹、消结草）。

| **形态特征** | 多年生直立草本。具根茎；根纤维状，在节上丛生。叶片纸质，椭圆形、长圆状披针形或长圆形，先端圆至急尖，无毛。伞状聚伞花序腋生或腋间生；萼裂片圆状披针形；花冠黄色，辐状，花冠裂片卵状长圆形，副花冠浅杯状。蓇葖果单生，纺锤形，无毛；种子长圆形。花期 5 ~ 11 月，果期 6 ~ 12 月。

| **生境分布** | 生于海拔 100 ~ 300 m 的江边河岸、路边及丘陵等。分布于广东兴宁。

| **资源情况** | 野生资源较少。药材来源于野生。

| **采收加工** | 8 月采收全株，割去地上部分，洗净，晒干。 |

| **药材性状** | 本品根茎较短小或略呈块状；表面灰绿色或灰黄色，节间长 1 ~ 2 cm；质较硬。根稍弯曲，直径约 1 mm，分枝少。 |

| **功能主治** | 苦、辛，微温。降气，消痰，止咳。用于肺气壅实，咳嗽痰多，胸满喘急。 |

| **用法用量** | 内服煎汤，3 ~ 10 g；或入丸、散剂。 |

萝藦科 Asclepiadaceae 鹅绒藤属 Cynanchum

毛白前 *Cynanchum mooreanum* Hemsl.

| 药 材 名 | 毛白薇（药用部位：根）。

| 形态特征 | 柔弱缠绕藤本。茎密被短柔毛。叶对生；叶片纸质，卵状心形至卵状长圆形，先端急尖。伞状聚伞花序腋生，着花约9；萼裂片卵形；花冠紫红色，辐状，无毛。蓇葖果通常单生，披针形，无毛；种子长圆形。花期5～7月，果期8～12月。

| 生境分布 | 生于海拔300～600 m的山坡灌丛或丘陵、山地疏林中。分布于广东乐昌、英德及深圳（市区）等。

| 资源情况 | 野生资源较少。药材来源于野生。

| 采收加工 | 夏、秋季采挖，洗净，晒干。

| **功能主治** | 甘、苦，平。清虚热，调肠胃。用于温邪伤营发热，阴虚发热，骨蒸劳热，产后血虚发热，热淋，血淋，痈疽肿毒。

| **用法用量** | 内服煎汤，6 ～ 9 g。

萝藦科 Asclepiadaceae 鹅绒藤属 Cynanchum

徐长卿

Cynanchum paniculatum (Bunge) Kitag.

| 药 材 名 |

寮刁竹（药用部位：全草或根。别名：逍遥竹、瑶山竹、对节莲）。

| 形态特征 |

多年生直立草本。须根密集，丛生，芳香。叶对生；叶片披针形至条形，两端急尖，无毛或叶背被微柔毛，边缘具缘毛。圆锥状聚伞花序顶生；花冠黄绿色，近辐状。蓇葖果披针状圆柱形，无毛；种子长圆形，长约 5 mm，种毛长 1.5 ~ 3 cm。花期 5 ~ 7 月，果期 8 ~ 12 月。

| 生境分布 |

生于阳坡草丛中。分布于广东梅县、兴宁、乳源、乐昌、南雄、和平、阳山、连州及深圳（市区）。

| 资源情况 |

野生资源一般。药材来源于野生。

| 采收加工 |

夏、秋季采挖全草，扎成小把，晾干或晒干，或除去地上部分，切成小段，阴干。

| 药材性状 | 本品根茎呈不规则柱形，有盘节，长 0.5 ~ 3.5 cm，直径 2 ~ 4 mm，有的先端带有残茎，细圆柱形，长约 2 cm，直径 1 ~ 2 mm，断面中空，根茎节处周围着生多数细长的根。根呈圆柱形，弯曲，长 10 ~ 16 cm，直径 1 ~ 1.5 mm；表面淡黄白色至淡棕黄色或棕色，具微细的纵皱纹，并有纤细的须根；质脆，易折断，断面粉性，皮部类白色或黄白色，形成层环淡棕色，木部细小，淡黄色。味微辛，凉，具丹皮香气。

| 功能主治 | 辛，温。祛风，化湿，止痛，止痒。用于风湿痹痛，胃痛胀满，牙痛，腰痛，跌扑伤痛，风疹，湿疹。

| 用法用量 | 内服煎汤，3 ~ 12 g；或入丸剂；或浸酒。

萝藦科 Asclepiadaceae 鹅绒藤属 Cynanchum

柳叶白前

Cynanchum stauntonii (Decne.) Schltr. ex H. Lév.

| 药 材 名 | 白前（药用部位：根及根茎。别名：鹅管白前、竹叶白前）。

| 形态特征 | 直立半灌木，无毛。茎分枝或不分枝，节间短于叶。须根纤细，在节上丛生。叶对生；叶片纸质，窄披针形，两先端渐尖。伞形聚伞花序腋生；花萼裂片卵状长圆形；花冠紫红色，辐状，花冠裂片条状长圆形。蓇葖果单生，条状披针形，平滑，无毛；种子长圆形。花期 5 ~ 8 月，果期 9 ~ 12 月。

| 生境分布 | 生于低海拔的山谷、湿地、水旁。分布于广东从化、曲江、翁源、乳源、新丰、乐昌、南雄、台山、怀集、大埔、连平、和平、阳春、连山、连州及韶关（市区）、深圳（市区）。

| 资源情况 | 野生资源较丰富。栽培资源较少。药材来源于野生。

| 采收加工 | 8 月采挖根及根茎，或拔起全株，除去地上部分，洗净，晒干。

| 药材性状 | 本品根茎呈细长圆柱形，有分枝，稍弯曲，长 4 ~ 15 cm，直径 1.5 ~ 4 mm；表面黄白色至黄棕色，具细纵皱纹，节明显，节间长 1.5 ~ 4 cm，先端有数个残茎；质脆易断，断面中空或有膜质髓。根纤细而弯曲，簇生于节处，长 3 ~ 10 cm，直径不及 1 mm，多次分枝，呈毛须状，常盘结成团；质脆，断面白色。气微，味微甜。

| 功能主治 | 苦、辛，凉。清肺化痰，止咳平喘，清热解毒。用于风湿痹痛，胃痛胀满，牙痛，腰痛，跌扑伤痛，风疹，湿疹。

| 用法用量 | 内服煎汤，3 ~ 10 g；或入丸、散剂。

萝藦科 Asclepiadaceae 马兰藤属 Dischidanthus

马兰藤 *Dischidanthus urceolatus* (Decne.) Tsiang

| 药 材 名 | 金腰带（药用部位：全株。别名：假瓜子金）。

| 形态特征 | 草质藤本，长达 3 m。茎柔细，灰褐色。叶片薄纸质，卵形或卵状披针形，先端急尖或短渐尖，除中脉被微柔毛外，其余部位均无毛。聚伞花序远短于叶，着花 8 ~ 10；花冠坛状，绿色至黄色，花冠裂片卵状长圆形，副花冠裂片镰刀状。蓇葖果双生，条状披针形，通常粘生，无毛；种子卵状长圆形，具薄边缘。花期 3 ~ 9 月，果期 5 月至翌年 2 月。

| 生境分布 | 生于山地杂木林或灌丛中。分布于广东徐闻、高州、化州及阳江（市区）、茂名（市区）等。

| **资源情况** | 野生资源较少。药材来源于野生。 |

| **采收加工** | 全年均可采收，晒干。 |

| **功能主治** | 辛、苦，微温。祛风除湿，活血止痛，通乳止崩。用于风湿腰痛等。 |

| **用法用量** | 内服煎汤，9～15g；或研末；或浸酒。外用适量，研末调敷或撒敷。 |

萝藦科 Asclepiadaceae 眼树莲属 Dischidia

眼树莲 *Dischidia chinensis* Champ. ex Benth.

| 药 材 名 | 上树瓜子（药用部位：全草。别名：瓜子金、石仙桃、小耳环）。

| 形态特征 | 草质藤本，全株无毛，含乳汁。叶对生；叶片肉质，卵状椭圆形。聚伞花序伞状，腋生，着花多达 9；花冠淡黄白色，坛状。蓇葖果双生或单生，披针形或条状披针形；种子卵状长圆形。花期 3 ~ 5 月，果期 6 ~ 12 月。

| 生境分布 | 生于山地杂木林或溪边，攀附在树木或石上。分布于广东徐闻、博罗、惠东、阳春、信宜、罗定及广州（市区）、茂名（市区）、肇庆（市区）、潮州（市区）、深圳（市区）。

| 资源情况 | 野生资源较丰富。药材来源于野生。

| 采收加工 |　夏、秋季采收，切段，晒干或鲜用。

| 功能主治 |　甘、微酸，寒。清肺化痰，凉血解毒。

| 用法用量 |　内服煎汤，3～5 g，鲜品 1～2 g。外用适量，捣敷。

| 凭证标本号 |　441284190715570LY、440783191103042LY。

萝藦科 Asclepiadaceae 眼树莲属 Dischidia

圆叶眼树莲
Dischidia nummularia R. Br.

| 药 材 名 | 小叶眼树莲（药用部位：叶。别名：圆叶眼树莲、瓜子金、上树瓜子）。

| 形态特征 | 附生肉质藤本。叶对生；叶片肉质，圆形。聚伞花序伞状；花冠白色或淡黄白色，坛状，花冠筒喉部缢缩，副花冠裂片锚状，比合蕊柱短，先端 2 裂。蓇葖果通常双生，披针形；种子先端具白色绢质种毛。花期 3 ～ 7 月，果期 7 ～ 9 月。

| 生境分布 | 生于山地杂木林或溪边。分布于广东茂名（市区）。

| 资源情况 | 野生资源稀少。药材来源于野生。

| 采收加工 | 全年均可采收，晒干。

| **功能主治** | 甘、微酸，寒。清热凉血，养阴生津。用于高热伤津，口渴欲饮，目赤肿痛。

| **用法用量** | 内服煎汤，9 ~ 15 g。外用适量，捣敷。

萝摩科 Asclepiadaceae 南山藤属 Dregea

南山藤 Dregea volubilis (L. f.) Benth. ex Hook. f.

| **药 材 名** | 假夜来香（药用部位：全株或块状茎。别名：各山消、苦凉菜）。

| **形态特征** | 木质藤本。茎和枝条具皮孔。枝条灰褐色，平滑。叶片纸质，宽卵形或近心形，先端急尖或短渐尖，无毛或略被短柔毛。聚伞花序伞状，腋生，下垂，着多数花；花冠黄绿色，无毛，副花冠淡黄绿色。蓇葖果双生或单生，长圆状披针形或纺锤形，稀窄卵形，外果皮被白粉，具多数皱棱片或纵肋；种子卵形，扁平，有薄边，棕黄色，种毛白色，长达 4.5 cm。花期 4 ~ 9 月，果期 7 ~ 12 月。

| **生境分布** | 生于山地林中，常攀缘于大树上。分布于广东徐闻、高州、南澳及阳江（市区）。

| **资源情况** | 野生资源较少。药材来源于野生。

| **采收加工** | 全年均可采收，切段，晒干。

| **功能主治** | 苦、辛，凉。祛风，除湿，止痛，清热和胃。用于感冒，风湿关节痛，腰痛，妊娠呕吐，食管癌，胃癌。

| **用法用量** | 内服煎汤，6 ~ 30 g；或研末，每次 3 g，每日 2 ~ 3 次。

萝摩科 Asclepiadaceae 钉头果属 Gomphocarpus

钉头果 *Gomphocarpus fruticosus* (L.) W. T. Aiton

| **药 材 名** | 钉子花（药用部位：地上部分）。

| **形态特征** | 灌木，高达 2 m。茎被微柔毛。叶对生，具短叶柄；叶片纸质，条形或条状披针形，先端渐尖，无毛，边缘外卷。聚伞花序伞状，腋生。花冠白色，花冠裂片卵形或椭圆形。蓇葖果通常单生，卵圆形，膨胀，基部偏斜，先端渐尖而成尖喙，下垂，外果皮具很多软刺；种子卵形，先端具种毛。花期 5 ~ 8 月，果期 7 ~ 10 月。

| **生境分布** | 广东各地均有栽培。

| **资源情况** | 栽培资源一般。药材来源于栽培。

| **采收加工** | 夏、秋季采收，切段，晒干或鲜用。

| **功能主治** | 甘，平。健脾和胃，益肺。用于小儿呕吐，泄泻，不思纳食，肺痨咳嗽。

| **用法用量** | 内服煎汤，5 ~ 15 g。

萝藦科 Asclepiadaceae 纤冠藤属 Gongronema

纤冠藤 *Gongronema napalense* (Wall.) Decne

| 药 材 名 | 大防己（药用部位：全株。别名：入地龙、羊乳藤、细羊角）。

| 形态特征 | 木质藤本，具白色乳汁。茎褐色，具纵条纹，无毛。叶片纸质，长圆状披针形、长圆状倒披针形、椭圆形、椭圆状倒披针形或卵圆形，先端短渐尖，无毛。聚伞花序伞状，被短柔毛；花冠淡黄色，花冠筒与萼裂片等长，着生在合蕊冠基部。蓇葖果双生，广叉开，长圆状披针形；种子卵形。花期 6 ~ 9 月，果期 8 月至翌年 1 月。

| 生境分布 | 生于林中或灌丛中。分布于广东花都、遂溪、信宜、德庆、阳春及肇庆（市区）、茂名（市区）、云浮（市区）。

| 资源情况 | 野生资源较丰富。栽培资源较少。药材来源于野生和栽培。

| **采收加工** | 夏、秋季采收，切段，晒干。 |

| **功能主治** | 甘、微辛，微温。祛风湿，活血通络，通乳。用于腰肌劳损，关节疼痛，乳汁不下，子宫下垂。 |

| **用法用量** | 内服煎汤，30 ~ 60 g。 |

萝摩科 Asclepiadaceae 天星藤属 Graphistemma

天星藤
Graphistemma pictum (Champ. ex Benth.) Benth. et Hook. f. ex Maxim.

| 药 材 名 |

骨碗藤（药用部位：全株。别名：鸡脚果、大奶藤）。

| 形态特征 |

木质藤本，全株无毛。托叶叶状，圆形或卵形；叶片纸质，长圆形或长圆状披针形，先端渐尖或急尖。花序腋生，着花 3 ~ 12；花冠辐状，外面绿色，内面淡紫红色，边缘黄色，花冠裂片长圆形；副花冠、雄蕊和雌蕊特征与本属植物同。蓇葖果披针形或卵状圆筒形，木质，基部膨大，先端渐尖；种子卵形，淡褐色。花期 4 ~ 9 月，果期 7 ~ 12 月。

| 生境分布 |

生于中海拔的山地林中。分布于广东新会、恩平、电白、信宜、封开、阳春、新兴、罗定、南雄及广州（市区）、深圳（市区）、珠海（市区）、江门（市区）。

| 资源情况 |

野生资源较丰富。药材来源于野生。

| **采收加工** | 全年均可采收，切段，晒干。 |

| **功能主治** | 甘，平。解毒，活血，催乳。用于跌打损伤，骨折，乳汁不下。 |

| **用法用量** | 内服煎汤，3～9g。外用适量，捣敷。 |

| **凭证标本号** | 440781190712041LY、441225180728100LY、441224180402016LY。 |

萝藦科 Asclepiadaceae 匙羹藤属 Gymnema

匙羹藤
Gymnema sylvestre (Retz.) Schult.

| 药 材 名 | 武靴藤（药用部位：全株。别名：金刚藤、蛇天角、饭杓藤）。

| 形态特征 | 木质藤本，具乳汁。茎皮灰褐色，具皮孔。幼枝被微毛，老时渐无毛。叶倒卵形或卵状长圆形。聚伞花序伞状，腋生，比叶短；花冠绿白色，钟状，副花冠着生于花冠裂片弯缺下，厚而成硬条带。蓇葖果卵状披针形，基部膨大，顶部渐尖，外果皮硬，无毛；种子卵圆形，薄而凹陷，先端截形或钝，基部圆形，有薄边，先端轮生白色的绢质种毛。花期5～9月，果期10月至翌年1月。

| 生境分布 | 生于低海拔至中海拔的林中、灌丛。广东各地均有分布。

| 资源情况 | 野生资源丰富。药材来源于野生。

| 采收加工 | 根，全年均可采收，洗净，晒干或鲜用。枝叶，春季采收，鲜用。 |

| 药材性状 | 本品根圆柱形，直径 1 ~ 3 cm，常切成厚 2 ~ 5 mm 的斜片；外表面灰棕色，较粗糙，具裂纹及皮孔；切断面黄色，木部有细密小孔，形成层环波状弯曲，髓部疏松，淡棕色。茎类圆柱形，灰褐色，具皮孔，被微毛。叶对生；叶片多皱缩，完整者展平后呈倒卵形或卵状长圆形，长 3 ~ 8 cm，宽 1.5 ~ 4 cm，仅叶脉被微毛，鲜时具乳汁；叶柄长 3 ~ 10 mm，有短毛，先端丛生腺体。气微，味苦。 |

| 功能主治 | 苦，平。清热解毒，祛风止痛。 |

| 用法用量 | 内服煎汤，0.3 ~ 1 g。 |

| 凭证标本号 | 441523190517020LY、440781190515005LY、440781191102008LY。 |

萝藦科 Asclepiadaceae 匙羹藤属 Gymnema

大叶匙羹藤 Gymnema tingens Roxb. ex Spreng.

| 药 材 名 | 广东匙羹藤（药用部位：根。别名：猪罗摆）。

| 形态特征 | 木质藤本。叶纸质或薄革质，卵形或卵状长圆形，先端渐尖。聚伞花序假伞状，腋生，长 1.5 ~ 4 cm，着花多数；花冠淡黄色，钟状，副花冠着生在花冠筒壁内面中部而退化成 5 行被毛的条带。蓇葖果披针状圆柱形，先端渐尖，基部膨大，无毛；种子卵形，边缘薄，基部圆形，先端具白色绢质种毛。花期 5 ~ 7 月，果期 7 月至翌年 1 月。

| 生境分布 | 生于山地、溪边林中或灌丛中。分布于广东乳源、台山、博罗、连山。

曾佑派提供

| **资源情况** | 野生资源较少。药材来源于野生。

| **采收加工** | 全年均可采挖，晒干。

| **功能主治** | 苦，微温。祛风止痛。用于风寒湿痹，关节不利，筋脉拘挛，腰膝疼痛。

| **用法用量** | 内服煎汤，3 ~ 9 g。

曾佑派提供

萝藦科 Asclepiadaceae 醉魂藤属 Heterostemma

醉魂藤 *Heterostemma alatum* Wight

| **药 材 名** | 野豇豆（药用部位：全株或根。别名：老鸦摆、台湾醉魂藤）。

| **形态特征** | 木质藤本，长达 5 m。茎纤细，具纵条纹，无毛。叶片纸质，宽卵形至长圆状卵形，先端渐尖，嫩时被微柔毛，老时渐无毛，基出脉 3 ~ 5，于背面凸起成翅状。伞状聚伞花序腋生，着花 10 ~ 20；花冠黄色，辐状至浅钟状，花冠裂片卵状三角形，与花冠筒等长，副花冠裂片舌状长圆形。蓇葖果双生，条状披针形，具纵条纹，无毛；种子宽卵形。花期 4 ~ 9 月，果期 6 ~ 12 月。

| **生境分布** | 生于海拔 1 200 m 以下的山地林中。分布于广东翁源、乐昌、阳山、怀集及茂名（市区）、云浮（市区）、肇庆（市区）、河源（市区）。

| 资源情况 | 野生资源一般。药材来源于野生。

| 采收加工 | 秋季采收，晒干或鲜用。

| 功能主治 | 辛，平。除湿，解毒，截疟。用于风火牙痛，咽喉肿痛，腮腺炎，疮疖，小儿麻疹余毒不尽，胃痛，便秘，跌打肿痛。

| 用法用量 | 内服煎汤，3 ~ 6 g。外用适量，煎汤洗；或油煎涂搽。

| 凭证标本号 | 441224180613008LY、441827190119048LY。

萝藦科 Asclepiadaceae 醉魂藤属 Heterostemma

催乳藤
Heterostemma oblongifolium Cost.

| **药 材 名** | 奶汁藤（药用部位：全株或根）。

| **形态特征** | 柔弱缠绕藤本，具乳汁，全株无毛。枝条节间具2列柔毛。叶片薄革质，长圆形至卵状长圆形，具羽状脉。伞形聚伞花序腋生，着花4或5；花冠外面淡绿色，内面淡黄色或橙黄色，辐状或近钟状，花冠裂片与花冠筒近等长，三角状卵形，无毛，副花冠裂片呈星状平展在花冠上。蓇葖果双生，叉开，条状披针形，无毛；种子条状长圆形。花期8～10月，果期9～12月。

| **生境分布** | 生于海拔600 m以下的山地林中。分布于广东乐昌、高要、德庆等。

| **资源情况** | 野生资源较少。栽培资源较少。药材来源于野生和栽培。

| **采收加工** | 秋季采收，晒干。

| **功能主治** | 甘、微辛，平。通乳。用于产后气血瘀滞，乳汁不下。

| **用法用量** | 内服煎汤，9 ~ 30 g。

萝摩科 Asclepiadaceae 球兰属 *Hoya*

球兰

Hoya carnosa (L. f.) R. Br.

| 药 材 名 | 雪球花（药用部位：藤茎、叶。别名：金雪球、绣球花藤、爬岩板）。

| 形态特征 | 攀缘藤本。茎具不定根，淡灰色，除花序被毛外，其余部位均无毛。叶片肉质，卵圆形至卵圆状长圆形。聚伞花序伞状，腋生，着花约30，花密集成圆球状；花冠白色，有时中心呈紫红色，辐状，副花冠裂片肉质。蓇葖果常单生，条状披针形，光滑，无毛；种子长圆形或条形。花期 4 ~ 11 月，果期 6 ~ 12 月。

| 生境分布 | 生于平原或山地，附生于树木或石上。分布于广东新会、大埔、潮安及广州（市区）、深圳（市区）、茂名（市区）。

| 资源情况 | 野生资源一般。药材来源于野生。

| **采收加工** | 全年均可采收，鲜用或晒干。 |

| **功能主治** | 微苦，平。清热解毒，祛风除湿。用于腮腺炎，牙痛，疔疮痈疖。 |

| **用法用量** | 内服煎汤，2～3 g；或捣汁。外用适量，捣敷。 |

| **凭证标本号** | 441823200709020LY。 |

萝摩科 Asclepiadaceae 球兰属 Hoya

荷秋藤

Hoya griffithii Hook. f.

| 药 材 名 | 石龙藤（药用部位：茎、叶。别名：五中土、狭叶荷秋藤）。

| 形态特征 | 附生藤本，攀附在树上或岩石上，全株无毛。叶片披针形或长圆状披针形，先端急尖至渐尖。伞状聚伞花序腋生，着花多数，花密集成球状；花冠白色，辐状，副花冠裂片肉质。蓇葖果通常单生，披针形，无毛，平滑；种子长圆形。花期6～8月，果期9～11月。

| 生境分布 | 生于低海拔至中海拔的山地林中。分布于广东鼎湖及茂名（市区）。

| 资源情况 | 野生资源较少。药材来源于野生。

| 采收加工 | 全年均可采收，晒干。

| 功能主治 | 苦、辛，凉。祛风除湿，活血散瘀。用于风湿热痹，跌打肿痛，骨折。

| 用法用量 | 内服煎汤，9 ~ 15 g。外用适量，研末调敷。

萝藦科 Asclepiadaceae 球兰属 Hoya

铁草鞋
Hoya pottsii J. Traill

| **药 材 名** | 三脉球兰（药用部位：叶。别名：味卖龙）。

| **形态特征** | 附生攀缘藤本，长 5 ～ 10 m，除花冠被毛外，其余部位均无毛。叶片肉质，干后呈厚革质，卵状长圆形至长圆状披针形，先端急尖，具三出脉。伞状聚伞花序腋生，着花多数，花密集成圆球状；花冠白色，中心淡红色，副花冠裂片五角星状平展在花冠上。蓇葖果通常单生，条状长圆形，平滑；种子条状长圆形。花期 4 ～ 5 月，果期 8 ～ 10 月。

| **生境分布** | 生于山地密林中，附生于大树或石上。分布于广东高州、化州及阳江（市区）、云浮（市区）。

| **资源情况** | 野生资源较少。药材来源于野生。

| **采收加工** | 全年均可采收，鲜用或晒干。

| **功能主治** | 苦、辛，平。活血散瘀，解毒消肿，拔脓生肌。用于跌打损伤，骨折，疮疡肿毒。

| **用法用量** | 外用适量，研末调敷；或鲜品捣敷。

萝摩科 Asclepiadaceae 黑鳗藤属 *Jasminanthes*

假木藤 *Jasminanthes chunii* (Tsiang) W. D. Stevens et P. T. Li

| 药 材 名 | 假木通（药用部位：叶、根。别名：木通黑蔓藤、两广千金子藤）。

| 形态特征 | 木质藤本。小枝具 2 列短柔毛。叶片纸质，卵形或宽卵状长圆形，先端渐尖，嫩时被微柔毛，老时渐无毛。伞状聚伞花序腋生，短于叶，着花多达 12；花冠白色，高脚碟状，含黑色液汁，花冠裂片长圆状镰刀形，副花冠裂片小，扁平。蓇葖果通常单生，卵状披针形，无毛；种子长圆状卵形，有膜质边缘。花期 5 ~ 7 月，果期 8 ~ 12 月。

| 生境分布 | 生于海拔 600 ~ 850 m 的山地密林中。分布于广东乳源、连山、阳山及肇庆（市区）等。

| **资源情况** | 野生资源较少。药材来源于野生。 |

| **采收加工** | 叶，夏季采收，晒干。根，秋季采挖，洗净，切片，晒干。 |

| **功能主治** | 甘、辛，温。补血，活血，下乳。用于月经不调，痛经，产后血虚，乳汁不足。 |

| **用法用量** | 内服煎汤，6 ~ 15 g。 |

萝摩科 Asclepiadaceae 黑鳗藤属 Jasminanthes

黑鳗藤
Jasminanthes mucronata (Blanco) W. D. Stevens et P. T. Li

药 材 名

华千金子藤（药用部位：藤茎。别名：史惠藤、博如藤）。

形态特征

木质藤本。枝条具 2 列短柔毛和皮孔。叶先端渐尖，嫩时被微柔毛，老时渐无毛。假伞状聚伞花序腋生或腋外生，通常着花 2 ~ 4（~ 9）；花冠白色，含紫色液汁，副花冠裂片短于花药。蓇葖果通常单生，披针形，无毛；种子长圆形。花期 5 ~ 7 月，果期 8 ~ 11 月。

生境分布

生于海拔 500 m 以下的山地疏、密林中，攀缘于大树上。分布于广东惠阳、博罗、龙门、始兴、乐昌、阳山及佛山（市区）、湛江（市区）等。

资源情况

野生资源一般。药材来源于野生。

采收加工

夏、秋季采收，洗净，扎把，阴干，用时切片。

| **功能主治** | 辛、微苦，温。祛风除湿，通络止痛。用于风湿痹痛，腰肌劳损。

| **用法用量** | 内服煎汤，15 ～ 30 g。

萝摩科 Asclepiadaceae 牛奶菜属 Marsdenia

大叶牛奶菜 *Marsdenia koi* Tsiang

| 药 材 名 | 圆头牛奶菜（药用部位：全株）。

| 形态特征 | 粗壮藤本，除花被毛外，其余部位均无毛。茎和枝淡灰色。时常呈宽卵形，长 10 ~ 16 cm。伞状聚伞花序腋生，短于叶，总花梗长 7 ~ 9 cm，不分枝；花萼内面基部有腺体；花冠近钟状，副花冠裂片卵状披针形，背面基部膨胀；柱头圆锥状。蓇葖果双生或单生，椭圆状，干后坚硬，木质，无毛；种子卵状长圆形。花期 5 ~ 10 月，果期 8 ~ 12 月。

| 生境分布 | 生于山地杂木林或溪边灌丛中。分布于广东信宜及阳江（市区）等。

| 资源情况 | 野生资源较少。药材来源于野生。

| 采收加工 | 全年均可采收，晒干或鲜用。

| 功能主治 | 活血，止痛。用于跌打损伤。

| 用法用量 | 内服煎汤，15 ～ 30 g。外用鲜品适量，捣敷。

| 凭证标本号 | 440983191004021LY。

萝摩科 Asclepiadaceae 牛奶菜属 Marsdenia

牛奶菜 *Marsdenia sinensis* Hemsl.

药 材 名	三百银（药用部位：全株或根。别名：婆婆针线包、漾濞牛奶菜）。
形态特征	粗壮木质藤本，全株被淡黄色绒毛。茎被皮孔，干后中空。叶片厚纸质，卵状心形至卵状长圆形，先端短渐尖，鲜时呈绿色，干后呈灰褐色。伞状聚伞花序二歧，腋生，长 1 ~ 3 cm，着花 10 ~ 20；花萼裂片卵圆形，内面基部有腺体；花冠近钟状，黄色或白色，内面被微柔毛，其余部位均无毛；柱头先端 2 裂。蓇葖果纺锤形，被黄色绒毛；种子卵形，具膜质薄边。花期 4 ~ 7 月，果期 8 ~ 11 月。
生境分布	生于山谷疏林中。分布于广东怀集、封开、博罗、龙门、大埔、阳山。

| **资源情况** | 野生资源较少。药材来源于野生。

| **采收加工** | 全年均可采收，洗净，切段，晒干。

| **功能主治** | 全株，微苦，平，壮筋骨，健胃利肠。用于跌打损伤。根，微苦，平，祛风湿，强筋骨，解蛇毒。用于风湿性关节炎，蛇咬伤。

| **用法用量** | 内服煎汤，3 ~ 6 g。

| **凭证标本号** | 441823200710026LY、440224181203022LY、441225180728011LY。

萝藦科 Asclepiadaceae 牛奶菜属 Marsdenia

蓝叶藤
Marsdenia tinctoria R. Br.

| 药 材 名 | 肖牛耳菜（药用部位：茎皮、果实。别名：肖牛耳藤、羊角豆、球花牛奶菜）。

| 形态特征 | 木质藤本，全株幼时密被短柔毛，老时几无毛。叶片薄纸质，长圆形至宽卵形，基部近心形，先端渐尖，鲜时呈绿色，干后呈淡蓝色。聚伞花序密集成圆球状至长总状，腋生；花冠淡黄色，干后呈暗蓝色，坛状，喉部有刷毛，副花冠裂片 5，披针形，与花药等长。蓇葖果双生或单生，长圆状披针形，被疏柔毛至茸毛；种子卵形。花期 3 ~ 11 月，果期 7 ~ 12 月。

| 生境分布 | 生于中海拔山地的山谷林中。分布于广东始兴、翁源、乳源、乐昌、徐闻、信宜、怀集、封开、博罗、连平、阳春、阳山、连州及广州（市

区）、云浮（市区）。

| **资源情况** | 野生资源丰富。药材来源于野生。

| **采收加工** | 秋季采收，晒干。

| **功能主治** | 茎皮，祛风除湿，化瘀散结。果实，疏肝和胃，理气止痛。

| **用法用量** | 内服煎汤，3～9g。

| **凭证标本号** | 441825190414009LY、440281190426021LY、441827190310010LY。

萝藦科 Asclepiadaceae 萝藦属 Metaplexis

华萝藦
Metaplexis hemsleyana Oliv.

| **药 材 名** | 萝藦藤（药用部位：全草或根及根茎。别名：奶浆藤、奶浆草）。

| **形态特征** | 多年生草质藤本。茎细长，被 1 列短柔毛，节上被毛更密。叶片膜质，卵状心形。总状聚伞花序腋生，着花 6 ~ 16；花蕾先端钝圆；花冠近辐状，两面均无毛，花冠筒短，副花冠环状；柱头延伸成长喙。蓇葖果叉生，长圆形或纺锤形，被短柔毛，外果皮粗糙或具皱纹。花期 7 ~ 9 月，果期 9 ~ 12 月。

| **生境分布** | 生于山谷、路旁或山脚湿润灌丛中。分布于广东乐昌。

| **资源情况** | 野生资源较少。药材来源于野生。

| **采收加工** | 夏、秋季采收，除去泥土，晒干。

| **功能主治** | 甘、涩，微温。温肾助阳，益精血。用于肾亏遗精，乳汁不足，脱力劳伤。

| **用法用量** | 内服煎汤，15 ~ 30 g。

萝藦科 Asclepiadaceae 尖槐藤属 Oxystelma

尖槐藤
Oxystelma esculentum (L. f.) Sm.

药 材 名	高冠藤（药用部位：全株。别名：催奶藤、小双飞蝴蝶）。
形态特征	藤本，基部木质，除花被毛外其余部位均无毛。叶片膜质，条形或条状披针形，基部圆，先端渐尖。伞状聚伞花序腋生，比叶长，着花通常 2 ~ 4；花冠白色，具紫红色条纹或斑点，副花冠双轮，外轮副花冠环状，边膜质。蓇葖果披针形，无毛，两侧具窄纵翅；种子卵圆形。花期 6 ~ 9 月，果期 10 ~ 12 月。
生境分布	生于低丘陵地区的沟边、岩石上或灌丛中。分布于广东新会及肇庆（市区）等。
资源情况	野生资源较少。药材来源于野生。

王文广提供

| **采收加工** | 秋季采收，洗净，切段，晒干。

| **功能主治** | 甘、辛，微寒。清热利湿，散瘀消肿，解毒，催乳。

| **用法用量** | 内服煎汤，9 ~ 15 g。外用适量，研末调敷；或鲜叶捣敷。

王文广提供

萝藦科 Asclepiadaceae 石萝藦属 Pentasacme

石萝藦 *Pentasacme caudatum* Wall. ex Wight

| 药 材 名 |

假了刁竹（药用部位：全草。别名：凤尾草、水杨柳、南石萝藦）。

| 形态特征 |

多年生直立草本，通常不分枝，节间短，长1.5 ~ 3 cm，无毛。叶膜质，狭披针形，先端长尖，基部急尖。伞状聚伞花序腋生，比叶短，着花4 ~ 8，花序梗极短或近无；花冠白色，裂片狭披针形，副花冠为5鳞片，先端具细齿。蓇葖果双生，圆柱状披针形，无毛；种子小，先端具白色绢质种毛。花期4 ~ 10月，果期7月至翌年4月。

| 生境分布 |

生于丘陵、山地疏林下或溪边、石缝中。分布于广东南雄、惠阳、信宜、恩平、高州、英德、阳春、台山及肇庆（市区）、茂名（市区）、梅州（市区）、湛江（市区）、深圳（市区）。

| 资源情况 |

野生资源丰富。药材来源于野生。

| 采收加工 | 4 ~ 10 月采收，晒干或鲜用。

| 功能主治 | 苦、微辛，凉。散风清热，解毒消肿。用于风热感冒，咳嗽，咽痛，目赤，肝炎，毒蛇咬伤。

| 用法用量 | 内服煎汤，9 ~ 15 g。

| 凭证标本号 | 440783200425020LY、440781190518007LY、440785180506085LY。

萝摩科 Asclepiadaceae 肉珊瑚属 Sarcostemma

肉珊瑚
Sarcostemma acidum (Roxb.) Voigt

| **药 材 名** | 珊瑚（药用部位：全株。别名：无叶藤、铁珊）。

| **形态特征** | 无叶肉质藤本。茎缠绕在树上，绿色或灰绿色，无毛。伞状聚伞花
序顶生或腋生，着花 6 ~ 15；小苞片长圆状披针形；花冠白色或淡

黄色，花冠裂片长圆形或长圆状披针形，外轮副花冠浅杯状，膜质。蓇葖果通常单生，长圆形或披针形，平滑；种子阔卵形。花期 3 ～ 11 月，果期 10 月至翌年 2 月。

| 生境分布 | 生于海边灌丛中或林中。分布于广东南部及沿海各岛屿。广东广州（市区）有栽培。

| 资源情况 | 野生资源较少。药材来源于野生。

| 采收加工 | 夏、秋季采收，洗净，切段，晒干。

| 功能主治 | 甘，平。收敛止咳，催乳。用于气虚血弱，久咳虚喘，乳汁不足等。

| 用法用量 | 内服煎汤，9 ～ 15 g。

萝藦科 Asclepiadaceae 鲫鱼藤属 Secamone

鲫鱼藤
Secamone elliptica R. Br.

| 药 材 名 | 黄花藤（药用部位：花、叶。别名：四粉块藤）。

| 形态特征 | 藤状灌木，具乳汁，除花序被毛外其余部位均无毛。枝土灰色，直径约 3 mm。叶纸质，有透明腺点，椭圆形，先端尾状渐尖，基部楔形。聚伞花序腋生，着花多数；花冠黄色，辐状，花冠筒短，裂片长圆形；雄蕊上的副花冠 5 裂。蓇葖果广歧，披针形，基部膨大，无毛；种子褐色，先端截平，具白色绢质种毛。花期 7 ~ 8 月，果期 10 月至翌年 1 月。

| 生境分布 | 生于海拔 500 m 以下的疏林中，常攀缘于树上。分布于广东徐闻、廉江及阳江（市区）等。

| 资源情况 | 野生资源稀少。药材来源于野生。

| 采收加工 | 花，7～8月采收，晒干。叶，全年均可采收，晒干。

| 功能主治 | 辛，凉。消肿散结。用于瘰疬。

| 用法用量 | 外用适量，煎汤洗；或捣敷。

| 凭证标本号 | 440882180603066LY。

萝藦科 Asclepiadaceae 鲫鱼藤属 Secamone

吊山桃 *Secamone sinica* Hand.-Mazz.

| 药 材 名 | 华四粉块藤（药用部位：叶。别名：细叶青藤）。

| 形态特征 | 木质藤本，长达 8 m。嫩枝被黄褐色微柔毛，老枝密被皮孔。叶片纸质，卵状披针形，先端渐尖，叶面无毛，叶背被短柔毛和透明腺点。聚伞花序腋生或近顶生，着花多数；花冠黄色，辐状，花冠筒短，副花冠裂片侧边扁平，镰刀状。蓇葖果双生，披针形，平滑，无毛；种子长圆形。花期 5 ～ 6 月，果期 9 ～ 10 月。

| 生境分布 | 生于密林或溪旁疏林中。分布于广东徐闻。

| 资源情况 | 野生资源稀少。药材来源于野生。

| **采收加工** | 全年均可采收，晒干。

| **功能主治** | 甘，平。壮筋骨，补精血，催乳。用于肝肾不足，筋骨痿软，产后体虚缺乳。

| **用法用量** | 内服煎汤，10 ~ 15 g。

萝藦科 Asclepiadaceae 夜来香属 Telosma

夜来香 *Telosma cordata* (Burm. f.) Merr.

| 药 材 名 |

夜香花（药用部位：叶、花、果实。别名：夜兰香）。

| 形态特征 |

多年生草质藤本，长达 10 m。茎淡黄绿色，嫩时被短柔毛，老时几无毛，通常具稀疏皮孔。叶片膜质，卵形，基部深心形，先端渐尖。伞状聚伞花序腋生，下垂，着花 15 ~ 30；花清香；花冠淡黄绿色，裂片长圆形，副花冠短于花药，稍肉质，下部卵形，上部渐尖。蓇葖果双生，叉开，披针形，无毛，外果皮具 4 棱翅；种子宽卵形，扁平，先端截形，边缘膜质。花期 5 ~ 10 月，果期 10 ~ 12 月。

| 生境分布 |

生于山坡灌丛中，常攀缘于树上或岩石上。广东各地均有栽培。

| 资源情况 |

野生资源较少。栽培资源丰富。药材来源于栽培。

| 采收加工 |

5 ~ 8 月采收，晒干或鲜用。

| **功能主治** | 甘、淡，平。清肝明目，去翳，拔毒生肌。用于目赤肿痛，翳膜遮睛，痈疮溃烂。

| **用法用量** | 内服煎汤，1.5 ~ 3 g。

| **凭证标本号** | 441284190715571LY、445222191013009LY。

萝藦科 Asclepiadaceae 弓果藤属 Toxocarpus

弓果藤 *Toxocarpus wightianus* Hook. et Arn.

药材名

牛茶藤（药用部位：全株。别名：牛角藤、小羊角藤、圆叶弓果藤）。

形态特征

木质藤本。小枝被黄褐色微柔毛，具皮孔。叶片近革质，椭圆形或椭圆状长圆形至卵圆形，先端急尖至圆，或微缺。伞状聚伞花序腋生，远短于叶，着花多达 10，被锈色短柔毛；花冠淡黄色，无毛，裂片狭披针形，副花冠裂片三角形；柱头粗纺锤形。蓇葖果双生，窄披针形，广叉开成 180° ~ 200°，密被锈色绒毛，外果皮厚；种子卵状长圆形，无喙。花期 6 ~ 8 月，果期 10 ~ 12 月。

生境分布

生于丘陵、山地或平原灌丛中。分布于广东番禺、台山、徐闻、高州、信宜及广州（市区）、深圳（市区）、珠海（市区）、惠州（市区）、阳江（市区）、中山（市区）。

资源情况

野生资源较丰富。药材来源于野生。

| 采收加工 | 全年均可采收，晒干或鲜用。

| 功能主治 | 苦、辛，凉。清热解毒，祛瘀止痛。用于痈肿疮毒，跌打肿痛。

| 用法用量 | 外用鲜品适量，捣敷。

| 凭证标本号 | 440882180602015LY。

萝藦科 Asclepiadaceae **娃儿藤属** *Tylophora*

三分丹
Tylophora atrofolliculata F. P. Metcalf

| 药 材 名 | 通脉丹（药用部位：根。别名：三分丹、蛇花藤、毛果娃儿藤）。

| 形态特征 | 攀缘灌木。须根丛生。茎上部缠绕。茎、叶柄、叶的两面、花序梗、花梗及花萼外面均被锈黄色柔毛。叶卵形，先端急尖，具细尖头，基部浅心形。聚伞花序伞房状，丛生于叶腋，通常呈不规则二歧状分枝，着花多数；花小，淡黄色或黄绿色；花冠辐状，裂片长圆状披针形，两面被微毛，副花冠裂片卵形。蓇葖果双生，圆柱状披针形，被短柔毛；种子卵形，先端截形，具白色绢质种毛。花期4~8月，果期8~12月。

| 生境分布 | 生于山坡、旷野林中或灌丛中。分布于广东南澳、徐闻、高州、封开、阳春及广州（市区）、深圳（市区）、珠海（市区）。

| 资源情况 | 野生资源较丰富。药材来源于野生。

| 采收加工 | 冬季采挖，洗净，切片，晒干。

| 功能主治 | 甘、微辛，平；有毒。祛瘀止痛。用于风湿痹痛，跌打肿痛。

| 用法用量 | 内服研末，每次服 3 g；或浸酒，每次服 10 ~ 15 ml。

| 凭证标本号 | 441823200722030LY。

萝摩科 Asclepiadaceae 娃儿藤属 *Tylophora*

七层楼
Tylophora floribunda Miq.

| 药 材 名 | 多花娃儿藤（药用部位：根。别名：双飞蝴蝶、老君须）。

| 形态特征 | 纤细多年生草质藤本。根须状，黄白色。茎具单列微柔毛，分枝多。叶片膜质至薄纸质，长圆状卵形至戟形，先端急尖或渐尖，基部心形，两面均无毛，叶背有小乳头状突起。伞状聚伞花序松散，广展，比叶长；花冠淡紫红色，辐状，直径约 2 mm，副花冠裂片卵形。蓇葖果双生，叉开，条状披针形，无毛；种子卵形。花期 5 ~ 9 月，果期 8 ~ 12 月。

| 生境分布 | 生于山地灌丛中。分布于广东惠阳、翁源、乳源、乐昌、高要、和平、阳山、英德及云浮（市区）、韶关（市区）。

| 资源情况 | 野生资源较丰富。药材来源于野生。

| 采收加工 | 秋、冬季采挖，抖去泥沙，洗净，晒干或鲜用。

| 功能主治 | 辛，温；有小毒。祛风化痰，通经散瘀。用于哮喘，咳嗽，咽喉肿痛，跌打损伤，风湿痹痛，胃痛，腹痛。

| 用法用量 | 内服煎汤，2 ~ 3 g。外用适量，捣敷。

| 凭证标本号 | 440281190626037LY、441823200707029LY。

萝摩科 Asclepiadaceae 娃儿藤属 *Tylophora*

人参娃儿藤 *Tylophora kerrii* Craib.

| 药 材 名 |　土人参（药用部位：根。别名：土牛膝）。

| 形态特征 |　草质藤本。须根丛生，肉质。茎柔弱，常缠绕。除茎节、叶柄、花萼外面和花冠内面被疏柔毛外，其余部位无毛。叶片条形或条状披针形，先端急尖，两面无毛。伞状聚伞花序腋外生，下垂；花冠初呈绿色，渐呈黄色，最后呈淡紫色至白色，辐状，副花冠裂片卵状，先端钝，达花药基部。蓇葖果通常单生，线状披针形，长约10 cm，无毛；种子长圆形。花期 5 ~ 8 月，果期 8 ~ 12 月。

| 生境分布 |　生于海拔 800 m 以下的草地、山谷、溪边密林或灌丛中。分布于广东西部、和平、阳山及肇庆（市区）。

| 资源情况 | 野生资源较少。药材来源于野生。

| 采收加工 | 秋、冬季采挖，洗净，晒干。

| 功能主治 | 辛，平。清肝明目，行气止痛。用于气虚劳倦，食少，泄泻，肺痨咯血，眩晕，潮热，盗汗，自汗，月经不调，带下，产妇乳汁不足。

| 用法用量 | 内服煎汤，5 ～ 10 g。

萝藦科 Asclepiadaceae 娃儿藤属 Tylophora

通天连 *Tylophora koi* Merr.

| 药 材 名 | 乳汁藤（药用部位：全株。别名：双飞蝴蝶、信宜娃儿藤）。

| 形态特征 | 攀缘灌木，全株无毛。叶薄纸质，长圆形或长圆状披针形，大小不一，先端渐尖，有时具细尖头，小叶基部圆形、钝或截形，大叶基部心形或浅心形。聚伞花序近伞房状，腋生或腋外生；花梗纤细；花黄绿色；花冠近辐状，直径 4 ~ 6 mm，花冠筒短，副花冠裂片卵形，贴生于合蕊冠的基部。膏葖果通常单生，线状披针形，长 4 ~ 9 cm，无毛；种子卵圆形，顶部具白色绢质种毛。花期 6 ~ 9 月，果期 7 ~ 12 月。

| 生境分布 | 生于林下或灌丛中。分布于广东乳源、新丰、乐昌、连山、梅县、大埔、惠阳、博罗、南澳、信宜及肇庆（市区）、湛江（市区）等。

| 资源情况 | 野生资源一般。药材来源于野生。 |

| 采收加工 | 秋、冬季采集，洗净，切段，晒干或鲜用。 |

| 功能主治 | 苦，凉。清热解毒，活血消肿。用于感冒发热，痈疮疔毒，毒蛇咬伤，跌打肿痛。 |

| 用法用量 | 内服煎汤，0.5 ～ 1 g。外用鲜品适量，捣敷。 |

| 凭证标本号 | 440281190630001LY、440224181117001LY、441225180730085LY。 |

萝藦科 Asclepiadaceae 娃儿藤属 Tylophora

娃儿藤
Tylophora ovata (Lindl.) Hook. ex Steud.

| 药 材 名 | 白龙须（药用部位：根。别名：哮喘草、卵叶娃儿藤、三十六荡）。

| 形态特征 | 草质缠绕或攀缘藤本。茎、叶柄、叶的两面、花序梗、花梗及花萼外面均被锈黄色柔毛。须根丛生。叶片卵形，先端急尖或短渐尖，具小尖头。总状聚伞花序腋生，偶有分叉，着花多数；花冠淡黄色或黄绿色，辐状，副花冠裂片卵状。蓇葖果双生，稀单生，叉开，披针形或长圆状披针形，被微柔毛至无毛，先端外弯；种子卵形。花期 4 ~ 8 月，果期 8 ~ 12 月。

| 生境分布 | 生于海拔 900 m 以下的山地灌丛或杂木林中。分布于广东乳源、宝安、南澳、台山、徐闻、高州、封开、高要、阳春、连州、罗定及广州（市区）、珠海（市区）、惠州（市区）。

| 资源情况 | 野生资源丰富。药材来源于野生。 |

| 采收加工 | 秋、冬季采挖，洗净，晒干。 |

| 功能主治 | 辛，温；有毒。祛风除湿，散瘀止痛，止咳定喘，解蛇毒。用于小儿惊风，中暑腹痛，哮喘痰咳，咽喉肿痛，胃痛，牙痛，风湿关节痛，跌打损伤。 |

| 用法用量 | 内服煎汤，1 ~ 3 g；或研末；或捣汁。外用适量，捣敷。 |

| 凭证标本号 | 441284190718539LY、440882180501016LY、440783200313009LY。 |

萝摩科 Asclepiadaceae 娃儿藤属 *Tylophora*

扒地蜈蚣 *Tylophora renchangii* Tsiang

| 药 材 名 | 假白前（药用部位：根、叶）。

| 形态特征 | 草质藤本。茎浅灰色，具纵条纹，有单列短柔毛。叶片纸质，椭圆状长圆形或长圆状披针形，先端急尖或渐尖，稀有小尖头，除叶面中脉被疏柔毛外，其余部位均无毛。聚伞花序腋生，较叶短；花梗比花序梗长；花冠淡绿白色，辐状，直径 5 ~ 7 mm，副花冠裂片着生在合蕊冠基部。蓇葖果双生，呈 180° 叉开，条状披针形，无毛；种子长圆状卵形。花期 4 ~ 8 月，果期 9 ~ 12 月。

| 生境分布 | 生于海拔 500 m 以下的山地疏林中及旷野灌丛中。分布于广东高州、廉江等。

| 资源情况 | 野生资源稀少。药材来源于野生。

| 采收加工 | 根，冬季采挖，洗净，切片，晒干。叶，全年均可采收，鲜用或晒干。

| 功能主治 | 微酸、涩，平。清热解毒，活血消肿。用于感冒发热，毒蛇咬伤，跌打损伤，骨折。

| 用法用量 | 内服捣烂取汁，冲白酒，1 ~ 2 g。外用适量，捣敷。